Marie de la mer

Annie Lavigne

Marie
de la mer

UNE ÉDITION DU CLUB QUÉBEC LOISIRS INC.
© Avec l'autorisation des Éditions Libre Expression
© 1999, Éditions Libre Expression ltée
Dépôt légal — Bibliothèque nationale du Québec, 2000
ISBN 2-89430-418-8
(publié précédemment sous ISBN 2-89111-852-9)

Imprimé au Canada

Je voudrais voir la mer
Et danser avec elle
Pour éloigner la mort…

Michel RIVARD

À Étienne,
pour tout son amour.

Marie la douce

Je suis Marie. Pas celle qui a enfanté le Messie, mais la petite Marie de la Gaspésie. Marie la douce. C'est le dernier été du siècle et le soleil est plus chaud qu'à l'accoutumée. Comme s'il voulait que les récoltes soient des plus abondantes. Comme s'il voulait que les champs et les fleurs rayonnent et que les cigales chantent un dernier hymne à l'été en ce siècle qui s'achève. Comme s'il voulait que nos cœurs se réchauffent avant le long hiver qui s'en vient. Toutes les grandes langues du pays le disent : cet hiver-là sera le plus long et le plus glacial des cent dernières années, de Montréal jusqu'à la pointe gaspésienne. Et puis, ici, ce sera pire que partout ailleurs, parce que l'on est au bout du pays, le dernier bout de terre avant la mer.

Mais les mois d'hiver sont encore loin. Juin vient juste d'arriver, avec ses fleurs des champs aux mille senteurs, ses arbres majestueux qui bourgeonnent, ses goélands et ses cormorans qui survolent la mer et viennent se reposer sur chaque poteau de la clôture de bois, de notre maison jusqu'au bord de la falaise. Le printemps fait maintenant place à l'été, et la terre qui dégèle, à l'herbe qui repousse pour me chatouiller les orteils.

Chaque jour, le soleil s'efforce de faire briller la mer un peu plus. Cette mer qui m'a portée et laissée sur le rivage d'Anse-aux-Rosiers, dernier village de la péninsule gaspésienne. Ma mer qui me berce encore quand le remous m'atteint le cœur et que le Carol n'est pas assez homme pour me consoler.

Le Carol ne peut plus bouger; c'est un infirme depuis bien des années. Mais c'est le meilleur père qu'une fille peut avoir, même couché sur sa paillasse, jour après jour, à regarder par la fenêtre les mouettes qui survolent la mer. De son lit, le Carol a connu chaque nuage qui a traversé le ciel : les maisons, les chevaux, les pipes, les dragons, les visages… Il s'invente des histoires dans les nuages. Durant le jour, je n'ai pas souvent le temps de m'occuper de lui, alors, chaque soir, je m'étends à ses côtés, prends sa vieille main ridée dans la mienne et porte une oreille attentive à ses nouvelles histoires.

Le Carol n'a que ses histoires pour s'accrocher à la vie. Il est une immense bibliothèque de livres aux reliures dorées, remplis d'histoires fantastiques, douces et réconfortantes comme sa voix, et aussi d'histoires vraies pour que l'on se souvienne du passé. Des histoires de quand le Carol était jeune et qu'il cherchait une terre à cultiver. Une terre où il pourrait s'installer et faire vivre sa famille. Quand ce pays n'était presque pas habité et que tout ce que l'on y trouvait étaient des arbres. Des arbres gigantesques, fiers et forts, de beaux grands géants qui peuplaient les terres. Des arbres à perte de vue…

Un pays inhabité, ça a beaucoup de charme. C'est pur telle l'eau coulant d'une source. C'est tout lisse et doux, puisque les hommes ne se le sont pas encore approprié. Ils n'ont pas déraciné ses arbres et soulevé ses pierres. Ils ne l'ont pas labouré et ensemencé. Ils n'ont pas enfoncé leurs grosses mains dans sa terre vierge. Et ils ne l'ont pas encore recouvert de leurs maisons et de leurs chemins. Il est nu, tout prêt à être caressé. Un pays colonisé, c'est une terre que l'on fait sienne en la rendant fertile.

Je suis Marie la douce et je suis fertile comme la terre. Depuis l'accident du Carol et la mort de la Madeleine, je ne vais plus à l'école et je cultive. Je cultive la terre sans l'aide du Carol ni d'aucun homme. Je fais pousser des patates, des carottes, des betteraves, des échalotes, des navets et des petits pois que je vends ou que j'échange au magasin général. Le Carol dit que je suis bonne à marier. C'est aussi ce que disent les villageois lorsque je descends au village vendre mes légumes ou faire mes commissions. Le vent me rapporte leurs chuchotements que je fais semblant de ne pas entendre. Ils disent que Marie la douce, celle qui est arrivée par la mer, celle que le vieux Carol a recueillie avec sa femme parce que le bon Dieu ne leur avait pas encore donné d'enfant, c'est le temps qu'elle se marie. Ils disent aussi que, si elle continue à sortir la nuit pour se promener sur le bord de la falaise, plus aucun gars du village ne va vouloir d'elle. Parce que ce n'est pas bien vu de sortir la nuit pour une fille qui n'a pas encore sa majorité, et, surtout, pas encore de mari. Ils disent tout cela et encore bien d'autres médisances, sur moi et sur tous ceux qui ne sont pas comme eux. Mais je laisse le vent emporter leurs ragots au loin.

C'est le temps des semailles; l'hiver est bien fini. Le soleil a retrouvé de sa vigueur et la terre est prête à accueillir mes précieuses graines. Rosalie Boileau, ma tendre amie d'enfance, m'aide à semer. Chez elle, ils sont onze pour travailler dans les champs, alors elle m'a offert son aide pour mon potager, que j'ai encore agrandi cette année. Je ne vois plus Rosalie aussi souvent depuis que nous avons quitté les bancs de l'école de rang. On a toutes les deux vieilli et l'on n'a presque plus de jeux à partager; le travail est notre lot quotidien. Mais nous réussissons quand même à nous amuser.

J'enfouis chaque petite graine de carotte dans la terre franche en lui disant un mot d'encouragement pour qu'elle trouve la force de grandir. Cela fait de mes légumes les plus gros et les plus sucrés du village. Parfois, je parle à mon épouvantail aussi, pour qu'il ne parte pas dans la lune et surveille bien mes graines. Rosalie m'écoute chuchoter, mon visage presque enfoui dans la terre, et éclate de rire. Je lui dis de faire attention de ne pas les vexer, qu'elle risque de nuire à ma récolte. Elle ne peut s'arrêter de rire et me dit, le souffle court :

— Tu imagines, Marie, si mes frères te voyaient parler aux graines? Ils se moqueraient de toi durant tout l'été!

— Ils pourraient bien se moquer! N'empêche que c'est moi qui fais pousser les plus beaux légumes du village!

— Pour ça, tu as bien raison!

Une fois mes graines de carottes et de betteraves en terre, nous enfouissons, sur une grande superficie, des quartiers de patates qui ont commencé à germer. Le soleil est à son zénith et des gouttes coulent le long de mon visage. Mes joues sont rouges de chaleur et le haut de ma robe est couvert de sueur. Je m'arrête quelque temps pour aller quérir un seau d'eau au puits. Je le ramène au potager et, à l'aide d'une tasse, arrose Rosalie dans le dos. Elle se retourne, surprise et riant comme toujours. Elle est si belle quand elle rit…

Elle saisit mon seau et m'arrose à mon tour en m'éclaboussant avec ses mains. Bien vite, le seau est vide et nous sommes trempées. C'est si agréable de sentir l'eau fraîche sur mon corps… Et je suis heureuse d'être seule avec Rosalie, car avec les garçons autour nous ne pourrions jamais agir ainsi. L'eau fait coller ma robe à mon corps et dévoile mes formes. Mais, avec Rosalie, je ne ressens aucune gêne; elle m'a déjà vue toute nue. Nous nous remettons au travail, souhaitant que personne n'arrive avant que le soleil n'ait fait sécher nos robes.

Une fois le travail achevé, Rosalie m'invite à souper chez elle. Je rentre à la maison pour cuisiner une omelette et du lard grillé au Carol. Comme à l'accoutumée, il est bien heureux que j'aille voir du monde. Pauvre Carol… il se sent un fardeau pour moi, du fait que j'ai à m'occuper de lui comme d'un enfant. Il dit que je me confine à la maison pour lui. Et même, lorsqu'il n'en peut plus d'être couché, immobile dans son grand lit de chêne, il dit qu'il aurait dû partir avec la Madeleine. Mais moi, chaque soir avant de m'endormir, je remercie le bon Dieu de me l'avoir laissé.

* * *

Lorsque nous entrons chez les Boileau, tous les visages s'illuminent. J'ai à peine franchi le seuil de la maison que Camille, Fernand et Armand viennent m'embrasser, suivis de Catherine, de Paul-Aurèle, de Pierre et du petit dernier, Hector. Je comprends tout de suite pourquoi Mme Boileau tenait à m'inviter à souper : Charles est revenu! Je n'ai pas vu Charles, l'aîné des Boileau, depuis l'été dernier. Mon beau Charles, qui nous surveillait lorsque nous allions jouer dans la forêt. Il a toujours été le plus gentil des fils Boileau avec moi. Il savait me consoler lorsque ses frères me taquinaient. Et il nous a toujours défendues, Rosalie et moi, quand les garçons ne voulaient plus jouer avec nous. À vingt-quatre ans, il revient de Québec où il a étudié pour devenir docteur. Toute la famille a trimé dur pour lui payer ses études. Ses frères ne sont pas intéressés à suivre ses traces, alors M. Boileau a pu amasser l'argent nécessaire pour faire de son Charles un docteur. Il en est fier comme de sa terre. Je saute dans les bras de Charles.

— Salut, Marie! me dit-il. Toujours aussi belle!

— Puis toi, tu es presque devenu un homme!

— Un homme, et docteur en plus de ça!

— Est-ce que tu es revenu à l'Anse pour de bon?

— Ouais! J'ai l'intention de remplacer le vieux docteur Dufour, qui va me laisser sa maison et aller vivre chez sa fille.

— Tu vas être le nouveau docteur! Ah bien! Je suis contente pour toi.

Un nouveau docteur à l'Anse, j'avoue que cela ne fera pas de tort. On dit que le docteur Dufour s'est trompé quelques fois dans ses diagnostics depuis un an ou deux. Pauvre docteur Dufour, ce sera probablement bien difficile pour lui d'abandonner ses patients. Cet homme a le cœur le plus tendre que je connaisse. C'est avec regret que je dis qu'il est maintenant temps qu'il se retire; il est comme un deuxième père pour moi. Depuis qu'il n'a plus ses filles avec lui, il aime bien que je lui rende visite pour jaser. Il refuse toujours que je lui paye les médicaments de mon père, afin que j'économise mes sous. Pour le remercier, je lui apporte parfois des confitures. M. Dufour dit que je fais les meilleures confitures de la péninsule, et peut-être même de la province. Il m'a dit que je gâchais mon talent à les donner à des vieux comme le Carol et lui. Il m'a suggéré de me lancer en affaires et d'aller en faire profiter les gens de la grande ville. Pour l'instant, moi je dis que les gens de la grande ville peuvent bien mettre autre chose sur leur pain, car j'ai à m'occuper du Carol.

Nous nous asseyons autour de la grande table, sur laquelle Mme Boileau dépose un rôti de porc fumant, des patates brunes, des fèves vertes et une grosse miche de pain. Dans toutes les autres familles du village, les garçons mangent en premier et les filles mangent ensuite ce qu'ils ont bien voulu leur laisser. Mais pas ici. Pas dans la famille de Constance Boileau. La mère Boileau, qui a mangé froid toute sa jeunesse, s'est toujours dit que ses filles mangeraient chaud, alors elle a exigé que son mari lui construise une table assez grande pour accueillir tous ses enfants. À cause de cela, les gens du village trouvent que les Boileau sont une famille pas comme les autres, mais eux, ils s'en moquent, excepté peut-être le père Boileau, qui doit ravaler son orgueil pour avoir fait la volonté de sa femme.

Après que tous se sont servis de généreuses portions, les garçons commencent à discuter politique avec leur père. Ils parlent fort et se contredisent sans cesse, en m'observant du coin de l'œil. Rosalie me glisse un mot à l'oreille.

— Je pense que tu fais de l'effet à mes frères. D'habitude, ils ne sortent pas d'aussi grands mots.

— Tu penses? dis-je en souriant.

Je les observe durant quelques instants. Rosalie a bien raison, je leur fais de l'effet. Dire qu'il y a sept ou huit ans ils me tiraient les cheveux et m'appelaient «Marie la souris», me taquinant pour que je pleure. Mais je ne pleurais jamais.

Je retournais simplement à la maison raconter au Carol combien les garçons sont méchants. Il me répondait que je ne les trouverais pas aussi méchants dans quelques années. Il avait bien raison, le Carol : ils ne sont plus du tout méchants. Maintenant, ils me regardent timidement et tentent de m'impressionner.

Je connais les Boileau depuis ma naissance. Mme Boileau et la Madeleine étaient déjà de bonnes amies lorsque Rosalie et moi n'étions encore que des bébés. Charles avait quatre ans et Pierre en avait deux lorsque je suis née; et j'ai entendu les premiers cris des six autres. Dès que débutait le travail de Mme Boileau, la Madeleine allait s'occuper de sa marmaille, m'emmenant avec elle. Les enfants n'étaient jamais excités ou tannants; ils écoutaient les cris de leur mère qui s'apprêtait à leur donner un petit frère ou une petite sœur. Leurs petits visages se crispaient à chacun de ses cris comme s'ils souffraient pour elle. Et ils se demandaient s'ils l'avaient tous autant fait souffrir. Durant les semaines qui suivaient l'accouchement, chacun d'eux était plus aimable et serviable qu'à l'accoutumée, se rappelant les cris de douleur de cette femme qui les avait mis au monde. Mais ils oubliaient bien vite et recommençaient à abuser de sa patience avec leurs chicanes et leurs petits bobos. Et elle, elle les aimait tout autant. Ce sont les frères et les sœurs que je n'ai jamais eus.

Après le souper, nous passons tous au salon. C'est un bien petit salon pour une famille de neuf enfants, mais personne ne s'en est jamais plaint. Ils aiment être près les uns des autres. Sentir qu'ils sont une famille unie, un clan que seule la mort peut séparer. Depuis qu'ils sont tout petits, les enfants ont appris à savourer ces soirées passées à bavarder à la lueur des chandelles, dans ce petit salon embaumé par l'odeur de la pipe du père.

Mme Boileau m'invite à prendre place sur le divan, mais j'insiste pour m'asseoir avec Rosalie et Camille devant l'âtre de la cheminée de pierre. Tout en bourrant sa pipe, M. Boileau demande à Charles de nous raconter sa dernière année à Québec. L'aîné, debout au centre du salon, commence à nous raconter son expérience à l'Université Laval. Tout le monde l'écoute attentivement. Il nous explique qu'il a étudié l'anatomie humaine, c'est-à-dire la forme, la disposition et la structure des organes de l'homme. Les yeux de M. Boileau s'illuminent. Il est bien fier de son Charles, lui qui ne connaîtra jamais que la forme, la disposition et la structure de son champs de blé et de ses patates.

Charles est l'aîné, le privilégié, celui qui est allé apprendre. Mais ses frères n'en semblent pas jaloux. Pierre et Fernand cultivent depuis longtemps déjà la terre familiale dont ils vont hériter; Paul aimerait bien convaincre son père que pêcher peut être aussi payant que cultiver la terre; Armand, qui n'a que onze ans, songe déjà à entrer en prêtrise; quant au petit Hector, il est encore trop jeune pour savoir ce que la vie lui réserve. Pour ce qui est de Camille, de Catherine et de Rosalie, leur destin est tout tracé : elles se marieront bientôt, avec des gars de l'Anse probablement, et élèveront leur descendance, sans se plaindre et sans jamais se demander pourquoi elles n'ont pas eu, elles, la chance de poursuivre des études.

Charles continue son histoire en nous expliquant qu'il a aussi disséqué un cadavre pour examiner ses organes. Les garçons sont pendus à ses lèvres et veulent connaître tous les détails de cette pratique, tandis que Rosalie, Camille, Catherine, Mme Boileau et moi sommes prises de dégoût.

— C'est pour ça qu'il n'y a aucune femme docteur, dit M. Boileau en faisant allusion à notre aversion. Les femmes sont bien trop faibles pour supporter des études de médecine.

— C'est plutôt parce que les filles n'ont pas la chance d'aller étudier, réponds-je d'un ton sec.

— Étudier, c'est pour apprendre un métier complexe. Les filles n'ont pas besoin d'étudier, elles ont déjà un métier qui les attend : élever une famille et s'en occuper!

Avant que je n'aie le temps de dire ma façon de penser à son mari, Mme Boileau met un terme à notre discussion en demandant à Charles de continuer. Il reprend ses explications et sa mère me fait un sourire. Je sais qu'elle me comprend. Elle est consciente de l'injustice faite aux filles, mais elle sait aussi qu'une discussion avec son mari sur ce sujet ne mènerait nulle part.

J'aime Mme Boileau. Je l'aime comme ma mère. Lorsque la Madeleine est morte et que le Carol a perdu ses jambes, c'est elle qui s'est occupée de lui, et de moi par la même occasion. J'ai quitté l'école de rang et Mme Boileau m'a montré tout ce qu'une femme doit connaître pour être une bonne maîtresse de maison. Je n'avais que dix ans et c'était moi, maintenant, qui allais devoir cultiver la terre et effectuer tous les travaux. Mais je ne me suis jamais plainte, le Carol non plus d'ailleurs. Il disait que c'était le bon Dieu qui voulait nous éprouver pour que l'on devienne meilleurs. Cela, c'est ce qu'il me disait, mais je l'entendais tous les soirs pleurer sa Madeleine et maudire le ciel. J'espère que la mort de la Madeleine nous a vraiment rendus meilleurs, parce qu'elle a brisé le cœur du Carol et m'a fait vieillir trop vite. À douze ans, je m'occupais si bien de la maison que l'on me disait déjà bonne à marier.

L'horloge grand-père sonne dix coups. Je m'excuse de devoir partir. Charles, Rosalie et Paul décident de m'accompagner jusque chez moi, pour faire une promenade. En chemin, je remarque que Paul essaie de marcher à mes côtés et d'entretenir la conversation. Je lui demande s'il a l'intention d'aller pêcher cet été. Il dit que son père a besoin de lui aux champs, mais qu'il va le laisser pêcher trois jours par semaine avec un vieux pêcheur qui va lui apprendre les trucs du métier. Il me propose ensuite de venir m'aider à semer mes navets et mes petits pois demain. C'est un travail que je pourrais bien accomplir toute seule, mais j'accepte tout de même sa proposition. Si l'ouvrage vient à manquer, on n'aura qu'à épierrer le petit coin de terre que je réserve pour mes échalotes. Rosalie et Charles disent qu'ils viendront aussi, si leur père leur donne sa bénédiction. Je sais qu'il va la leur donner, parce qu'il m'aime bien. Il trouve que je ne vais pas assez souvent à l'église et que j'ai parfois des idées déplacées, mais il attribue cela au fait que je n'ai pas eu de mère pour m'enseigner ce qu'une jeune fille peut et ne peut pas dire. Moi, je sais que ce n'est pas une meilleure éducation qui m'aurait fait me soumettre aux bienséances sociales et respecter les convenances. J'ai mes propres règles du bon usage et je n'ai besoin de personne pour me les dicter.

* * *

Alors que la noirceur envahit l'Anse et ses habitants, je sors en silence de sous mes couvertures. Je chausse mes bottines et recouvre mes épaules du grand châle noir de la Madeleine. J'ouvre lentement la porte, tel un somptueux coffre aux trésors. Peu à peu, je sens la fraîcheur du noroît sur mon visage. Je glisse mon corps dans la noirceur de la nuit et referme doucement la porte pour que le Carol ne se réveille pas. Mon Carol qui rêve encore à la belle Madeleine, morte depuis si longtemps. Moi aussi, je rêverais bien à la Madeleine, si je le pouvais…, mais, quand je rêve, la Madeleine ne vient jamais me voir. Quand je rêve, il y a toujours des hommes, et je m'agite comme la mer lorsqu'elle affronte l'orage. Je me réveille en sursaut, et réveille aussi le Carol, qui s'inquiète. Alors, rêve à ta Madeleine, mon Carol, et laisse-moi disparaître dans la nuit qui m'appelle.

Sur le sentier de pierres qui mène à la falaise, je fixe mes pieds qui avancent, décidés. Mes pieds bien fiers et bien fous encore une fois. Fous de m'emmener tout en haut de la falaise alors que le vent souffle en rafales, alors que la mer pourrait être irritée par ma témérité et m'emporter. Non…, ma mer ne ferait jamais ça. C'est mon anniversaire aujourd'hui. Il y a vingt ans, je suis sortie de ses entrailles. J'étais toute petite; une goutte d'eau, pas plus. Elle m'a bercée, longtemps, pour que je prenne goût à elle, et elle m'a déposée sur le rivage, à deux kilomètres d'ici, où les villageois m'ont découverte. J'étais bleue et silencieuse, dit-on encore au village, jusqu'à ce que l'on me réchauffe et que je hurle, décourageant toutes les femmes de me ramener chez elles. Toutes sauf la belle Madeleine qui m'a collée contre sa grosse poitrine et baptisée Marie. Sa Marie de la mer.

J'avance tout au bord de la falaise jusqu'à ce que mes orteils ne touchent plus à la terre. L'air marin me caresse le visage. Je contemple les flots déchaînés tout en bas. La mer s'agite, heureuse de me revoir. Fière de sa Marie qui a vingt ans et qui est devenue la plus belle des femmes du village. Je détache le ruban qui retient mes cheveux et le jette au loin, dans les eaux agitées. Il disparaît. Puis je m'adresse à la mer en criant contre le vent :

– Te souviens-tu de moi? Ça fait vingt ans aujourd'hui. Vingt ans! Et j'ai encore ton goût de sel sur la langue. Je sens encore tes mains qui me bercent. Te souviens-tu de moi? C'est Marie…

Elle se souvient. À défaut de pouvoir me bercer et me serrer dans ses bras, elle pousse d'immenses vagues contre la falaise. Elle les pousse de plus en plus haut, de plus en plus fort. Si fort, enfin, qu'elles arrivent à grimper jusqu'à moi et caressent mes pieds et mes jambes. J'aime la sensation de l'eau qui coule sur ma peau, qui m'effleure doucement comme les doigts humides d'un homme. Je me laisse caresser. Après quelques minutes, la mer redevient calme. Je laisse retomber ma robe et poursuis mon chemin. Je suis le sentier durant deux kilomètres, jusqu'à ce que la falaise s'adoucisse et que la plage apparaisse. Le rivage est désert, excepté pour les barges qui attendent le retour des pêcheurs pour reprendre la mer. Je cours à grandes enjambées pour faire palpiter mon cœur.

Arrivée sur la grève, je m'étends de tout mon long, les bras en croix. Je fixe l'astre lumineux tout là-haut dans le ciel, tentant d'apercevoir les différents reliefs de sa surface : ses collines, ses vallées et ses plaines. Je me demande si la Lune est recouverte d'eau comme notre planète. Si elle est traversée dans toute son étendue par des fleuves majestueux qui la chatouillent avant de se déverser dans la mer. Elle est si petite qu'elle ne doit avoir qu'une mer, au centre, semblable à un nombril, où tous les fleuves vont se jeter en un tourbillon de joie. Elle est un petit ventre bien rond avec un grand nombril rempli de vagues violentes et de navires qui tentent de le traverser pour explorer ce qui se cache de l'autre côté. Et, tout autour de ce nombril, s'étendent de fabuleuses plages au sable blanc et brillant, que l'on peut apercevoir de la Terre si l'on sait où regarder.

J'apprécie ce ventre lumineux, complice de mes promenades nocturnes, sans qui je serais dans l'obscurité la plus complète, même si, parfois, je préférerais qu'il disparaisse derrière les nuages, comme l'autre soir…

Il était tard dans la soirée et je rentrais seule à la maison. La lune éclairait mes pas. Je m'étais attardée trop longtemps chez le docteur Dufour, avec qui j'avais jasé bien après le coucher du soleil. Je déambulais sur le chemin qui mène au village lorsque j'entendis le bruit d'une charrette derrière moi. Anatole Giguère, qui habite la terre entre celle des Boileau et la mienne, rentrait chez lui après avoir rendu visite à sa famille à Anse-au-Griffon. Il me demanda si je voulais qu'il me raccompagne. Je lui dis de passer son chemin, prétextant vouloir profiter de l'air frais de la nuit pour parvenir à trouver le sommeil. En fait, je n'avais aucune envie de lui faire la conversation jusque chez moi. Une seule pensée occupe l'esprit du père Giguère : ses patates et son champ. Je n'avais pas envie de discuter des semailles avec lui. Il claqua les rênes et poursuivis son chemin. Le lendemain, il s'empressa de dire aux villageois que je sortais seule la nuit, attendant probablement un de mes nombreux soupirants. Et tout le monde se mit à potiner sur moi, comme ils aiment tant le faire. Si bien que, lorsque je retournai au village, des hommes me demandèrent, en riant, si c'était à leur tour d'aller me rejoindre ce soir-là. Je leur répliquai que, pour qu'ils viennent me rejoindre, il faudrait d'abord que leurs femmes les laissent sortir. Et je poursuivis mon chemin, les laissant derrière moi avec leurs mines stupéfaites par mon commentaire indigne d'une jeune fille. Et tout cela parce que je m'étais attardée trop longtemps chez le docteur Dufour.

De gros nuages sombres recouvrent la lune. Étendue sur la grève, enveloppée dans mon châle, je me laisse bercer par le bruit des vagues et m'endors…

Je suis poursuivie. Je cours dans la forêt au nord du village, entre les arbres qui montent à l'infini. Je n'entends que le bruit de mes pas froissant l'épaisse couche de feuilles mortes. Je sens son souffle dans mon cou. Je sens le rythme de sa respiration qui accélère alors qu'il se rapproche de moi. Je veux courir plus vite, mais une force m'en empêche. Brusquement, il m'agrippe et je tombe par terre. Au moment où je me retourne sur le dos pour voir son visage, un nuage passe devant la lune et nous plonge dans l'obscurité. Je sens les feuilles en décomposition et la terre humide sous mes cuisses et mes bras. Il se penche sur moi et je sens maintenant son souffle sur mon visage. Je sens ses mains qui se posent sur mes hanches et ses doigts qui me serrent. Il me tire lentement vers lui et mon dos glisse sur le sol. Il défait le cordon de mon corsage et découvre doucement mes seins. Je sens son souffle chaud sur ma poitrine. Je sens sa grosse main qui caresse mon ventre, qui le pétrit comme de la pâte. Il glisse son autre main dans mes cheveux et arrache le ruban qui les retient…

Je me réveille en sursaut. Mon cœur bat la chamade et mon corps grelotte. Il commence à pleuvoir à verse. Je remets mon châle sur mes épaules et retourne rapidement à la maison, encore bouleversée par le rêve que je viens de faire, mais heureuse de toute cette pluie que l'orage apporte et qui fera pousser mes graines.

* * *

Aujourd'hui, comme à chaque fin de juin, c'est la fête à Anse-aux-Rosiers. On a décoré la grande rue et organisé une danse sur le terrain de l'église. Dès les premières lueurs du matin, j'entame mon ouvrage pour pouvoir être prête à partir à midi. Depuis quelques jours, je défriche un lopin de terre pour y semer des fèves et des concombres. Mes légumes se vendent très bien et je crois que de nouvelles variétés pourraient augmenter mes revenus. Le plus difficile dans cette besogne, ce sont les pierres qui sont lourdes à transporter. Je m'encourage en me disant que, lorsque j'aurai épierré cette terre en friche, le plus dur de l'ouvrage sera derrière moi. Il ne me restera plus que le travail plaisant : ensemencer et récolter.

Vers onze heures, j'abandonne ma corvée et rentre à la maison. Afin d'être à mon meilleur pour descendre au village, j'entreprends de me laver de la pointe des cheveux jusqu'au bout des orteils. C'est un pur plaisir que de sentir l'eau fraîche me débarrasser de toute la poussière qui s'est collée à ma peau. Une fois rafraîchie, j'enfile ma robe blanche, qui tire maintenant plutôt sur le beige. Mais peu importe sa teinte, elle s'ajuste encore merveilleusement bien à mes formes. Dans le vieux coffre à bijoux de la Madeleine, je choisis un ruban bleu pour attacher mes cheveux. Le Carol sourit et dit qu'avec des appas comme les miens je serai certainement fiancée dès ce soir. Je ris de cette idée, bien consciente que cette robe fait ressortir ma poitrine ferme et mes hanches rondes.

Après le dîner, je m'assois sur le bord du lit et demande au Carol s'il est certain de ne pas vouloir venir au village. Il me prend la main et me dit de ne pas m'en faire pour lui, qu'aujourd'hui il préfère rêver à sa Madeleine que de faire la fête. Eh bien! Vas-y, mon Carol! Rêve à ta Madeleine, au temps où vous étiez jeunes et beaux. Quand rien ni personne ne pouvait vous séparer. Pas même le temps. Pas même la mort… Rêve, si tout ce qu'il te reste ce sont les souvenirs de tes années d'amour. Mais moi, je ne me contenterai pas de rêver. Quand je rêve, je me réveille souvent en sursaut. Moi, je préfère vivre. Vivre comme je l'entends, comme si aucune force ne pouvait m'arrêter. Vivre comme les vagues de la mer qui parcourent des kilomètres et des kilomètres, en devenant plus fortes, de plus en plus hautes et puissantes, pour venir s'échouer sur le rivage et mourir doucement. Je veux vivre ainsi, ou alors comme une vague en furie qui va se fracasser contre le roc et retombe dans la mer en millions de gouttelettes d'eau.

Je laisse de la morue séchée dans un plat à côté du lit pour le souper du Carol, et lui promets d'être de retour avant minuit. Je l'embrasse et prends le chemin du village. Le fait que nous n'ayons plus de charrette ne me dérange pas : le village n'est qu'à quarante minutes de marche. Et je suis faite pour marcher loin, me dit toujours mon père, les épaules bien droites et la tête haute. Le long du chemin, je cueille trois petites fleurs sauvages, une mauve et deux blanches, que je place dans le ruban de mes cheveux. Après une quinzaine de minutes, j'aperçois au loin la belle maison de M. Boileau. Pierre sort sur le perron et me salue de la main.

— Salut, la belle Marie! T'en vas-tu au village?

— Salut, Pierre! Bien oui, comme tu vois.

— Comme je vois ça, moi, tu t'es mis belle comme une fleur! fait alors Paul qui arrive avec la charrette.

Paul m'avait toujours un peu ignorée, mais, depuis le début de l'été, il s'efforce souvent de me complimenter. Je crois qu'il se cherche une fiancée et me considère pour ce rôle. Ses attentions me touchent, mais je ne crois pas qu'il ferait un bon parti pour moi. C'est un gentil garçon, mais il s'accroche aux idées démodées de son père, comme s'il ne pouvait pas penser par lui-même. Ses deux frères aînés, Pierre et Charles, ont des idées libérales qui vont à l'encontre de celles du père, mais lui semble être beaucoup plus conservateur. Il est semblable à l'huile de la morue qu'il aimerait tant pêcher, et moi, je suis telle l'eau de la mer qui m'a bercée. Que je devienne sa femme, ce serait comme si on versait de l'eau sur de l'huile bouillante…

Je rougis de sa remarque et lui réponds par un sourire. M. et Mme Boileau sortent de la maison avec Charles, Rosalie, Fernand, Camille, Catherine et les deux plus jeunes, Armand et Hector, tous habillés de vêtements propres et soigneusement repassés.

— Embarque avec nous autres, me dit le père Boileau. Ce serait dommage que tu salisses ta belle robe!

Et me voilà assise dans une des deux charrettes des Boileau pour me rendre à la fête de la Saint-Jean-Baptiste. Sur le chemin du village, j'apprends que Charles est fiancé à une belle fille de Québec qui va venir le rejoindre à l'Anse, à l'automne, pour devenir sa femme. Cela me rappelle que, moi aussi, je suis en âge d'être fiancée. La Rosalie, elle, va se marier à la mi-juillet avec Émile, un des fils de M. Boucher, qui tient le magasin général. Ce sera un bien beau mariage, surtout que les Boileau ont de la famille qui va venir d'aussi loin que Pointe-à-la-Frégate et Grande-Vallée pour l'occasion. Du nouveau monde à Anse-aux-Rosiers, c'est toujours une curiosité pour les gens du village, et puis des potins pour les mois à venir.

Lorsque nous arrivons devant l'église, M. Boileau immobilise les chevaux. Un grand gaillard aperçoit les Boileau et vient les saluer.

— Ah bien! Si c'est pas la famille Boileau au grand complet! dit-il, souriant de toutes ses dents.

— Ça parle au diable! répond M. Boileau. Antoine! Tu es arrivé quand?

— Il y a juste quelques heures.

— Et tu n'es pas venu à la maison?

— Je me suis dit que je vous verrais ici. J'en ai profité pour faire le tour du village, et aller voir le quai et les pêcheurs. C'est vraiment une belle place, comme vous m'aviez dit.

— Mets tes affaires dans la charrette, puis viens t'amuser avec nous autres!

Antoine me tend la main pour m'aider à descendre de la charrette. Sa grande main se referme sur mes doigts et je sens mon visage rougir sous une bouffée de chaleur. Surprise de ma propre réaction, je le regarde dans les yeux. Là, je vois le remous. Le remous des vagues qui déferlent contre la falaise. Les vagues qui fouettent ma peau. J'imagine ses mains parcourant tout mon corps comme des vagues déchaînées, ses mains qui remontent derrière ma tête et détachent le ruban de mes cheveux…

— Marie, dit alors Charles, je te présente mon cousin Antoine, le fils de Nicéphore Boileau. C'est chez lui que j'ai habité pendant mes études à Québec. Comme j'ai profité de leur hospitalité durant bien des années, il s'est dit qu'il pouvait bien profiter de la nôtre, en venant passer ses vacances à l'Anse.

— Ouais… Je vois que tu as une pas pire prise, mon Charles! dit Antoine en me fixant dans les yeux.

— Voyons, Antoine! Tu sais bien que je suis fiancé à Joséphine, qui est toujours à Québec. La «belle prise» que tu tiens, c'est la Marie du Carol de la dernière terre.

Charles et Antoine s'amusent bien en parlant de moi comme si j'étais la dernière morue qu'ils venaient de pêcher. Je les laisse faire sans répliquer; les garçons aiment s'imaginer que les filles sont des poissons qui n'attendent que leur appétissant hameçon pour mordre; ça leur donne le goût d'aller à la pêche…

Antoine serre ma main un peu plus fort et baisse les yeux vers ma poitrine qui monte et descend au rythme de ma respiration.

— Ah! c'est toi Marie la douce dont tout le monde parle au village. Moi, je m'appelle Antoine Boileau. Je suis arrivé ce matin et je m'installe à Anse-aux-Rosiers pour pêcher tout l'été. Je suis un gars de la ville, mais je suis bon pêcheur. Toi, il paraît que tu t'occupes toute seule de la terre de ton père, la dernière au bout du chemin, sur le bord de la falaise?

— C'est ça, je m'occupe de la terre et de mon père. Mais je vois que les gens du village ont encore pris plaisir à parler de moi.

– J'ai senti qu'on aimait parler de toi, ici, la Marie, mais pas parce qu'on ne t'aime pas…

– Je sais… c'est parce qu'ils n'ont rien de mieux à faire. Je te remercie, lui dis-je d'un ton sec, en lâchant sa main.

En marchant jusqu'au terrain de l'église, j'examine discrètement Antoine des pieds à la tête. C'est un grand et robuste gaillard aux épaules et aux hanches larges. Il a des cheveux noirs en broussaille dont une mèche retombe devant ses yeux sombres, presque noirs eux aussi, tels des abysses sans fond. Son visage est doux comme celui d'un enfant, et son sourire a de quoi faire fondre toutes les filles de l'Anse comme neige au soleil. Il porte un pantalon brun retenu par des bretelles, une veste bleu marine et une chemise beige entrouverte, qui laisse voir une parcelle de son torse musclé et, me semble-t-il, presque imberbe. Il marche avec assurance, le dos bien droit et la tête haute.

Sur le côté de l'église, de nombreuses tables à pique-nique sont installées sur l'herbe, ainsi que de grandes couvertures. À quelques mètres de là, on a monté une petite estrade de bois sur laquelle le violoneux du village entame un *reel* des plus entraînants. Certains villageois en profitent déjà pour se dérouiller les jambes. Au bas des marches du saint édifice, derrière une longue table, des paroissiennes servent aux plus gourmands des desserts apportés par chaque famille du village, dont des gâteaux de toutes sortes, des croquignoles, des tartes à la ferlouche, des grosses galettes et du pouding au suif. Mme Boileau, Camille et Catherine vont déposer sur la table des beignets frais du jour. Moi, j'ai complètement oublié de cuisiner mon fameux gâteau à la rhubarbe. Mais ce n'est pas grave, j'en ferai une double recette l'année prochaine.

Précédés de M. Boileau, nous allons à la rencontre des villageois. À première vue, toutes les familles du village semblent être là. Monsieur le curé, dans sa longue soutane, discute avec quelques paroissiens. En nous voyant arriver, il vient immédiatement nous saluer et entame la conversation avec M. Boileau. Rosalie et son fiancé vont s'installer en amoureux sur une couverture, Armand et Hector vont s'amuser avec les autres enfants du village tandis que les aînés s'assoient à une table pour discuter avec leur cousin de la ville. Antoine est le fils du frère de M. Boileau. Il est né à Québec, tout comme son père et son oncle. Toute la famille Boileau habite encore Québec, excepté Marcel, Maurice et Jean, qui furent attirés par la colonisation de la Gaspésie et qui s'y installèrent dans la vingtaine, Maurice à Grande-Vallée, Jean à Pointe-à-la-Frégate et Marcel ici, à Anse-aux-Rosiers. J'écoute un moment la conversation des garçons, mais j'ai du mal à me concentrer sur ce qu'ils racontent. Je suis attirée par les airs du violoneux et la voix du *câleur*. Je détache le ruban de mes cheveux pour que ceux-ci se balancent dans mon dos, puis je vais rejoindre les villageois qui s'apprêtent à entamer un autre quadrille.

Isidore Boucher, le frère d'Émile, vient danser avec moi. On tourne, on salue, on fait la chaîne des dames, on change de partenaire et on se retrouve pour tourner encore. On tourne de plus en plus vite. On rit comme des enfants qui font la ronde. Ma robe se gonfle autour de moi. Je penche la tête vers l'arrière pour sentir sur mon visage la chaleur du soleil. C'est aujourd'hui sa fête, le solstice d'été, la journée où il monte le plus haut dans le ciel, dans un ultime effort, avant de reprendre sa course descendante jusqu'en décembre. Jusqu'à l'hiver où la nuit deviendra plus présente que le jour. Je danse pour célébrer l'été qui frappe à nos portes. Pour la douce lumière du soleil qui fait pousser les légumes de ma terre. Pour les blés qui recouvrent de nouveau les champs. Pour la morue qui revient sur nos côtes. Pour la valse des papillons qui font courir les enfants. Pour les jours des semailles et les soirs des moissons qui verront les premières flammes des amours débutants.

Je jette un coup d'œil furtif à Antoine, assis maintenant avec son cousin Charles et quelques pêcheurs. Ils sourient tous en m'observant. Je sens qu'ils parlent de moi. Alors je danse de plus belle, envoûtée par la musique qui fait frétiller mon corps de joie. Je sens mes seins qui se durcissent sous ma robe, mes bras qui s'allongent jusqu'à toucher le ciel, mes jambes qui sautillent au rythme du violon, mes cheveux qui me caressent le dos et le visage. Soudain, le *câleur* se tait et la musique s'arrête. Isidore me relâche, gardant ma main dans la sienne. Alors que je tente de reprendre mon souffle, je sens une autre main qui serre mon bras.

– Veux-tu danser avec moi? demande Antoine.

– Un pêcheur qui danse, dis-je pour le taquiner.

– Je ne suis pas un vrai pêcheur. Mais pour ce qui est de danser, je danse, ma belle!

Il se faufile devant Isidore, passe un bras derrière mon dos et me serre contre son torse.

– Excuse-moi, dit Isidore poliment, mais *je* dansais avec Marie, et puis tu nous embêtes.

– Tu ne penses pas que tu pourrais en laisser pour les autres? dit Antoine en s'approchant d'Isidore jusqu'à ce que leurs nez ne soient qu'à un centimètre l'un de l'autre.

Isidore lui lance un regard mauvais et Antoine lui répond par le même regard. Alors que je me demande s'ils vont aller jusqu'à se battre pour une simple danse avec moi, Isidore s'avoue vaincu et, comme un enfant à qui l'on a volé son jouet, quitte le terrain de danse la tête basse. Il a compris qu'il ne lui servait à rien d'argumenter : Antoine est visiblement le plus fort. Je n'ai pas le temps de m'apitoyer sur le sort du pauvre Isidore que déjà la musique reprend son envol. Le violoneux a choisi de nous faire danser sur une valse et Antoine m'entraîne dans une ronde folle. Il me serre bien fort contre lui pour me faire tourner encore plus vite. Je tourne et tourne jusqu'à ne plus voir que son visage entouré d'une brume liquide. Je me sens de plus en plus légère; mes pieds ne font plus qu'effleurer le sol. Malgré sa grande taille et sa robustesse, Antoine a des talents de danseur. Il est agile et souple; je n'ai qu'à me laisser porter…

Dans les bras d'Isidore, j'étais emportée par la musique. Collée contre Antoine, je ne l'entends même plus. Je n'entends que mon cœur qui bat. Je vois des étoiles au beau milieu du jour. Et je renverse la tête pour sentir les rayons du soleil sur mes yeux, mes joues, mes lèvres.

Je ris très fort et sens encore une fois des regards posés sur moi. Le curé, les vieilles du village, Rosalie et Émile, la famille Boileau, le docteur Dufour, M. Boucher, M. Giguère, les cultivateurs, les pêcheurs, leurs femmes, ils m'observent tous, comme si leurs têtes étaient figées dans ma direction. Ils aimeraient bien détourner leurs regards, mais ils ne le peuvent pas. Ils m'admirent alors que je danse pour le soleil, dans ma robe blanche qui se moule à mon corps.

Je pense au Carol, seul à la maison, qui rêve à la belle Madeleine. Le Carol aimait tant faire danser la Madeleine quand il avait ses jambes. Il la serrait fort contre son torse pour sentir son cœur battre, enfoui sous ses seins pesants. Le Carol était le meilleur danseur de la région et la Madeleine faisait rêver tous les pêcheurs. Maintenant, le Carol rêve à la Madeleine et les pêcheurs me regardent, moi, Marie la douce que la Madeleine a collée contre son sein quand la mer l'a rejetée sur le rivage. La Marie qui a maintenant vingt ans et dont la seule mention du nom fait se délier les langues. Les pêcheurs me regardent moi, et regardent Antoine, beau et fort, qui me soulève de terre pour me faire danser. Qui me déracine pour me porter jusqu'au soleil.

La musique s'arrête de nouveau; je retombe sur terre. Les pêcheurs détournent la tête et se remettent à parler de leurs prises et du temps qu'il fera demain, si la terre tourne encore. Monsieur le curé continue de dire à ses fidèles paroissiens ce qu'ils devraient faire pour gagner leur ciel. Rosalie et Émile continuent de se dire combien ils ont envie l'un de l'autre en se caressant les mains. Charles continue d'écouter son père lui dire combien il est fier de son fils qui va être docteur. Et Mme Boileau continue d'écouter ses hommes, sans parler, sans donner son opinion, sans rien d'autre à leur offrir que l'amour d'une mère et d'une bonne épouse. Antoine me relâche et me désigne une table du doigt.

— Tiens, va t'asseoir. Je vais aller nous chercher quelque chose à manger, me dit-il.

Je l'observe marcher jusqu'au pied des marches de l'église. Je me demande de quoi a l'air un corps d'homme nu, un corps fort et musclé comme le sien, avec de belles fesses bien rondes. Je me demande si ses muscles ressemblent à de petites collines que l'on peut escalader et au sommet desquelles on peut s'asseoir; si ses fesses sont douces ainsi que le roc poli par les vagues au fil des années; si sa poitrine est lisse comme la surface de la mer ou si elle ressemble à un champ de blé… Il revient avec deux gros morceaux de tarte.

Alors que je savoure la dernière bouchée, Rosalie, Émile, Charles et Paul nous invitent à les accompagner dans une promenade jusqu'à la mer. Nous descendons la rue Principale, qui mène directement au quai. Le village est désert. Paul nous demande ce que nous ferions si tous les villageois disparaissaient soudainement et que nous avions le village juste pour nous. Rosalie et Émile iraient vivre dans la maison du docteur Dufour, qui est la plus élégante de tout le village. Cela fait rire Charles qui va justement y emménager en septembre, lorsque le docteur prendra sa retraite, et qui n'aime pas vraiment ce genre de maison. Paul attaquerait le magasin général et mangerait toutes les sucreries. Émile dit que ce serait impossible puisque lui-même serait encore au village et qu'il s'occuperait du magasin de son père. Paul lui donne un coup de coude en riant. Moi, je leur explique que j'irais fouiller dans les maisons pour ramasser l'argent de tout le monde. Ensuite, je traverserais l'océan pour aller visiter Paris. Charles ferait aussi comme moi : il fouillerait toutes les maisons pour trouver de l'argent, sans oublier tous les bijoux précieux cachés au fond des commodes et sous les paillasses. Ensuite, il s'embarquerait sur un bateau pour faire le tour du monde. Pour ne pas s'ennuyer durant son long périple, il ferait des escales dans des villages où les gens ont besoin d'un docteur et il soignerait les malades. Paul nous fait remarquer que tout l'argent et tous les bijoux du village ne pourraient même pas nous payer le voyage en bateau jusqu'aux îles Saint-Pierre-et-Miquelon. On lui dit de ne pas être rabat-joie et de nous laisser nous accrocher à nos rêves. Nous apercevons le quai au loin.

— Le fleuve passe aussi à Québec, explique Antoine, mais il n'est pas aussi large ni aussi beau qu'ici.

— À Québec, c'est peut-être un fleuve que vous avez, mais nous, on a la mer, lui dis-je.

— C'est vrai, ça, renchérit Rosalie, puis j'ai de la misère à croire qu'à Québec vous faites passer des ponts par-dessus cette eau-là.

Nous nous assoyons sur le quai, face à l'eau. Toutes les barges y sont amarrées puisque c'est jour de fête, un repos bien mérité pour les pêcheurs. Antoine est près de moi et je sens son bras contre le mien. Rosalie et Émile se tiennent par la main. J'envie Rosalie qui, dans moins d'un mois, va unir son destin à celui de son amour de jeunesse, son fils d'épicier; et Charles aussi, qui se marie en septembre avec sa fille de la ville.

Je contemple la mer au loin… Ce serait vraiment merveilleux, un jour, de partir en voyage sur l'eau. Pas sur une vulgaire barge de pêcheur, mais sur un vrai bateau, tels les trois navires de Christophe Colomb représentés dans nos livres à la petite école. Embarquer sur un immense bateau où l'on peut dormir, manger, danser, courir sur les flots agités, au milieu de l'océan…

Les garçons commencent à parler de pêche. Antoine interroge Paul sur la façon de procéder des pêcheurs du coin et sur les particularités de la pêche à la morue. Paul est bien content de pouvoir étaler tout son savoir devant moi, mais Rosalie lui gâche son plaisir en m'entraînant sur le rivage.

Une fois que nous nous sommes éloignées des garçons, elle prend ma main dans la sienne. C'est petit, une main de femme. Plus petit et plus doux qu'une main d'homme, et plus compréhensif aussi. Ça console plus facilement, une main de femme, et ça essuie les larmes sur les joues. Mais ça ne caresse jamais comme une main d'homme. Et ça n'empoigne pas, et ça ne rassure pas, et ça ne nous fait pas sentir que le monde peut s'écrouler sous nos pieds sans danger pour nous parce qu'elle nous retient. C'est fragile, une main de femme, et ça a besoin d'être serré bien fort. Je serre bien fort la main de Rosalie dans la mienne. Nous marchons le long du rivage.

— Tu sais, Marie, même si j'épouse Émile, j'aurai encore besoin de toi.

— Bien, je suis là! Moi aussi, Rosie, j'aurai besoin de toi. Des fois, j'ai besoin de parler à quelqu'un, mais, au Carol, je ne peux pas tout dire.

— Eh bien, dis-le à moi, ce que tu ne peux pas lui dire.

— Je ne sais pas si tu peux comprendre…

— Essaye toujours, on verra bien.

— C'est que… je commence à vieillir puis… puis à ressentir de drôles de choses… Tu comprends?

— Je pense que oui, dit Rosalie en m'incitant à continuer.

— Toi, penses-tu souvent aux garçons?

— C'est sûr, Marie! C'est pour ça que je me marie cet été. Parce que je suis prête.

— Moi aussi, je dois être prête, alors. Parce que j'y pense souvent. J'en rêve aussi. Mais dans mes rêves, ce n'est jamais doux comme quand j'y pense. Il y a des hommes, mais ils me poursuivent… et j'ai peur.

— Les rêves, ce n'est jamais la réalité, Marie. Tu devrais te trouver un fiancé, tu verrais comment ça peut être doux, un gars, quand tu sais comment lui parler, dit-elle en me faisant un sourire complice. Il ne faut pas avoir peur d'eux!

— Je n'ai pas peur! dis-je. Je n'ai pas peur…

Visiblement heureuse d'avoir enfin la chance d'aborder ce sujet avec moi, Rosalie me demande si j'ai déjà touché mon corps. Je lui avoue m'être déjà caressée, certains soirs

32

où le sommeil tardait à venir. Je suis bien contente de pouvoir partager ce secret avec ma belle Rosie, qui m'avoue avoir commis le même péché.

Nous continuons notre promenade jusqu'à ce que les garçons nous rejoignent, en faisant la course. Antoine arrive le premier, suivi de Paul et, enfin, de Charles et d'Émile.

— On a parié que le premier arrivé aurait le droit d'embrasser une de vous deux, dit Antoine, essoufflé.

— Si tu choisis ma Rosie, je t'enfonce la face dans l'eau! fait Émile mi-sérieux, mi-rieur.

— Bon, bien… je vais devoir t'embrasser, Marie!

— C'était votre pari, pas le mien, dis-je d'un ton indifférent.

— Allons, Marie! Juste un petit baiser, dit Émile pour m'agacer.

— Bien oui, Marie, y'a rien là! renchérit Antoine.

— Quand j'embrasse un gars, c'est parce que *je* l'ai choisi. Et sûrement pas parce qu'il court plus vite que les autres!

Nous retournons au village. Rosalie et moi marchons en tête. Derrière nous, les garçons s'en prennent au pauvre Antoine qui n'a pas eu son baiser et qui, en plus, s'est fait rabattre le caquet par une fille. Paul lui rappelle qu'il ne nous a toujours pas dit ce qu'il ferait s'il se retrouvait seul au village. Pour nous taquiner, Antoine dit qu'il n'y a déjà pas grand-chose d'intéressant à faire ici et que si, en plus, il n'y avait plus personne… Pressentant ce qui l'attend, il ne prend pas le temps de terminer sa phrase et décampe. Émile et les deux frères Boileau partent aussitôt à sa poursuite. Rosalie me fait remarquer en riant que les garçons sont comme des chiots : ils apprennent en jouant. Nous les voyons au loin qui se ruent sur le pauvre Antoine pour l'immobiliser au sol.

De retour sur le terrain de l'église, nous constatons que la fête tire déjà à sa fin. M. Boileau nous dit qu'il est l'heure de rentrer, alors nous grimpons tous dans les charrettes. Je me retrouve assise entre Charles et son cousin. J'apprécie le contact de leurs corps, la chaleur de leurs cuisses collées contre les miennes. Tout le monde discute de cette belle journée, des bons desserts, du *câleur* et du violoneux, qui ont dû beaucoup s'exercer depuis la dernière veillée.

Tout en suivant la conversation, j'essaie d'entendre les vagues qui frappent la falaise. Mais le chemin est trop loin du bord de l'eau. On n'arrive à entendre les vagues que lorsque le silence règne. Je me mêle alors à la discussion. On aborde le sujet du mariage de Rosalie et d'Émile qui aura lieu dans deux semaines. Ça me fait penser que je n'ai aucune belle robe à porter. Je vais demander au Carol si je peux en choisir une parmi celles de la Madeleine. Chaque année, mon père me donne la permission de choisir une des robes de ma mère, qui prend la place de mes robes défraîchies. Il aime me voir dans les vêtements de la Madeleine, et moi, j'ai l'impression d'avoir du nouveau linge chaque été.

Lorsque nous arrivons devant la maison des Boileau, Rosalie m'invite à rester à souper. Pendant que les garçons libèrent les chevaux, nous, les filles, allons préparer le repas. Nous sommes treize à table et nous devons un peu nous serrer les coudes, mais personne ne s'en plaint. Surtout pas le cousin Antoine qui a bien choisi sa place... à mes côtés. Je sens sa cuisse qui se presse doucement contre la mienne, comme tout à l'heure dans la charrette. J'aimerais bien tasser mes jambes, mais elles sont déjà serrées l'une contre l'autre. Je fais donc semblant de rien, même si, tout au long du repas, je ne peux oublier la présence de cette cuisse chaude.

Une fois le repas terminé, pour agrémenter notre soirée, nous faisons quelques parties de cartes, Charles, Pierre, Rosalie et Mme Boileau à un bout de la table, Paul, Antoine, M. Boileau et moi à l'autre. Les cinq plus jeunes, quant à eux, profitent de la lumière du crépuscule pour retourner jouer au grand air.

Antoine trouve encore une fois le moyen de se rapprocher de moi en me choisissant comme partenaire. La déception se lit sur le visage de Paul qui, je crois, aurait lui aussi aimé jouer avec moi. La partie s'avère fort amusante et je suis donc bien désolée, au onzième coup de l'horloge, d'avoir à annoncer que je dois partir. Je ne suis pas du tout surprise d'entendre Antoine se proposer immédiatement pour me raccompagner chez moi. Je remarque aussi le désappointement de Paul qui, encore une fois, doit se mordre les doigts de n'avoir pas été plus rapide que son cousin. Je dis à Antoine que je peux très bien rentrer à pied, mais Mme Boileau insiste.

Nous sommes tous les deux assis sur le banc d'en avant, et je suis assez près d'Antoine pour sentir sa chaleur. Les chevaux avancent tranquillement et, l'espace d'un instant, on perçoit le faible bruit des vagues. Mais celles-ci ne frappent pas violemment la falaise, on n'entend qu'un petit clapotis, semblable à de faibles gémissements. Si ma mer est si calme ce soir, c'est que j'ai dansé pour elle. J'ai dansé pour elle et pour les pêcheurs qu'elle nourrit. Les pêcheurs qui la creusent et la fouillent pour la vider du fruit, béni, de ses entrailles. Les pêcheurs que parfois elle remercie en leur faisant don de sa nourriture, mais que parfois elle punit en les gardant avec elle pour l'éternité. J'ai dansé pour les pêcheurs qui sont rentrés chez eux le cœur plus jeune et l'esprit en paix. Et la mer s'est assoupie.

Je pose mon regard sur les mains d'Antoine, qui tiennent les rênes. Inconsciemment, je repasse le rêve de la forêt dans ma tête.

Il me poursuit et je sens son souffle dans mon cou. Il m'agrippe. Je tombe sur la terre humide et me retourne sur le dos. Il se penche vers moi et je sens son souffle chaud sur mon visage. Je sens ses mains sur mes hanches et ses doigts qui me serrent. Il me tire vers lui et je glisse sur le sol. Il entrouvre mon corsage et souffle son haleine chaude sur ma poitrine. Sa main caresse mon ventre. Il glisse son autre main dans mes cheveux et arrache mon ruban...

Je baisse les yeux et observe les cuisses et l'entrejambe d'Antoine. Il a de belles cuisses, musclées, sous son pantalon de lin. J'ai envie de les caresser. Il tire sur les rênes et immobilise la charrette. Surprise, je relève la tête. Nous sommes à quelques mètres de la maison. À l'heure qu'il est, le Carol dort depuis longtemps.

— Marie la douce... es-tu vraiment aussi douce qu'on le dit? murmure Antoine.

— Les gens disent ça parce que, quand on m'a trouvée sur le rivage, l'eau salée de la mer avait rendu ma peau aussi douce que du satin. C'est ce qu'on dit.

— Moi, je vais t'appeler Marie la fière.

— Pourquoi «la fière»?

— Parce que tout à l'heure, quand tu dansais et que tout le village te regardait, tu avais l'air d'une fille fière.

— Si j'ai l'air de quoi que ce soit, c'est bien sans le vouloir. Pour ce qui est des gens du village, je ne dansais pas pour eux.

— Non... tu dansais pour moi.

— Ah, c'est ça que tu penses! Antoine, le faux pêcheur!

— Je pense que tu dansais juste pour moi, dit-il encore en pressant sa main contre ma cuisse.

Ce simple geste déclenche en moi des réactions physiologiques : les battements de mon cœur s'accélèrent, mes mains deviennent moites, mes seins durcissent. J'ai envie de sentir sa main remonter le long de ma cuisse... mais j'ai aussi envie de le gifler pour son arrogance! Ça me fâche qu'il dise que je dansais pour lui. Ou plutôt, ça me fâche qu'il ait compris que je dansais pour lui. Je ne suis pas une morue que l'on peut pêcher et je ne serai sûrement pas sa prise ce soir!

Tranquillement, il se penche vers moi, jusqu'à ce que nos deux visages ne soient qu'à quelques centimètres l'un de l'autre. Au moment où il tente de me voler un baiser, je détourne la tête et descends rapidement de la charrette.

— Si tu veux que je t'embrasse, il va falloir que tu gagnes plus qu'une course, Antoine Boileau! dis-je en montant les marches de la galerie.

– Salut, Marie la fière! me lance-t-il avec une voix qui me fait frissonner. Au plaisir de te revoir!

J'entre dans la maison et vais à la fenêtre. La charrette fait demi-tour et repart sur le chemin. J'enfile en silence ma chemise de nuit et me mets au lit, sans oublier de vérifier si le Carol dort paisiblement. Une fois étendue sur le dos, dans le silence le plus complet, j'entends mon cœur qui bat plus vite que d'habitude. Je me tourne et me retourne dans mon lit en attendant le sommeil qui ne vient pas. Je repense à Rosalie et à sa petite main dans la mienne. J'ai toujours aimé Rosalie. Et je crois qu'elle m'a toujours aimée aussi. Quand nous avions cinq ans, la Madeleine et Mme Boileau passaient des après-midi à jaser sur la galerie et nous laissaient jouer ensemble. Nous allions derrière la maison des Boileau, où ils gardent leurs deux grands chevaux. Nous nous accotions à la barrière pour les observer. C'est là que Rosalie m'avait dit pour la première fois «Je t'aime, Marie». Et je l'aimais aussi, la Rosalie. On s'était donné un baiser sur les lèvres, ce qu'on avait recommencé souvent depuis, pour se dire que l'on s'aimait.

À douze ou treize ans, nous allions à la chasse aux papillons tous les dimanches. Ce que personne ne savait, c'est qu'une fois loin du chemin, bien loin dans le champ, nous déposions nos filets et enlevions nos robes. Nous aimions sentir le soleil sur notre peau. Nous nous étendions l'une à côté de l'autre, sur les blés qui nous piquaient les fesses, et nous nous serrions la main. Parfois, elle me caressait les cheveux et me disait qu'elle voulait que l'on se marie. Ainsi, disait-elle, on n'aurait pas à obéir à un gars du village. Je lui disais que l'on n'aurait jamais à obéir à qui que ce soit, parce qu'elle est Rosalie la fille du Soleil, avec ses cheveux blonds tels les blés bien mûrs, et que je suis Marie la fille de la Mer, douce comme le roc poli par les vagues. On n'obéirait jamais à personne…

Je sombre dans le sommeil.

«Marie… Marie…» On m'appelle de la mer. Une voix d'homme. Je sors de la maison et emprunte le sentier de pierres.

«Marie... Marie la fière... viens jusqu'à la mer.» J'accélère le pas et trébuche dans l'herbe humide. Je me relève aussitôt et repars en courant. «Marie... Marie... tu ne seras plus jamais aussi douce... Marie la fière...» Je cours jusqu'au bord de la falaise. Tout en bas, l'eau est noire. J'ai froid. Je sens des mains qui me bousculent, doucement d'abord, puis de plus en plus violemment, jusqu'à me faire perdre pied. J'entends des voix qui ricanent au loin. Je tombe dans le vide. Je tombe durant de longs instants. J'entre dans l'eau comme dans une mer de boules de coton. «Marie... Marie la fière... je suis ta mère», murmure une voix douce et apaisante. Je nage jusqu'au rivage. Je me relève et regarde mon corps nu. Des gouttes d'eau salée coulent le long de mon visage. Coulent dans le creux de mon cou, roulent sur le bout de mes seins, glissent le long de mon ventre et le long de mes cuisses jusque sur la grève où elles se mettent à briller. «Marie... tu ne seras plus jamais aussi douce. Marie la fière...» Je sens son souffle derrière moi. Je cours le long du rivage. Je sens les gens en haut de la falaise qui m'observent, qui parlent de moi. Marie la fière qui dansait pour les pêcheurs comme la belle Madeleine. Marie la fière qui dansait pour le gars de la grande ville. Marie aux seins à la peau lisse et blanche, semblables aux coquillages qu'apporte la mer. Des coquillages pour les pêcheurs aux mains calleuses. Marie à la croupe généreuse qui attise le désir des hommes. Je sens son souffle dans mon cou. Je tombe par terre. Je vois son ombre qui s'approche de moi. Et toujours ces gens qui m'observent. «Marie la fière... retourne à la mer...» Je suis étendue sur le dos, les genoux pliés. Il pose ses grosses mains sur mes genoux et écarte mes cuisses. «Tu ne seras plus jamais aussi douce, Marie...»

Marie la fière

Je suis Marie. Pas celle qui a enfanté le Messie, mais la petite Marie de la Gaspésie. Marie la fière. C'est le dernier été du siècle et le soleil est plus chaud qu'à l'accoutumée. Ce matin, je me suis levée en même temps que lui pour faire la besogne habituelle. J'ai bêché la terre; j'ai enlevé les mauvaises herbes; j'ai ramassé les œufs frais dans le poulailler et, maintenant, je dispose du reste de l'après-midi pour aller cueillir des fraises sauvages dans le champ de l'autre côté du grand chemin, à l'orée du bois.

Je demande au Carol si je peux choisir une des robes de la Madeleine, qui sera ma nouvelle robe pour l'été. Il est bien content que je veuille toujours de ces robes pas encore défraîchies, mais plus vraiment à la mode. J'ouvre le coffre en cèdre de la Madeleine et en sors les robes, que j'apporte sur le lit du Carol. Il y en a une brune, une grise, une beige avec des fleurs vertes, une pourpre, une rouge et une bleu ciel. Je décide de garder la bleu ciel pour le mariage de Rosalie et demande au Carol de m'aider à choisir entre les autres. Pour mes vingt ans, il me conseille de porter la plus belle, la rouge, celle dont la couleur n'a pas été altérée par le soleil. Je vais dans ma chambre pour l'essayer et reviens. Le Carol me dit que j'ai l'air d'un rubis, d'une magnifique pierre précieuse comme sa Madeleine. C'est vrai que cette robe me va à ravir. Elle est ajustée à la hauteur des seins, à la taille et aux hanches, ce qui fait ressortir mes courbes de jeune femme. Je mets aussi un ruban rouge dans mes cheveux.

En sortant de la maison, j'ai l'idée d'aller demander à Rosalie si elle veut m'accompagner. En route, je me rends compte que je risque de tomber sur Antoine. Cette pensée me tracasse, à un point tel que je songe à rebrousser chemin pour aller seule au champ. Mais je ne fais pas demi-tour. J'ai pour mon dire qu'un gars ne m'empêchera jamais de faire ce dont j'ai envie. Ou alors, je serai devenue une vieille folle. La tête bien haute, je prends une grande respiration et cogne chez les Boileau. Charles viens répondre et me dit que Rosalie est descendue au village avec leur mère pour faire les commissions. J'aperçois Antoine dans la cuisine qui se prépare à partir pour la pêche, lignes et crocs en main.

— Tiens! Si c'est pas Marie la fière! me dit-il. C'est moi que tu viens voir comme ça?

— Pas du tout! Je venais quérir Rosalie pour aller voir s'il n'y aurait pas déjà des fraises de mûres.

— Des fraises? Ça ne te tenterait pas de venir pêcher avec moi à la place?

— Les vrais pêcheurs ne vont jamais sur l'eau avec des femmes, dis-je d'un ton sec.

— Eh bien, tu l'as dit toi-même, je ne suis pas un vrai pêcheur.

— Ça paraît. Les vrais se sont levés à trois heures pour être au grand large dès l'aurore.

— Viens-tu avec moi, oui ou non?

— Merci quand même, mais j'ai autre chose à faire, dis-je avant de saluer les deux cousins et de refermer prestement la porte.

Ce n'est peut-être pas un vrai pêcheur, le cousin à Rosalie, mais c'est un vrai... homme. Je revois sa silhouette et son visage dans ma tête. Juste d'y penser me donne des frissons. Alors, sans Rosalie et un peu émue, je repars sur le chemin. Je fredonne un air que la Madeleine aimait chanter en promenade. Je me demande si les garçons lui faisaient aussi chavirer le cœur, à la belle Madeleine. Si elle les laissait la bouleverser comme ça. Si un regard enflammé avait le pouvoir de changer son cœur en volcan. Je crois que c'est plutôt elle qui devait les faire courir, les hommes... Le soleil est à son plus haut dans le ciel et tape fort sur ma tête. Je mets mon chapeau de paille.

Arrivée au champ, je me rends immédiatement jusqu'à l'orée de la forêt où se cachent habituellement les plus belles fraises. Je suis un peu en avance sur la saison, mais je savais qu'elles seraient là, parce que depuis le printemps on a de plus en plus de soleil que les années précédentes. Et elles sont là. Des talles et des talles de grosses fraises, toutes juteuses, prêtes à exploser sous ma langue. Des fraises que personne n'a encore touchées, qu'aucune main n'a effleurées. Des fraises vierges que seul le soleil a caressées et que je caresse à mon tour. Je me régale de quelques-unes avant d'en déposer dans mon panier. Scrutant la forêt, je remarque un geai bleu sur une branche basse d'un arbre. J'arrête de cueillir pour mieux l'observer. Il me semble si fragile et si fort à la fois. Il peut se propulser haut, très haut dans le ciel, et je me sens tout à coup aussi forte que lui. Mais il peut aussi mourir très facilement. La main d'un homme n'a qu'à le serrer un peu trop fort pour que son minuscule cœur cesse de battre. Et je me sens tout à coup aussi vulnérable que lui.

Soudain, j'entends un bruissement derrière moi. Je me retourne promptement. Antoine se tient debout à quelques mètres de moi, un panier à la main.

— Je n'irai pas pêcher à la mer aujourd'hui, me dit-il.

— Pourquoi? La houle te fait peur?

— Non. Mais j'aime mieux pêcher ici, il y a des plus belles prises...

— Ne me parle pas comme ça, Antoine! Je ne suis pas un poisson!

— Je sais... Tu es une petite fraise.

— Une petite fraise?

— Ouais..., une belle petite fraise sauvage. Est-ce que je peux te cueillir, ma belle Marie?

41

Je ris, un peu gênée par cette drôle de demande. Antoine me fixe intensément de son regard assuré. Je me rends compte qu'il est sérieux. Il attend une réponse. Je cesse aussitôt de rire et recule de quelques pas.

— Ne t'approche pas, Antoine! dis-je avec mon air le plus sévère.

— Pourquoi, tu as peur de la houle? dit-il en s'avançant vers moi.

— Je n'ai pas peur, mais n'avance pas plus!

— Tu vas faire quoi? Crier? Personne ne va t'entendre.

Je sais très bien qu'il a raison. À cette distance du grand chemin, mon cri se perdrait dans le vent avant la fin du champ. Je laisse tomber mon panier et commence à courir. Il se lance à ma poursuite en piétinant les quelques fraises que j'avais cueillies. Je crois posséder une bonne avance sur lui. Je saisis le bas de ma robe et le relève pour courir le plus vite possible. Mon avance ne dure pas. Antoine n'est qu'à environ deux mètres derrière moi. Je m'apprête à entrer dans la forêt, mais repense à mon rêve. Je bifurque et continue de courir dans le champ. Mon cœur bat la chamade et je cours encore plus vite. Antoine n'est plus qu'à un demi-mètre derrière moi. Je sens sa respiration rapide et saccadée. Soudain, il se jette sur moi en m'agrippant par la taille. Je tombe par terre et me retourne rapidement sur le dos. Antoine se positionne à cheval sur moi, ses mains tenant mes poignets contre le sol de chaque côté de ma tête. Je ne peux absolument pas bouger.

— Lâche-moi! dis-je à bout de souffle, en essayant de le repousser.

— Du calme, Marie! Je ne prendrais jamais une fille de force.

Je le regarde dans les yeux pour tenter de cerner ses intentions. Il a dans le regard la fierté des hommes qui ont capturé leur proie. Il a dans le regard le désir des hommes qui tâtent sa chair fraîche. Il a dans le regard l'innocence des hommes qui écoutent leur cœur.

Je baisse les yeux et remarque la bosse sous son pantalon.

— Si tu ne me prends pas de force, tasse-toi alors! dis-je en essayant de bouger les bras pour me dégager.

Antoine reste immobile, les mains sur mes poignets, à me fixer dans les yeux. Je bouge frénétiquement les hanches pour me dégager.

— Ne bouge pas comme ça, Marie, me dit-il très sérieusement.

Sans détacher son regard du mien, il lâche doucement mon poignet droit. Je laisse mon bras sur le sol, attendant de voir ce qu'il va faire. Il pose sa chaude main dans mon cou. Il la descend lentement en faisant glisser ses doigts sur ma peau. Un frisson me parcourt tout le corps. Il détache les boutons de ma robe sur le devant et écarte le tissu qui recouvre mes seins. Il caresse doucement ces derniers du bout des doigts, alors qu'ils montent et descendent au rythme de ma respiration saccadée. Il s'attarde sur le bout de mes seins qui durcissent sous ses doigts. Ils sont comme des fraises qu'aucune main n'a effleurées. Ils sont tout chauds et prêts à exploser sous sa langue. Mes seins que le soleil a caressés et qu'il caresse à son tour. Il y goûte avec sa langue rugueuse, les fait rouler entre ses dents. J'ai peur qu'il les morde; je frémis d'excitation. Il enlève sa chemise et étend son grand corps musclé sur le mien.

— Je ne prendrais jamais une fille de force, Marie la fière. Mais j'ai tellement envie de toi… Veux-tu que je continue? me murmure-t-il à l'oreille.

Je sens son sexe dressé dans son pantalon, sur le bord de ma cuisse. Je sens sa langue humide et chaude qui parcourt mon cou. Sa main qui relève délicatement le bas de ma robe.

— Tu as peur, Marie? Tu n'es plus aussi fière que quand tu dansais, hein? Je vais te faire danser, moi!

Il empoigne ma culotte et la descend le long de mes jambes tout en continuant à faire courir sa langue dans mon cou. Il bouge doucement ses hanches de bas en haut pour que je sente bien son sexe dur entre mes jambes.

43

– Je vais te faire danser si tu veux, ma belle Marie. Mais je ne te prendrai jamais de force. Si tu ne veux pas, tu n'as qu'à dire non.

Mon esprit voudrait que je dise non, mais j'en suis incapable. Non! Non! Arrête, Antoine! Non! On ne devrait pas faire ça.

– Allez… Dis non, que j'arrête… Dis non, Marie! dit-il de plus en plus excité.

Non! Non! Arrête, Antoine! Non! On ne devrait pas faire ça. Mais c'est si bon… Continue… C'est trop bon de t'avoir couché sur moi! Tu me caresses comme les majestueuses vagues de la mer quand elles se replient sur elles-mêmes. Comme les ailes des goélands qui caressent les grands vents de l'automne. Je suis toute lisse et chaude, moi la douce, la terre encore inhabitée, inexplorée. Laboure-moi comme un homme laboure la terre qu'il aime pour qu'elle le nourrisse! Enfonce tes grandes mains dans ma terre vierge, dans ma terre franche qui te donnera tout ce que tu veux! Tous les fruits que tu désires! Habite-moi, explore-moi, Antoine! Ensemence-moi et fais de moi une terre colonisée! Approprie-toi cette terre, fais-la tienne en la rendant fertile! Je suis toute prête à être caressée, labourée par ton sexe de faux pêcheur! Prends-moi, Antoine!

– Eh bien, si tu ne dis pas non, c'est que tu dis oui, ma belle. Et puis je pense que t'aimes ça!

Il dégage son sexe de son pantalon. En le tenant fermement dans sa main, il le promène entre mes cuisses. Je vois une terre brûlante sous les rayons du soleil de l'après-midi. La chaleur caniculaire et l'humidité sont presque insoutenables. Il laboure la terre de son instrument en creusant de petits sillons. Infatigable, il sait que ses efforts seront récompensés. Son torse est couvert de sueur, brillant de lumière. J'ai envie de goûter la sueur de son dur labeur. Je soulève ma tête jusqu'à ce que mes lèvres touchent sa poitrine. Je sors la langue et le lèche. Il goûte salé. Salé comme l'eau de la mer.

– Ah!… Tu bouges enfin… Dis-le-moi, Marie! Dis-moi que tu veux que je te prenne! Allez, dis-le…

Je dois lui dire d'arrêter maintenant, mais toutes les fibres de mon corps l'implorent de continuer. Arrête, maintenant, Antoine! Arrête! Arrête! Mais il est déjà allé trop loin.

– Prends-moi, dis-je dans un murmure à son oreille.

Il aligne son sexe et, d'un mouvement des hanches, l'enfonce doucement en moi. Lorsque je crois qu'il ne peut aller plus loin, il s'enfonce de plus belle au creux de mon ventre. Puis il recule un peu, pour s'enfoncer encore plus profondément. J'ai l'impression que son sexe est si gros…, il me remplit complètement, comme la mer en furie qui s'engouffre dans les crevasses de la falaise. À chacun de ses coups, je ressens une légère douleur, mais le plaisir que cela me procure est beaucoup plus intense. Je commence à faire bouger mon bassin à mon tour. Je bouge avec lui, soudée à son corps.

Un vol d'oiseaux traverse le ciel… J'aimerais bien être à leur place, pour voir de tout là-haut ce qu'Antoine me fait. J'aimerais voir ses cuisses, puis ses fesses qui avancent et reculent entre mes jambes. Contempler les muscles de ses épaules et de ses bras crispés par l'effort. Je quitte le ciel et ferme les yeux. Il donne de grands coups en moi tel le trappeur qui dépèce sa proie. La douleur se fait plus oppressante, mais j'aime trop sentir son sexe gonflé qui remplit mon ventre pour lui dire d'arrêter. J'ouvre les yeux. Il fixe son regard troublant dans le mien. Je m'enfonce dans ses abysses, dans l'encre noire de ses yeux. Le rythme de ses coups s'accélère; je m'accroche à son corps. Il pousse quelques longs gémissements et s'affaisse sur moi. Je n'entends que sa respiration et les cris des fous de Bassan qui nous survolent. Il reste en moi, sans bouger, la tête dans mon cou.

– Marie…, murmure-t-il à mon oreille. Marie la douce, est-ce que je t'ai fait mal?

– Non, lui dis-je doucement en repoussant ses épaules pour voir son visage.

Il me fait un sourire radieux comme le soleil et se couche à mes côtés, relevant son pantalon. Je baisse ma robe et recouvre mes seins. Je sens mon cœur battre jusque dans mon sexe. Une chaude rivière coule entre mes cuisses.

— Marie?

— Quoi?

— Si les gens du village ou ton père savaient, est-ce que ce serait mal vu?

— Oui, ce serait très mal vu. Surtout si tu n'as pas l'intention de me marier. Ça me ferait une mauvaise réputation et je risquerais de rester vieille fille.

— Belle comme tu es, je te marierais bien, mais je n'ai pas l'intention de faire ma vie à Anse-aux-Rosiers.

— Et moi, il faut que je m'occupe du Carol.

— Ça fait qu'on ne ferait pas un bon mariage, hein, Marie? dit-il en riant un peu.

— Non, mais on peut passer un bel été.

Je lui souris et il me sourit de plus belle, un peu gêné. Il se relève et m'aide à me remettre sur pied.

— Dans le fond, j'étais venu ici juste pour toi. Pas pour cueillir des fraises. Maintenant, je ferais mieux d'aller pêcher, si je ne veux pas que mon oncle se doute de quelque chose.

— C'est ça, va pêcher la morue. Moi, je vais manger des fraises.

Il remet sa chemise, fait un signe de tête en guise de salut et repart vers le chemin. Je l'observe marcher, suivant sa silhouette des yeux, jusqu'à ce qu'il soit tout petit à l'horizon. Il ne s'est pas retourné. Je reviens tranquillement vers mes talles de fraises. Je ramasse mon panier et les fraises étendues sur le sol. J'en porte une à ma bouche. Elle est toute juteuse et éclate sous mon palais…

* * *

Je suis Marie la fière. Un peu naïve, un peu légère. Un peu sauvageonne, un peu sorcière. Je suis Marie de la mer. Venue du fond des océans chercher sur ce bout de terre un amant. Un jour, j'ai entendu la Madeleine dire que

46

lorsqu'une fille se donne pour la première fois à un homme elle n'en retire pas toujours du plaisir. Je ne sais pas d'où elle tenait son information, la belle Madeleine, mais moi, j'ai ressenti du plaisir jusqu'au bout de mes orteils. Du plaisir bien doux comme des fraises toutes rouges et sucrées que l'on mange avec de la crème fraîche. Du plaisir comme à la vue du soleil qui se couche derrière la mer et qui remplit le ciel de rose, de mauve et d'orangé. Du plaisir comme celui de sentir le vent qui me caresse le visage quand je suis assise dans l'herbe tout en haut de la falaise. Et même encore plus de plaisir que cela, puisque c'était tout nouveau, comme la première fois que l'on glisse sur un lac gelé l'hiver et que l'on admire les arbres brillants, recouverts de givre. Et puis même encore plus que tout cela...

* * *

Je tire sur la grande porte qui s'ouvre lentement et je pénètre dans l'église. Tout le monde est déjà assis. La Marie est en retard comme à l'accoutumée. En passant dans l'allée centrale, je remarque Antoine assis dans le troisième banc à gauche. On se retourne pour m'observer. Les gens aiment bien s'observer à l'église. Des fois, je me dis que les gens ne veulent pas vraiment communier avec Dieu et qu'ils ne vont à l'église que pour se faire voir et pour observer les autres. Les femmes y vont pour montrer leurs belles robes et leurs beaux chapeaux, et pour jacasser sur le perron. Leurs hommes, eux, y vont pour bien paraître et pour prendre des nouvelles du village. Moi, j'y vais parce que je crois que derrière ce que dit monsieur le curé se cache une certaine vérité.

«En ce premier juillet, je vais vous entretenir du péché mortel.» En écoutant ces paroles, je me demande si je suis de ces pécheurs dont le curé parle avec mépris. De ces âmes tourmentées qui brûleront dans les feux de l'enfer pour leurs mauvaises actions sur terre. Mais bien sûr que j'ai péché! J'ai péché puisque je me suis donnée à un homme qui n'est pas mon futur époux. Je suis une pécheresse! J'ai des pulsions incontrôlables et des désirs qui me feraient rougir à confesse. Je tourne discrètement la tête pour observer le visage d'Antoine. Il est impassible. «Bien oui, j'ai péché toute la journée… et j'ai ramené de très belles prises!» C'est ce qu'il doit se dire, lui dont le visage n'a pas l'air tourmenté. Il s'aperçoit que je l'observe et me fait un sourire discret, apaisant, comme s'il voulait me dire de ne pas m'inquiéter avec le discours du curé. Comme pour me convaincre que le Seigneur ne nous en tiendra pas rigueur. Comme pour me montrer qu'il n'a rien oublié de notre aventure. Je lui souris à mon tour, soulagée d'un poids sur mes épaules.

La messe prend fin et les villageois sortent sur le perron. Je sens que l'on m'observe. Quatre femmes du village discutent en me jetant des regards furtifs. J'ai envie de leur crier : «Pourquoi me regardez-vous, vieilles chipies? Je suis sale, c'est ça? Ou alors j'ai une tache sur ma robe? Une tache de sang, peut-être. Du sang parce que j'ai péché. J'ai des traînées de sang qui coulent entre mes cuisses jusque sur le perron de l'église, peut-être! Parce que le grand gaillard de la ville m'a prise dans le champ à l'orée du bois. C'est ça? Hein? C'est ça, vieilles commères!»

Si j'osais leur crier tout ce qui me passe par la tête, elles en perdraient leur chapeau. Tout le village croirait que le diable est en moi. Le curé voudrait m'exorciser pour me délivrer du démon, et je n'aurais plus qu'à m'exiler pour vivre en ermite, loin d'ici. Je me contente donc de leur sourire hypocritement et de détourner la tête. Je suis Marie la fière, après tout. Et je sais tenir ma langue.

Antoine sort de l'église à son tour, suivi de ses cousins Charles et Paul. Ils viennent immédiatement vers moi.

— Salut, Marie la fière, dit Charles.

— Pourquoi tu m'appelles comme ça? fais-je, surprise.

— C'est Antoine qui nous a dit de t'appeler comme ça pour t'étriver, hein, Antoine?

— Ouais, réplique Antoine, un peu gêné.

— Toi, comment on peut t'appeler, Charles? Monsieur le docteur? dis-je à Charles en lui faisant de beaux yeux.

— Il n'est pas encore docteur, répond Antoine, agacé.

— Mais oui, Antoine, je suis docteur. C'est juste que je ne pratique pas encore. Le vieux docteur Dufour va me vendre sa maison et me laisser sa place au mois d'août. À ce moment-là, vous m'appellerai monsieur le docteur, si vous voulez. Dis-moi, Marie, as-tu déjà subi un examen complet?

— Euh… Je ne pense pas, non.

— Si tu veux, tu viendras me voir en août pour que je t'en fasse un. Une fille, rendue à l'âge que tu as, devrait avoir subi un examen général, pour s'assurer qu'elle est en bonne santé, tu comprends?

— Moi, je comprends surtout que tu aimerais ça l'examiner, la belle Marie. Hein, mon Charles? lance Paul.

— Tu te trompes, Ti-Paul. Un bon docteur veille à la santé de tous les villageois, et il est capable d'examiner des belles filles sans avoir de mauvaises pensées. Sinon, ce ne serait pas un bon docteur.

— Mais Marie, ce n'est pas juste une belle fille…

— Le docteur Dufour, lui, est un bon docteur, dis-je en coupant la parole à Paul. Il a toujours refusé que je le paye pour les médicaments de mon père. Il a toujours dit que je n'avais pas à payer pour son accident.

— Je suis certain que Charles aussi pourrait te les donner, hein, Charles? dit Antoine pour le taquiner.

— C'est sûr que je ne laisserais jamais un malade sans médicaments. On verra ce qu'on peut faire, Marie, si tu manques d'argent.

— Ne vous en faites pas : de l'argent, je n'en manque plus.

— Même si tu en manquais, ma belle, tu serais probablement trop fière pour le dire tout haut sur le perron de l'église, dit Paul avec un grand sourire.

Mme Boileau appelle ses garçons et m'offre de monter avec eux pour retourner à la maison. Je décline son offre sous le prétexte que je dois faire des commissions au village. Monsieur le curé a tenté bien souvent de convaincre M. Boucher de rester fermé le dimanche, par respect pour le Seigneur, mais il n'en fait qu'à sa tête, se dépêchant d'aller ouvrir son commerce une fois la messe terminée.

— Des commissions? Je vais les faire avec toi, Marie. On rentrera ensemble après, propose Antoine.

Je ne peux pas refuser. Cela aurait l'air impoli devant M. et Mme Boileau. Un gentil garçon qui offre à une fille de l'aider dans ses courses devrait être le bienvenu. N'ayant d'autre choix, je me rends au magasin général en compagnie d'Antoine, où M. Boucher m'accueille chaleureusement.

— Ah bien! Si c'est pas Marie la douce qui vient faire ses courses chez moi! me lance-t-il. On ne te voit pas souvent, la Marie.

— C'est que la terre nous fournit presque tout ce dont on a besoin, monsieur Boucher.

— Je suis bien content pour vous. Quant au reste, je peux te le vendre, dit-il en ricanant. En passant, Marie, as-tu entendu la nouvelle que mon Émile se marie en juillet avec la petite Rosalie Boileau?

— Bien sûr. Et je suis très heureuse pour eux. Je pense qu'ils font un bien beau couple.

— On va leur organiser un beau mariage. Des membres de la famille Boileau vont venir de Grande-Vallée et de Pointe-à-la-Frégate juste pour ça. Puis toi, la Marie, as-tu beaucoup de prétendants?

— Euh… Un peu… comme toutes les filles du village.

Je suis gênée de lui répondre devant Antoine. Des prétendants, je sais que j'en ai beaucoup. Il y a le fils de M. Boucher, Isidore, qui m'a déjà fait la cour au printemps. Le petit Paul, aussi, s'intéresse à moi, mais n'a pas encore osé venir me courtiser. Je connais également deux ou trois autres garçons du village qui aimeraient bien que je leur accorde mes faveurs. Mais je les trouve tous un peu insignifiants, malgré leurs belles paroles. Leurs yeux sont ternes et je n'aperçois que trop rarement un sourire sur leur visage. Mon cœur, libre comme un goéland, ne s'est encore accroché nulle part. Ou peut-être un peu à mon faux pêcheur qui repartira à la fin de l'été, lorsque les morues quitteront nos côtes.

— En tout cas, mon fils Isidore te trouve bonne à marier. Ça ne m'étonnerait pas qu'il te rende visite quelques fois cet été.

— Eh bien, dis-je, qu'il vienne, je vais le recevoir.

Je passe ma commande à M. Boucher. J'en profite pour acheter du sucre et du thé, sachant qu'Antoine les portera pour moi jusqu'à la maison. M. Boucher ajoute le prix de mes achats sur ma note de crédit, que je réglerai avec ma prochaine livraison d'œufs ou de légumes frais.

Je sors du magasin en souriant. Cela me plaît que M. Boucher ait fait prendre conscience à Antoine que j'ai beaucoup de prétendants. Un peu de concurrence rend toujours les hommes un peu plus prévenants. C'est ce que j'ai déjà entendu la Madeleine dire à Mme Boileau.

Nous marchons en silence sur le chemin de la maison. Je sens qu'Antoine est tendu. Il doit repenser à Isidore qui veut me rendre visite. J'ai envie de lui dire de ne pas s'inquiéter, que je ne ferai pas avec tous les hommes ce que j'ai fait avec lui. Isidore pourra toujours m'offrir des fleurs et m'emmener en promenade, je ne me donnerai jamais à lui. Parce que je vois dans ses yeux qu'il ne saurait pas comment me prendre. Il ne saurait pas me prendre comme Antoine a su le faire. Antoine m'a pourchassée dans le champ; il m'a agrippée. Il m'a caressée avec ses grosses mains d'homme, sans me demander ce que j'en pensais. Il s'est juste assuré que j'avais envie qu'il me prenne et il m'a prise, comme un homme doit parfois prendre une femme qui brûle de désir mais n'ose dire ce qu'elle veut.

Le soleil est à son zénith et tape fort sur ma tête. Je mets mon chapeau de paille.

— Vas-tu vraiment inviter Isidore chez toi? me demande enfin Antoine.

– S'il me rend visite, je ne vais sûrement pas le laisser dehors! Ce ne serait pas poli.

– Eh bien moi, je vais m'arranger pour qu'il ne te touche pas de l'été.

– Ah oui? Et comment vas-tu t'y prendre?

– Je vais faire en sorte que tu ne penses qu'à moi. Que tu sentes toujours mes mains sur ta peau, à n'importe quelle heure du jour. Comme ça, le petit Isidore, il ne te tentera pas.

Je préfère ne rien répondre à cela. Si je peux sentir ses mains chaudes et douces, ses mains de gars de la grande ville, sur mes seins et mes cuisses tout au long du jour, et la nuit avant de m'endormir, ce sera tout un été. Et puis, le petit Isidore, il ne me tentera jamais de toute façon.

Antoine entre dans la maison pour déposer mes provisions. Je lui présente le Carol. Il prend une des chaises de la cuisine et s'assoit près du lit, le dossier de la chaise entre les jambes. Le Carol rit un peu et dit qu'il apprécie les gens qui savent se mettre à l'aise. Antoine lui demande s'il a envie de jaser un peu. Les yeux de mon père s'illuminent devant cette proposition. Antoine dit que, le dimanche, il aime prendre le temps de jaser et que, d'habitude, il rend visite à son grand-père. Le Carol est immédiatement séduit par mon beau citadin.

Je suis contente qu'Antoine lui consacre un peu de temps. Moi, je l'ai peut-être un peu délaissé, le Carol, depuis quelques mois, avec le potager et toutes les autres corvées qui me tiennent occupée : le lavage, le reprisage, le tissage, le tricotage, sans oublier que je dois aussi cuire le pain, baratter la crème, aller chercher l'eau, passer le balai, confectionner les chandelles de suif, remplir le poêle, fabriquer le savon, nourrir les poules et ramasser les œufs. Mes journées ne sont parfois pas assez longues pour me permettre d'effectuer tous ces travaux. Heureusement, les hommes du village m'aident pour le bois de chauffage. Durant l'hiver, les hommes bûchent de nombreux arbres et, au printemps, ils entreprennent la corvée du sciage, allant d'une maison à une autre. Ils finissent toujours par la mienne. Pour les dédommager, je leur offre un copieux repas et quelques petits verres de gin que j'achète pour l'occasion. Ainsi, j'ai autant de cordes que les autres pour passer l'hiver et je n'ai pas besoin de quêter du bois chez les Boileau.

N'empêche que je devrais jaser avec le Carol plus souvent. Nos regards se croisent et le sien me dit que je ne dois pas m'inquiéter.

— Marie, prépare donc deux ou trois bonnes tartes pour qu'on se sucre le bec cet après-midi.

— Bonne idée, papa.

— Et tu feras un bon souper pour trois. Antoine va certainement rester à souper, hein, Antoine?

— D'accord, répond Antoine en m'observant du coin de l'œil pour voir si j'apprécie l'invitation faite par le père.

Je suis contente que le Carol m'ait demandé de cuisiner pour eux; je voulais justement préparer deux belles tartes aux fraises. Et ça fait toujours plaisir de savoir que notre ouvrage est apprécié.

Je pétris la pâte tout en écoutant le Carol raconter à Antoine ses premières années en Gaspésie, quand il n'y avait encore personne ici, au bout de la péninsule. Quand les gars comme lui rêvaient d'un pays tout neuf pour s'établir. D'un pays qu'aucun homme n'avait exploré et dont chaque recoin était encore à découvrir. Une terre vierge jamais labourée, sur laquelle on pouvait bâtir tous ses espoirs. Le Carol raconte comment il a réussi à s'approprier la terre en friche avec la falaise. Même s'il savait que ce n'était pas une terre très fertile et qu'il allait devoir trimer dur, c'était celle qu'il voulait. La dernière terre, comme on l'appelait et qu'on l'appelle encore. La dernière terre avant la mer.

— Je suis arrivé à Anse-aux-Rosiers en 1860, avec la première vague de colonisation. J'étais parmi les pionniers. Je faisais tous les métiers : défricheur, constructeur, pêcheur, bûcheron, menuisier, laboureur, semeur, moissonneur.

Pendant cinq ans, j'ai trimé dur. L'hiver, je partais en *sleigh* avec cinq ou six autres gars, équipés d'une scie-à-gros-ventre, nos haches sur l'épaule. On abattait, on ébranchait puis on sciait des arbres pour revenir avec une charge de bois le soir venu. Ce bois-là nous a servi à construire toutes les maisons du patelin. L'été, j'agrandissais mon domaine cultivable. J'abattais des arbres, j'arrachais les souches, je brûlais la végétation, puis j'épierrais le sol pour mettre mon champ en forme. Ç'a été très long de tout défricher. Même que, mes premières semailles, je les ai faites entre des grosses souches bien enracinées. Il fallait bien qu'elle me rapporte, cette terre-là.

En écoutant le Carol, je pense à la terre franche d'un pays tout neuf et j'imagine Antoine en train de la caresser.

Le Carol lui demande s'il veut connaître l'histoire de la Madeleine. Je suis contente qu'il lui propose cette histoire, il aime tant la raconter. Ses yeux brillent et il fait de grands gestes avec ses bras.

— La Madeleine est arrivée à Anse-aux-Rosiers alors qu'elle n'avait que seize ans. Moi, j'en avais trente et un, et j'avais déjà bâti ma maison, qui n'attendait qu'une femme pour qu'elle soit belle. Et la Madeleine était belle. Aussi belle que toi, ma Marie. Mais avec plus de poitrine et des hanches plus larges. Des hanches qui pourraient porter tous mes fils, que je me disais. Et des seins assez gros pour nourrir une famille de quinze enfants. Toi, Marie, tu as les cheveux comme un beau grand érable qui va donner de la sève au printemps. La Madeleine, elle, avait des cheveux comme les blés bien mûrs.

J'ajoute de la farine à ma pâte et lève les yeux vers mes deux hommes. Antoine me fixe d'un regard tendre tout en écoutant la chaude voix de mon père.

— La Madeleine, c'était la fille unique du forgeron, qui est mort lui aussi depuis bien des années, depuis une nuit d'horreur en 1889, en fait…, mais ça, c'est une autre histoire. Je disais donc que c'était sa fille unique, parce que sa femme avait failli mourir en couches et que le forgeron s'était ensuite arrangé pour qu'elle ne tombe plus jamais enceinte; il avait trop peur de la perdre. Disons que son désir de la garder auprès de lui était plus fort que son désir d'accomplir son devoir conjugal. Ça lui a causé des problèmes avec le curé de sa paroisse, qui disait qu'ils empêchaient la famille, qu'ils contrecarraient les plans du bon Dieu. Mais le forgeron se défendait en disant que sa femme et lui voulaient bien, mais que c'était le bon Dieu qui ne faisait pas sa part. Pour lui, c'était clair que le péché de mensonge était plus facile à supporter que de vieillir sans sa femme. Tout ça pour dire que la Madeleine était son seul enfant et qu'il tenait à ce qu'elle fasse un bon mariage. Il s'était donc mis dans la tête qu'elle marierait le fils du ferblantier, un grand insignifiant, laid comme son père, mais qui avait des sous de côté pour la faire vivre.

Je pétris fermement ma pâte. Mes mains s'appliquent dans leur mouvement. Je la serre bien fort et la fait rouler entre mes paumes.

– Son plan était presque parfait, sauf que le forgeron n'avait pas prévu que sa Madeleine m'aimerait moi, le pauvre cultivateur de la dernière terre. J'ai contrecarré ses plans, au maréchal-ferrant! Sans l'accord de son père, j'ai commencé à voir la belle Madeleine, puis à l'aimer en cachette. Je ne pouvais pas épouser une jeunesse de seize ans, tu comprends, même si je l'aimais comme un fou; monsieur le curé n'aurait pas laissé faire ça! Alors, on s'est mariés seulement quand la Madeleine est devenue une femme, quand elle a eu vingt ans. Comme ça, on a fait taire les mauvaises langues qui disaient que je voulais profiter d'une petite jeunesse pour me remonter le moral. La Madeleine, je l'aimais plus que ma terre. Si on a consommé notre amour avant le mariage, c'est parce qu'on s'aimait trop, justement, et parce que la mer la rendait folle. Quand je l'emmenais se promener sur le bord de la falaise, elle me disait qu'elle avait envie de moi, même si j'avais quinze ans de plus qu'elle et que tout le village disait que je n'étais plus un bon parti. Mais c'est quoi, quinze ans, quand on est jeune et que la mer vous envoûte? Ça fait que je lui faisais l'amour.

Je prends encore un peu de farine entre mes doigts et l'étends doucement sur la surface lisse de la pâte. Antoine me regarde caresser la pâte. Je peux presque sentir son cœur battre d'ici.

— Quand la Madeleine et moi on s'est mariés, son père ne le lui a jamais pardonné. Il était tellement déçu d'elle qu'il a même décidé d'aller vivre ailleurs, à Gaspé, avec l'idée d'ouvrir la plus grande forge de la ville. On ne les a plus jamais revus, les parents de la Madeleine. Du moins, pas durant dix-huit ans, jusqu'à l'été 1887, mais ça, c'est une autre histoire.

Antoine m'observe pétrir la pâte que j'ai séparée en deux boules. Je les fais rouler, l'une après l'autre, sous la paume de ma main, pour en faire des boules parfaites.

— Après un an de mariage, la Madeleine n'était toujours pas enceinte. On a commencé à s'inquiéter, puis à faire l'amour tous les soirs, pour être certains qu'on l'aurait, notre famille. Mais ça n'a rien donné. Deux ans plus tard, on était aussi amoureux qu'à ses seize ans, mais la Madeleine n'était pas encore grosse. Je l'ai emmenée chez le docteur Dufour, qui a dit qu'elle n'aurait jamais d'enfant parce qu'elle était mal faite à l'intérieur. Je ne pouvais pas croire que ma Madeleine était mal faite. C'était la plus belle des femmes, la mieux faite de tout le village pour avoir des enfants. C'était la plus femme des femmes, avec ses gros seins pour nourrir une famille et ses hanches assez larges pour accueillir... Enfin...

J'aime sentir la pâte qui roule sous ma main. Et j'aime sentir le regard troublant d'Antoine sur mes mains, sur ma poitrine.

— Les sept années suivantes ont été très dures pour la Madeleine. Les autres femmes du village la regardaient de travers. Anse-aux-Rosiers est plein de mauvaises langues. La Madeleine était malheureuse comme la pluie de ne pas avoir d'enfant. Elle allait sur le bord de la falaise tous les soirs et elle priait face à la mer. Moi, ça me déchirait le cœur de la voir malheureuse. Les gens du village disaient : «Madeleine, la fille du forgeron, ne peut pas avoir d'enfant parce qu'elle a désobéi à son père. Parce qu'elle a consommé son amour avant le mariage. Elle prie pour se faire pardonner.»

Lorsque mes boules sont toutes deux aussi rondes que la lune, je les tasse au fond des assiettes. Je sors ensuite mon panier de fraises.

— Tu es allée cueillir des fraises, Marie? me demande Antoine, l'air taquin.

— Oui, au début de la semaine, mais j'en avais plus que ça. Le Carol les a presque toutes mangées.

Je sens mes joues qui rougissent à l'idée qu'Antoine repense aux fraises.

— Mais ils ont tous compris ce qu'elle demandait dans ses prières, la Madeleine, un beau matin de juin 1879. Les hommes qui s'en allaient pêcher ont trouvé un bébé tout bleu sur le rivage, à deux kilomètres d'ici. Ils pensaient qu'il était mort, mais, une fois bien emmitouflé dans des couvertures, il s'est mis à pleurer. Tout le village s'est réuni et on a décidé de garder ça pour nous autres, et de donner le bébé à ma Madeleine, qui disait qu'il était à elle, que c'était la mer qui le lui avait envoyé. À trente ans, la Madeleine a eu son premier bébé, le seul qu'elle aurait jamais. Le lendemain, on a baptisé Marie à l'église. Marie de la mer. La Madeleine l'a ramenée chez nous et a pris soin d'elle jusqu'à sa mort, dix ans plus tard, l'année de mes cinquante-cinq ans.

Le Carol a les larmes aux yeux, comme chaque fois qu'il raconte l'histoire de sa Madeleine. Il la raconte avec une telle passion que cela m'émeut chaque fois. Moi aussi, je me souviens de la belle Madeleine. J'ai le souvenir encore des matins où le froid et l'humidité me transperçaient le corps jusqu'aux os et que je me glissais dans le lit à côté d'elle pour réchauffer mes pieds gelés sur ses cuisses bien chaudes. Je me souviens aussi du pain doré qu'elle nous faisait le dimanche et que nous arrosions de sirop d'érable. Des après-midi passés dans la cour à cuire le savon dans la maçonne selon sa recette secrète, qu'elle m'avait fait jurer de ne jamais révéler à Mme Boileau ou à qui que ce soit. Des promenades que nous faisions dans les champs, cueillant des fleurs sauvages pour égayer la cuisine. Des soirées où elle me racontait des histoires inventées, toutes les deux emmitouflées dans une grande couverture de laine, pendant que le Carol bourrait le poêle de bois pour la nuit. Des douces berceuses qu'elle me chantait pour m'endormir en me caressant les cheveux. De son tendre sourire et de la chaleur de sa poitrine où je reposais ma tête. Le Carol aussi doit se souvenir de la chaude poitrine de la Madeleine pour que ses yeux brillent encore ainsi lorsqu'il en parle.

— C'est une bien belle histoire, Carol. Je vous remercie de me l'avoir racontée, dit Antoine, réellement ému.

— Maintenant, tu connais l'histoire de la mère de Marie. Et si Marie va elle aussi sur la falaise pour voir la mer, la nuit, ce n'est pas une raison pour jacasser de ça au village.

— Carol! dis-je, surprise. Tu savais?

— Bien voyons, ma fille. Je ne suis peut-être qu'un vieil infirme qui raconte des histoires, mais je n'ai pas les oreilles bouchées. J'ai juste une chose à te dire, ma fille : ne t'occupe pas des gens du village et fais à ta tête! Fais à ta tête, ma Marie, comme la Madeleine. Parce que tu en as une bien vissée sur tes épaules, je le sais.

— Merci, Carol, tu es bien fin… Bon, assez discuté! Le souper est prêt. Tu peux passer à table, Antoine.

Je sers Antoine et apporte une assiette à mon père dans un plateau que je dépose sur sa paillasse. Tout en mangeant, nous discutons de choses et d'autres. Antoine nous apprend qu'à Québec il étudie pour devenir avocat. Ce sont ses parents qui lui ont suggéré de passer ses vacances d'été à

Anse-aux-Rosiers, chez son oncle, afin de gagner un peu d'argent avec la pêche. Ainsi, il en profite aussi pour connaître un autre coin de pays. Des avocats, on n'en a jamais vu par ici; il n'y en a que dans les grandes villes. On a déjà vu des notaires, venus pour régler certaines affaires, les successions par exemple, mais des avocats, jamais. Antoine nous raconte que, l'été dernier, il a traversé la mer pour aller en France, à Paris. Ses parents et lui ont rendu visite à des membres de leur famille qui habitent là-bas. Je sais bien que tous les gens d'ici viennent de la France, mais le Carol et moi n'avons aucune parenté à visiter en terre française. Il y a trop longtemps que nos ancêtres ont quitté leur patrie en quête d'aventures et de terres nouvelles.

Carol demande à Antoine ce qu'il pense d'Anse-aux-Rosiers. Celui-ci répond que c'est le plus beau coin de pays qu'il ait jamais vu. Je suis bien d'accord avec lui. Même si je n'ai jamais quitté la pointe, je suis certaine qu'il n'y a nulle part ailleurs plus belle nature ni plus belle mer.

Une fois le souper terminé, je ramasse les assiettes et le plateau du Carol, qui s'assoupit. Je remonte ses couvertures, puis fais signe à Antoine de me suivre sur la galerie, me doutant que mon vieux Carol joue la comédie pour me donner l'occasion d'être seule avec Antoine. Il a dû remarquer que je prenais des manières avec lui, comme une fille qui tente de séduire son homme. Le Carol a toujours su voir à l'intérieur des gens, comprenant ce qu'ils ressentent et pensent en secret. Une fois que je lui en ai parlé, il m'a dit qu'il avait du sang indien et qu'un de ses ancêtres, un grand sorcier, lui avait transmis certains pouvoirs. J'aime croire à cette histoire; j'aime croire aussi que je suis la petite-fille d'un sorcier micmac, qui m'a donné le pouvoir de contrôler les éléments : l'air, le feu, la terre et l'eau.

Antoine me suit en silence sur la galerie. Nous nous assoyons sur les chaises berçantes du Carol et de la Madeleine, et, l'espace d'un instant, mon cœur me dit que ce serait un destin heureux que d'être encore assise sur cette chaise, dans dix ans, cet homme à mes côtés. Cet homme dont je ne connais presque rien.

Le soleil descend vers la mer, emplissant le ciel de magnifiques couleurs aux tons pastel. Les goélands planent au-dessus de l'eau, dans leur sempiternelle quête de nourriture. Antoine contemple ce merveilleux spectacle l'air serein, lui qui n'a pas souvent la chance d'admirer d'aussi beaux paysages que ceux de la péninsule gaspésienne. Ces paysages qui sont gravés dans mon cœur et qui me suivront où que j'aille dans l'avenir. Antoine me tient compagnie jusqu'à ce que le soleil disparaisse dans la mer. Alors qu'il s'apprête à partir, je sens qu'il a lui aussi beaucoup apprécié ce petit moment d'intimité avec moi.

— Ce n'est pas que je n'apprécie pas ta compagnie, Marie, mais je dois y aller. Je pars à la pêche très tôt demain matin, avec Ti-Paul qui va me montrer ses trucs.

— Deux faux pêcheurs... Faites attention de ne pas chavirer.

— Ne t'en fais pas, on sait s'y prendre avec la mer. En tout cas, merci pour le souper, c'était délicieux. Surtout la tarte, dit-il en me serrant la main et en fixant son regard dans le mien.

— C'est moi qui te remercie. Tu as fait passer un bel après-midi au Carol.

— Justement, tu le remercieras pour ses belles histoires. Dis-lui que je vais revenir dimanche prochain. Si tu n'y vois pas d'inconvénients...

— Ça va nous faire plaisir, Antoine. Surtout à mon père.

— Je vais te faire plaisir à toi aussi, ma belle Marie. Tu vas voir. Quand tu t'y attendras le moins, ajoute-t-il tout bas avant de descendre les marches.

Je l'observe marcher sur le chemin. Cette fois-ci, il se retourne pour me saluer une dernière fois. Je repense à ses dernières paroles et l'imagine en train de me surprendre. La chaleur envahit mes joues; j'ai un volcan à la place du cœur. Puis Antoine disparaît au détour du chemin.

Je rentre m'occuper du Carol, qui m'attend, souriant, pour se préparer pour la nuit. Comme tous les soirs, je l'aide à se changer, tout en répondant à ses questions un peu indiscrètes au sujet du beau garçon de la grande ville. Évidemment, je ne lui raconte pas tout, même si je sais qu'il en devine plus que je ne lui en dis.

Vers dix heures, après avoir souhaité une bonne nuit au Carol, je mets mon châle sur mes épaules et sors de la maison. Mon père me sourit avant de fermer les yeux. Je suis sa Madeleine qui va prier à la mer pour avoir un enfant.

Je marche sur le sentier de pierres qui mène à la falaise. Le bruit de mes pas sur les roches est apaisant. Je marche lentement, faisant entrer profondément les odeurs des fleurs sauvages et de la mer dans mes poumons. Je respire l'air de la nuit et, portant les yeux vers l'immensité de la voûte étoilée, je me sens emportée par un sentiment nouveau, un sentiment de grand bonheur. Je pourrais presque voler, m'envoler tel un goéland pour parcourir le vaste ciel, transperçant les nuages et me laissant porter par le vent.

J'arrive au bout du sentier. La mer est très agitée ce soir. Les vagues frappent fort contre les parois. Comme si elles en voulaient au roc, à la terre. Comme si elles en voulaient à la terre de m'avoir avec elle. Moi qui la caresse de mes mains chaque jour, la creusant pour qu'elle me nourrisse. Alors que la mer ne peut plus me caresser ni me bercer. En m'approchant du bord, je peux sentir de minuscules gouttelettes d'eau sur mon visage. Le vent se déchaîne et les vagues frappent le roc de plus en plus fort. Elles veulent me toucher, sentir la douceur de ma peau, monter tout le long de la falaise jusqu'à moi. Je m'approche encore plus du bord et enlève mes bottines. Je relève ma robe jusqu'à la taille pour que la mer caresse mes jambes nues. Pour sentir les gouttelettes d'eau sur mes pieds, mes genoux, mes cuisses.

Je suis si près du bord qu'en regardant au loin je me sens flotter au-dessus de la mer. Je ne vois plus la falaise; je ne vois que l'eau qui scintille sous la lune. Le vent est frais, mais j'aime frissonner sous ses caresses. C'est presque aussi doux que les caresses d'un homme.

Les vagues se calment et je laisse retomber ma robe. Je ne suis pas rassasiée. J'ai envie de sentir l'eau sur ma peau rafraîchir mon corps tout entier. J'ai envie de plonger dans la mer du haut de la falaise et de me laisser flotter sur l'onde noire pour qu'elle me porte à l'infini. Je lève les bras au ciel et m'étire vers les myriades d'étoiles qui illuminent les cieux. Elles me semblent si lointaines. Si inaccessibles. Si merveilleuses. Entre l'infini du ciel et la mer, il n'y a que Marie. Marie dont le corps est trop lourd pour se laisser flotter… Marie dont le cœur est trop pesant pour la laisser s'envoler… Marie qui doit rester sur terre…

Je m'étends sur le dos et ferme les yeux.

Je suis au fond d'un berceau que l'on pousse sur la mer. Je glisse à toute vitesse sur les flots noirs et agités. Après quelque temps, le berceau ralentit jusqu'à s'immobiliser complètement. Je regarde tout autour de moi; le rivage a disparu. Je suis au beau milieu de l'océan, dans un berceau qui est maintenant devenu une petite barge. Le soleil se lève à l'horizon. Une peur soudaine m'envahit : je vais mourir de faim, abandonnée dans cette embarcation qui sera mon cercueil. Je défais le ruban de mes cheveux et le plonge dans l'eau. J'attends un bon moment. Lorsque je sens que ça mord, je le ressors de l'eau. Au bout du ruban est accroché une magnifique morue dorée. Je la prends dans mes mains. Elle est gigantesque et brille sous le soleil, maintenant haut dans le ciel. Ma peur est apaisée : je sais que je n'aurai jamais faim.

Alors que je crois tout danger écarté, le vent se lève et ma barge commence à tanguer. Je me laisse porter par la mer, descendant creux en elle puis remontant vers le ciel. Soudain, j'aperçois au loin une énorme vague. Elle monte et monte et monte vers le ciel. Elle devient de plus en plus grosse, plus haute que le clocher de l'église du village. Elle vient vers moi et je sens qu'elle veut me submerger. Elle est si haute devant moi qu'elle cache le soleil et que l'eau devient noire. En un éclair, elle s'abat sur moi et je suis engloutie dans les profondeurs de la mer. Je ne peux plus respirer.

Je me réveille au beau milieu de la nuit, mes jambes et mes bras s'agitant dans tous les sens. La mer est calme. Ce n'était qu'un mauvais rêve. Je rechausse mes bottines et reprends le chemin de la maison.

* * *

Aujourd'hui, c'est encore jour de fête au village. L'église sera remplie à craquer pour célébrer le mariage d'Émile Boucher et de Rosalie Boileau. On a sorti les belles décorations et on en a orné toute la rue Principale. Ce n'est pas beaucoup d'ouvrage, puisqu'elle n'est pas bien longue. Mais le maire tient mordicus à ce que l'Anse soit belle, aussi belle que la mariée, puisque l'on reçoit des gens d'autres villages.

Dimanche dernier, après la messe, Antoine m'a raccompagnée jusqu'à la maison pour jaser avec le Carol. Il m'a aidée à le sortir dehors et à l'installer sur sa chaise longue. Le Carol était bien content de prendre enfin l'air. Toute seule, je n'arrive pas à le sortir et Mme Boileau n'a pas tous les jours le temps de venir m'aider. Nous avons passé un magnifique après-midi à jaser sur la galerie. Le Carol nous a raconté des légendes de bûcherons et de draveurs ainsi que des histoires de sa jeunesse à Québec. Avant de partir, Antoine m'a dit de venir mardi à dix heures chez les Boileau, pour que nous partions tous ensemble pour l'église.

Aux alentours de dix heures, je cogne à leur porte. Personne ne vient m'ouvrir. Je colle mon oreille contre la porte : c'est le silence complet. Ils doivent être à l'étage, occupés à se préparer pour la grande occasion. Je pénètre dans la cuisine déserte et avance jusqu'à la porte de derrière. Par la fenêtre, j'observe les chevaux qui broutent l'herbe verdoyante. Ils semblent calmes, comme un vieux couple paisible qui prend plaisir à seulement être ensemble.

Un bras se glisse autour de ma taille et m'enserre. Je sursaute et me retourne. Antoine me serre encore plus fort contre lui.

– Antoine! Tu m'as fait peur! Lâche-moi, on va nous voir!

– Ils sont tous partis depuis une bonne heure.

– Et toi, tu es resté tout seul ici?

– Je leur ai dit que, si on tardait trop à ramasser les œufs dans le poulailler, ils allaient se casser, et que ça ne me dérangeait pas de rester pour faire ce travail.

– Ah! je comprends... Tu es un petit rusé. Mais maintenant, lâche-moi et arrête de niaiser, on va être en retard.

– Je ne te lâcherai pas avant d'avoir eu ce que je veux, Marie la fière.

– Sûrement pas! Je ne pourrais jamais... Pas ici. Pas chez les Boileau!

Antoine pose ses lèvres sur la tendre peau de mon cou. Il me saisit sous les bras, me soulève et m'assoit sur le comptoir de la cuisine. Le soleil entre par la fenêtre et éclaire la pièce. Tout est bien rangé, chaque chose à sa place, comme aime Mme Boileau. Une odeur de sucre flotte dans l'air, comme si l'on avait cuisiné des pâtisseries. Cet arôme me rappelle les tartes que j'ai faites, les fraises, le champ... Un frisson me parcourt l'échine.

– Tu es belle comme le ciel dans cette robe-là, Marie. Tu es vraiment la plus belle fille du village. La plus belle et la plus douce aussi, dit-il en me caressant l'intérieur des cuisses.

Il fait tomber ses deux bretelles et prend mes mains qu'il pose sur la fermeture de son pantalon. J'hésite quelques instants pour le faire patienter. Puis tout doucement, je caresse son entrejambe. Il émet un long soupir. Je détache alors son pantalon. Je n'ai jamais vu un sexe d'homme. Je le sors lentement, avec curiosité. Il est tout chaud dans ma main. Je fais glisser lentement mes doigts sur sa peau sensible. Pendant que je le caresse, il devient de plus en plus dur. À chaque caresse, je le sens grossir dans ma main. Cela m'excite. J'ai envie de le sentir en moi.

Je pose mes mains sur le comptoir et me soulève pour qu'Antoine puisse retirer ma culotte. Je l'entoure de mes jambes et retiens mon souffle pour mieux sentir son sexe pénétrer à l'intérieur de moi. Il agrippe fermement mes hanches et commence un mouvement de va-et-vient. Je sens une douce chaleur qui m'envahit, comme l'autre jour dans le champ. Mais cette fois-ci, je ne ressens aucune douleur. Antoine me prend avec de plus en plus de vigueur, emporté par son propre plaisir. Il gémit comme si chacun de ses mouvements lui demandait un énorme effort. Il respire fort dans mon oreille. Je fixe la porte d'entrée. J'ai peur que l'on entre et que l'on nous surprenne. Que dirait-on au village? Que la Marie est une Marie couche-toi là. Qu'elle aime se faire prendre par n'importe quel homme. Non, pas par n'importe lequel... par lui. Je les envoie tous au diable, les villageois!

Alors qu'Antoine me pénètre vigoureusement, je ressens soudain une sensation étrange dans mon sexe. Une sensation voluptueuse qui ne ressemble en rien aux plaisirs que je connais. Je renverse la tête en arrière et, comme une libération, laisse sortir de ma gorge des gémissements de plaisir. Excité par mes cris, Antoine me pénètre de plus en plus vite. Je sens mon sexe qui gonfle, qui enfle, qui se contracte. Je ferme les paupières et vois la mer qui frappe la falaise. Je sens les rafales de vent sur mon corps. J'entends les cris des cormorans affamés. Mon corps est affamé. Avide de cette sensation nouvelle qu'il sent grandir en lui, de ce plaisir qu'il découvre. Alors que je me concentre sur cette sensation, sur ces spasmes de plaisir qui me parcourent le bas-ventre, Antoine pousse un long gémissement et me remplit de sa semence.

Mon corps en redemande. Il veut aller au bout de ce plaisir. Mais Antoine ne bouge plus. Il me tient collée contre lui. J'entends son souffle dans mon oreille. J'ouvre les yeux. Je suis dans la cuisine des Boileau. En silence, la tête basse,

Antoine retire son sexe de mon ventre et remonte son pantalon. Il me soulève comme si je n'étais pas plus lourde qu'un petit pois et me dépose sur le sol. Je le sens mal à l'aise, troublé. Son regard est rempli de regrets. Je lui souris pour lui dire qu'il n'a rien fait que je ne voulais pas, qu'il n'a pas forcé les choses.

Nous marchons en silence jusqu'à l'église. Je me sens comblée par cette nouvelle expérience qui m'a fait entrevoir des plaisirs encore inconnus. Mon cœur est léger, mais ma tête me dit que je n'aurais pas dû laisser un homme me prendre aussi facilement. Les hommes n'aiment pas les filles faciles; ils aiment croire qu'ils sont les seuls à avoir droit à nos faveurs. Antoine pourrait décider que je l'ai assez amusé et courtiser une autre fille du village. Une fille respectable qui ne lui laisserait que sa main à prendre. C'est ce que j'aurais dû faire dès le début. Dorénavant, je le ferai languir en ne lui laissant que ma main à baiser… et peut-être ma joue, s'il me cueille des fleurs.

– Tu sais, Marie, quand je pense à toi, je ressens une chaleur dans le bas-ventre, dit-il en brisant le silence. Mais il n'y a pas juste ça… J'ai connu bien des filles, et des belles à part ça, mais aucune ne me faisait de l'effet comme toi. Je veux dire… je ne te trouve pas juste belle. J'aimerais ça te connaître un peu plus. Dimanche dernier, j'ai passé un très bel après-midi à jaser avec toi.

– Moi aussi, Antoine, j'aimerais te connaître plus, dis-je en montant les marches de l'église.

Avant d'entrer, il m'embrasse tendrement et je sais par son regard que je le trouble profondément. Tous les villageois sont déjà rassemblés dans l'église. Ils se retournent pour nous voir arriver. Je peux déjà entendre les rumeurs qui vont naître à notre sujet. Antoine m'invite à m'asseoir dans le premier banc avec les Boileau. Il leur dit qu'il m'a rencontrée sur le chemin du village. Mme Boileau, gentille comme d'habitude, me complimente sur ma robe.

L'orgue entame la marche nuptiale et Rosalie entre par les grandes portes, au bras de son père. Elle est magnifique, comme une belle et grande fleur blanche, un lis majestueux. Émile, au bout de l'allée, a les yeux qui brillent. M. Boileau laisse sa fille à Émile et rejoint sa femme, l'air fier, la tête bien haute. Pendant l'échange des bagues, Antoine, assis à mes côtés, frôle discrètement mon pied avec le sien. Je ressens une sensation de chaleur dans ma poitrine; mais aussi la frustration de ne pouvoir lui serrer la main. Rosalie et Émile s'embrassent tendrement tandis que l'orgue célèbre leur amour par des notes qui les suivent jusque sur le perron pour ensuite s'envoler, libres, vers le ciel.

Sur le terrain de l'église, de grandes tables sont installées pour le dîner. Je m'assois entre Paul et Antoine, qui semble un peu mal à l'aise. Il doit savoir que Paul a l'intention de me courtiser. Et quoi de mieux qu'un mariage pour commencer à courtiser sa belle?

Je discute avec Paul durant tout le repas, oubliant presque Antoine. Une fois le dîner terminé, Paul entame une conversation avec son père et Antoine en profite pour m'emmener à part, sur l'herbe où l'on a installé des couvertures.

— Tu te laisses courtiser par Paul? me lance crûment Antoine.

— Il faut bien que je me trouve un mari.

— C'est avec lui que tu devrais discuter, d'abord, dit-il en commençant à se relever.

— Attends! Ne te sauve pas comme ça, dis-je en lui saisissant le bras et en le tirant pour qu'il se rassoit.

Nous restons dans le silence quelques instants. Lui, souhaitant que je le rassure, et moi, cherchant mes mots.

— Est-ce que je peux te parler franchement? dis-je enfin. Ti-Paul est bien gentil, mais ce n'est pas un homme pour moi. Pas plus qu'Isidore Boucher. C'est sûr qu'ils feraient des bons partis, mais moi, j'ai besoin d'un homme qui fasse battre mon cœur.

— Moi, je te fais battre le cœur?

— Mon cœur ne bat pas pour ceux qui s'en vont.

— Tu dis ça parce que je retourne à Québec dans un mois?

– Je dis juste que mon homme va aimer la terre de la Gaspésie, et que je vais l'aimer pour ça, et pour ce qu'il me fera ressentir quand il posera ses mains sur mon corps.

– Moi, je te fais frissonner? Je te fais frissonner, et tu n'aimes pas ça parce que tu sais que je vais repartir bientôt et que tu vas encore sentir mes mains qui caressent tes beaux seins.

– Je ne suis pas une femme qui rêve à des fantômes, comme le Carol qui rêve encore à sa Madeleine! Mais arrêtons de parler de ça. Tu n'es pas encore parti. Parle-moi plutôt de toi, et de la grande ville. Parle-moi de tes études d'avocat, tiens. Parle-moi aussi de Paris, où, à ce qu'on dit, il y a plus de lumières la nuit qu'il y a d'étoiles dans le ciel.

Antoine me raconte tout ce que je veux savoir à son sujet, mais il ne semble pas très à l'aise à l'idée de ne parler que de lui. Comme il s'arrête toujours pour me poser des questions, je lui raconte ma vie au village. Mon exposé ne dure pas très longtemps puisque je fais la même chose depuis que je suis toute petite : je m'occupe de la terre. Il est étonné qu'à la mort de ma mère j'aie pu survivre toute seule et m'occuper de mon père. Je lui raconte qu'on a voulu me donner à une nouvelle famille, comme une orpheline, mais que le Carol s'y est objecté avec tellement de vigueur qu'on a abandonné l'idée. On a plutôt décidé de confier à M. et Mme Boileau le soin de veiller à ce que j'apprenne à me débrouiller toute seule pour qu'il ne me manque jamais de rien. Et je n'ai jamais manqué de rien. J'ai cinq acres où je cultive de l'avoine, de l'orge et du sarrasin. J'ai des poules qui me donnent des œufs que je vends à M. Boucher treize sous la douzaine. La terre nous donne tous les légumes nécessaires pour nous nourrir et je vends le surplus aux villageois et aux pêcheurs qui n'ont pas le temps de cultiver un potager. Avec l'argent, j'achète tout ce qu'il me manque : le sucre brun, le riz, la morue séchée, le thé, etc. M. Lamarche, un vieil ami du Carol, nous donne du lait toutes les semaines en échange de quelques belles betteraves du jardin et, quand l'hiver est long, M. Boucher me fait toujours crédit. Je le rembourse en été avec les plus beaux légumes de la région. Il dit que j'ai des doigts de fée pour extraire de ma terre d'aussi beaux et gros légumes. C'est qu'il ne connaît pas mon secret : je lui parle, à ma terre, et je la caresse, au lieu de la violenter comme tous les cultivateurs. La terre, c'est comme une femme : c'est capricieux et ça a besoin de beaucoup de petites attentions, mais si elle est comblée, elle te donne tout ce que tu veux. Antoine sourit.

Je lui dis que ma corvée préférée est de préparer mon levain et de cuire mon pain. J'aime tellement respirer l'arôme qui emplit la maison après une bonne fournée. Cela me rappelle les dimanches après-midi passés à faire des tartes et du pain avec la Madeleine pendant que le Carol travaillait aux champs. À sept ans, la Madeleine me voyait déjà comme une jeune femme et nous discutions des vraies choses de la vie. Je ne comprenais pas toujours ses propos, mais le fait qu'elle ne me parlait jamais comme à une enfant m'a permis de joindre le monde des adultes avant mon temps. Après sa mort, je n'ai d'ailleurs pas eu d'autre choix que de grandir bien vite.

Antoine me raconte ensuite qu'à Paris il y a toujours des gens qui se promènent sur les trottoirs, même tard dans la nuit. Certains reviennent du théâtre, d'autres des cabarets, alors que d'autres encore ne font que marcher, sans but précis, pour le seul plaisir d'une promenade nocturne. Les Parisiens ont beaucoup de divertissements. Ils vont se promener le long de la Seine en amoureux ou ils sortent dans les cafés pour discuter et rencontrer des gens. Antoine me confie qu'il est tombé amoureux d'une Parisienne l'été dernier. Il l'a rencontrée dans un café justement, et ils ont discuté toute la nuit. Par la suite, elle lui a fait découvrir Paris et il l'a revue tous les jours jusqu'à son départ. Mais maintenant, il ne pense presque plus jamais à elle. Elle est devenue un fantôme. À bien y penser, dit-il, il n'était peut-être pas réellement amoureux d'elle. Paris est une si belle ville qu'elle fait battre le cœur des hommes, qui se croient amoureux. Mais c'est pour Paris que leur cœur s'embrase, pas pour ses femmes. Je ris de son histoire. Il me dit ensuite qu'il pense m'avoir déjà rencontrée dans ses rêves.

Il est à Québec et marche dans la rue, entouré de gens pressés. Au bout de la rue, il aperçoit une fille dans une longue robe blanche, presque transparente, qui l'observe. Alors qu'il se rapproche d'elle, elle se sauve en courant. Il court derrière elle jusqu'au fleuve. Là, il réussit à se rapprocher d'elle. Elle a de longs cheveux bruns comme les miens, retenus par un ruban rouge. Elle détache le ruban et le lui lance en riant. Elle se retourne vers le fleuve qui s'étend devant elle. Il lui crie de faire attention. Elle étire ses bras vers le ciel et plonge dans le fleuve noir. C'est à ce moment qu'il se réveille. Il me dit avoir fait ce rêve cinq fois avant cet été. Je lui dis que, si c'était moi, je ne disparaissais pas, je ne faisais que retourner chez moi, par le fleuve, au milieu des rorquals bleus et des baleines à bosse.

Mme Boileau nous interrompt. Il est déjà six heures, c'est le temps de rentrer. Elle invite la famille du marié à venir souper à la maison, tout comme moi et le Carol, qu'elle enverra chercher par Antoine et Émile. Les Boileau nous démontrent leur affection en nous conviant à ce repas, puisque le Carol et moi ne faisons partie ni de leur famille ni de celle du marié. Je suis bien contente que le Carol ait enfin la chance de fêter un peu. Il ne voulait pas assister à la cérémonie, mais il ne pourra pas refuser l'invitation à une soirée chez les Boileau.

Dans la grande cuisine sont installées trois tables, formant un U, pour recevoir les invités. Tous ces couverts me rappellent les réveillons de Noël de mon enfance, lorsque nous allions chez le frère du Carol à Rimouski; des journées magiques… C'était toujours si bruyant : les enfants faisaient des courses autour des tables, les hommes parlaient fort, pendant que nos mères couraient après nous pour replacer nos robes ou nos costumes.

Je me retrouve à la même table que Camille, Paul, Pierre et leurs cousins, les fils de Maurice Boileau. Les cousins Boileau nous donnent des nouvelles de Grande-Vallée et les fils de Marcel sont aussi bien fiers de parler d'Anse-aux-Rosiers, surtout Paul qui dit que notre morue est la plus grosse de toute la Gaspésie. M. Boileau nous sert chacun un petit verre d'eau-de-vie, qu'il a lui même distillée à partir de ses plus belles patates. Il porte un toast à la santé de sa Rosalie et de son nouveau gendre Émile. Je me rends compte que c'est un premier mariage pour la famille Boileau, qui vieillit. Le visage de Mme Boileau qui regarde sa petite Rosalie me dit qu'elle est attristée de perdre, pour la première fois, un de ses enfants. Elle a pourtant offert aux jeunes mariés de rester à la maison, du moins jusqu'à ce que Rosalie soit grosse, mais Émile a refusé. Il était tellement fier de se construire une maison, avec l'aide de son père et de ses frères, fabriquant ses planches à partir de billots qu'il débitait à la main. Tout le printemps, il a passé ses soirées à faire des bardeaux avec son père, dans le salon qui paraissait à l'abandon. Il voulait que sa Rosalie ait sa propre maison. Et il savait que ce ne serait pas long avant qu'ils la remplissent. Mais Rosalie a promis à ses parents de revenir les voir tous les dimanches, pour se faire embrasser par sa mère qui a souffert pour elle et pour continuer de sentir qu'ils forment une famille unie, un clan que seule la mort peut séparer.

Un instant, mon regard se pose sur le comptoir de la cuisine. Je me sens mal à l'aise tout à coup. J'ai l'impression d'avoir sali cette maison qui n'est pas la mienne. Cette maison qui n'avait peut-être jamais connu le péché et que j'ai souillée avec Antoine. Discrètement, je fais le signe de la croix, même si mon cœur me dit que le bon Dieu ne nous tiendra pas rigueur de notre geste, lui qui est Amour. Je regarde Mme Boileau et me demande si elle s'est déjà fait prendre sur le comptoir de sa cuisine, au bord de l'évier, un rayon de soleil entrant par la fenêtre, et si elle fixait la porte d'entrée en espérant qu'un des enfants n'entre pas dans la maison. Ou, pire, que M. Boileau n'entre pas dans la maison. Je contemple cette femme dans la quarantaine et me demande si je lui ressemblerai un jour, veillant au bonheur de mes enfants et de mon mari jusqu'à en oublier le mien.

Durant la soirée, Paul a enfin la chance de me parler seul à seule. Alors que Camille, qui me racontait ses amours secrets d'adolescente, me laisse pour aller aider sa mère à la cuisine, Paul en profite pour venir me tenir compagnie.

— Puis, Marie, t'amuses-tu? me demande-t-il.

— Oui, ça fait du bien de voir du monde.

— Tu dois t'ennuyer, des fois, toute seule chez toi.

— Je ne suis pas toute seule. Le Carol est de bonne compagnie.

— En tout cas, Marie, je voulais te dire que quand ta mère est morte, et que tu as tout pris en main pour t'occuper de ton père et de sa terre, je t'ai trouvée très courageuse. Tout le monde ici disait que tu étais une fille bien vaillante, qui avait le cœur à la bonne place.

— Je n'aurais jamais fait tout ça sans ta mère, il ne faut pas l'oublier. Mme Boileau, c'est une mère pour moi, et vous autres, vous êtes mes frères et sœurs.

— Moi, je suis comme ton frère?

— Bien oui, tu es le frère que je n'ai jamais eu.

Mes paroles ne sont pas tout à fait innocentes. Je veux que Paul prenne conscience que je ne m'intéresserai jamais à lui. Pas parce que nous avons grandi côte à côte, mais tout simplement parce que mon cœur en a décidé ainsi. Et je ne veux pas qu'il perde son temps à tenter de me séduire. J'ai remarqué qu'une de ses cousines lui jette des regards furtifs depuis le début de la soirée. Je profite du fait que nous soyons seuls pour lui en glisser un mot. Son visage s'illumine et il se retourne brusquement pour repérer la jolie fille dans la cuisine. Elle l'observait justement; ils se sourient, gênés. Je souris aussi, me disant que le petit Paul aura vite fait de m'oublier.

Je vais rejoindre Rosalie pour la féliciter et l'embrasser, ce que je n'avais pas encore eu la chance de faire. Rosalie est belle comme une rose. Je le lui dis dans le creux de l'oreille en la prenant dans mes bras. Elle me dit que, moi, je suis encore plus belle qu'une rose et que, bientôt, je trouverai aussi mon homme.

— Je t'aime, Rosalie, lui dis-je tout bas.

— Je t'aime, Marie, me répond-elle.

Je lui souris et elle me fait un sourire complice. La soirée se poursuit jusqu'aux petites heures du matin. Les invités sont si joyeux que personne ne songe à aller dormir, surtout pas le Carol qui profite de ce bel auditoire pour raconter ses légendes de marins et de bûcherons. Le bonheur se lit sur son visage alors que toute l'attention se porte sur lui. Je l'écoute attentivement raconter avec véhémence l'histoire du grand Chabot et de ses trois frères, assise avec les enfants devant l'âtre. Je suis fière qu'il soit mon père.

Vers trois heures du matin, les paupières sont lourdes de sommeil et les corps, engourdis. On sort les paillasses pour accommoder les invités qui restent. Certains vont passer la nuit chez les Boileau, d'autres chez les Boucher. Paul et Pierre offrent de nous raccompagner jusqu'à la maison et de m'aider à installer le Carol dans son lit. En montant dans la charrette, je souris à Antoine qui me fait un léger signe de tête. Nous n'avons pas passé beaucoup de temps ensemble, mais je n'ai pas arrêté de penser à lui et de le chercher des yeux toute la soirée. Alors qu'il jasait avec la sœur d'Émile, j'ai même fait exprès de me trouver en compagnie d'Isidore, et de me montrer très intéressée par ce qu'il me racontait. Maintenant, je ne pourrais même pas me souvenir d'un seul mot de cette conversation tellement je n'y portais aucun intérêt. Je n'avais d'yeux que pour Antoine, détournant cependant la tête dès qu'il tournait les yeux dans ma direction. Ces petits jeux m'ont amusée ce soir, mais je ne pourrai pas tenir longtemps. S'il ne vient pas vers moi à notre prochaine rencontre, je saurai qu'il faut mettre un terme à notre histoire.

73

Avant que le sommeil ne m'emporte, je repense à Paris et à ses cafés…

Je porte une robe et un chapeau à la mode parisienne, comme ceux des mannequins des catalogues d'Isidore, ainsi que des gants de satin blanc. Un homme, portant un complet noir et une rose à la boutonnière, entre dans le petit café et s'assoit à une table face à la mienne. Il desserre sa cravate et détache le premier bouton de sa chemise d'un blanc immaculé. Il me contemple avec des yeux charmeurs. Après avoir lentement siroté son café, il se lève et s'approche de moi en me fixant dans les yeux. Une douce musique classique emplit le café et la fumée des cigarettes forme un brouillard autour de nous. Sans m'adresser la parole, l'homme me prend par la main et me fait signe de le suivre. L'horloge du café indique minuit passé. Nous marchons côte à côte sur les trottoirs grouillants de monde de cette ville étrangère jusqu'à un des ponts qui traversent la Seine. Je grimpe sur le parapet du pont et m'accroche à un lampadaire; ma robe se remplit de vent. L'eau qui coule sous mes pieds m'envoûte; elle fait de petits bruits dans son mouvement contre les parois de la Seine. Les passants ne peuvent l'entendre, mais moi, je sais qu'elle m'appelle. Je suis une étrangère ici et elle le sait. Elle veut me ramener chez moi. J'ai aussi envie d'elle. Envie de la sentir tout contre mon corps. Mes doigts se desserrent tranquillement et je lâche prise. L'homme essaie de m'attraper, mais, trop tard! Je tombe dans l'encre noire de la Seine…

Je me réveille en sursaut. Je ne sais à quel moment mes pensées se sont transformées en rêve. Je voudrais retourner à Paris et ne jamais passer sur ce pont. Je voudrais rester avec cet homme toute la nuit à me promener sur les trottoirs. Je voudrais voir des milliers de lumières remplacer cette simple petite flamme vacillante qui éclaire chaque soir de ma vie.

* * *

Il y a une semaine déjà que Rosalie s'est mariée. Cet après-midi, j'ai décidé de mettre mon ouvrage de côté pour aller lui faire une petite jasette et en profiter pour visiter sa nouvelle maison. Je lui apporte un pot de mes marinades qu'elle aime tant, ainsi qu'un gâteau renversé à la rhubarbe, le dessert préféré d'Émile. Je n'ai pas fait un pas dans l'entrée qu'elle me prend par la main et m'entraîne dans un grand tour du propriétaire, s'attardant à me montrer chaque placard et chaque pièce du mobilier dont elle est si fière : armoire, banc de quêteux, buffet, vaisselier, coffre à vêtements, bahut, chaise berceuse, grande table et même une commode-chasublier. Émile savait bien que l'intérieur de la maison serait la fierté de sa femme. Rosalie est fébrile comme une fillette qui vient de recevoir une énorme maison de poupée pour son anniversaire. Après avoir fait le tour des pièces, nous nous assoyons sur son grand lit. Je me dis que cela doit faire tout drôle de partager son lit avec un garçon. Ça doit faire tout chaud quand on se colle. Et ça doit être réconfortant de n'avoir qu'à bouger la jambe pour sentir que l'on n'est pas seule. Sentir la présence de celui qu'on aime. Celui que l'on a choisi pour vivre avec soi. Celui que l'on a choisi pour cette nuit, et pour toutes celles qui suivront, hiver après hiver, été après été…

— Ce n'est pas une paillasse, ça, Rosalie, dis-je en palpant son matelas.

— Non. Je l'ai fabriqué moi-même avec des plumes de poule. Tout le printemps, j'en ai ramassé, pour faire une surprise à Émile. On est vraiment bien là-dessus. Mais tu ne m'as pas dit comment tu trouvais la maison.

— C'est magnifique, Rosalie. Tu es bien chanceuse! Émile et ses frères ont de quoi être fiers de leur ouvrage; c'est une des plus belles maisons du village.

— Je le sais. Maintenant, il me reste juste à la remplir d'une trâlée d'enfants.

— Des enfants… J'ai tellement hâte de voir les miens courir dans l'herbe, autour de la maison.

— Si tu te dépêches, ils pourront jouer avec les miens.

— Ouais… Comme nous deux quand on était petites. Te souviens-tu?

— Je me souviens que c'est toi que je voulais épouser!

– Voudrais-tu encore?

– Non… Maintenant, je sais qu'un homme, c'est irremplaçable.

– Pour couper du bois de chauffage!

– Non. Ce n'est pas vraiment à ça que je pensais.

– Tu parles de la couchette? dis-je tout bas.

– Oui, mais tu ne sais pas vraiment de quoi je parle, hein, Marie?

– Euh… non. Pas vraiment.

Je brûle d'envie de raconter à Rosalie qu'Antoine m'a prise dans le champ, mais je pense aussi à ce que nous avons fait dans la maison de ses parents, et je rougis de honte. Je ne pourrai jamais raconter cette aventure à qui que ce soit. Je suis prise avec mes secrets. Pourtant, Rosalie aussi doit bien avoir des histoires à raconter, des histoires avec d'autres hommes qu'Émile. Elle s'est mariée à vingt ans, après tout; cela faisait déjà quelques années qu'elle était devenue un beau brin de fille et que les farauds lui tournaient autour. Nous nous étendons sur son confortable matelas de plumes de poules, un oreiller derrière la tête.

– Rosalie, est-ce que je peux te poser une question très personnelle?

– Bien sûr.

– As-tu déjà… Je veux dire… as-tu déjà embrassé d'autres gars qu'Émile?

– Embrassé? Bien… oui. L'été dernier, j'ai embrassé Raoul Bolduc, le pêcheur. Il me courtisait sérieusement. Mais c'est à ce moment-là que j'ai rencontré Émile et que j'ai dit à Raoul qu'il ne m'intéressait plus. Mais je n'ai jamais dit à Émile que je l'avais embrassé!

– Mais… as-tu déjà fait plus qu'embrasser d'autres gars qu'Émile?

– Voyons, Marie, tu sais que ça ne se fait pas! C'est péché.

Elle me regarde droit dans les yeux. Je sens qu'elle voudrait que je l'incite à parler. Je sens qu'elle veut me dire quelque chose.

– C'est péché, hein, Marie?

– C'est ce qu'on dit. C'est ce que monsieur le curé dit. Mais c'est facile pour lui, il ne fait jamais rien de toute façon. Je me dis qu'il n'aime pas les femmes, cet homme-là.

– Voyons, Marie! Ne parle pas comme ça! C'est un homme d'Église.

– Homme d'Église ou pas, ce n'est pas normal. Moi, je pense que c'est normal de ressentir des envies... Que tout n'est pas péché. Tu sais, tu peux tout me raconter si tu veux, je n'irai pas bavasser au village.

– Alors, oui, c'est vrai, j'ai déjà couché avec un homme, une fois, avant de rencontrer Émile, dit-elle en rougissant.

– Continue, Rosalie. Je te raconterai une histoire, moi aussi, après.

– Toi aussi?

– Oui, mais raconte en premier.

À dix-huit ans, un après-midi de canicule, ma belle Rosalie s'est retrouvée seule avec le beau Cyrille, un survenant que ses parents hébergeaient en échange de quelques besognes. Alors que le reste de la famille était aux champs, Cyrille l'entraîna dans la grange et l'embrassa passionnément. Au début, elle voulut résister à la fougue de Cyrille, mais ses baisers étaient si bons et si doux qu'elle se laissa aller. Ils s'embrassèrent avec de plus en plus d'ardeur et furent de plus en plus excités. Ses yeux à lui espéraient qu'elle se donne; ses yeux à elle demandaient à connaître le plaisir de sentir un homme pénétrer en elle.

Alors, il la déshabilla et la prit. Il la déflora, là, sur un tas de foin, espérant que son père n'entrerait pas dans la grange. Ça sentait le cheval et il faisait une chaleur torride. Rosie a senti pour la première fois la chaleur d'un homme dans son ventre. Et Rosie a aimé ça.

Après qu'ils se furent rhabillés, Cyrille lui demanda si elle voulait qu'ils se fiancent. Elle lui dit que ce qui était arrivé n'était pas une raison pour se fiancer, et surtout pas à un survenant. Ça, c'est bien ma Rosalie, la fille du Soleil, aux cheveux blonds comme les blés bien mûrs. Elle ne s'est pas accrochée à ce gars-là. Elle a compris qu'un quart d'heure d'embrassades sur un tas de foin, ce n'était pas suffisant pour lui garantir une vie de bonheur.

Me prenant la main, elle me demande de lui raconter maintenant mon histoire. Nerveuse, mais soulagée de pouvoir enfin en jaser avec une amie, je lui raconte mon aventure dans le champ, avec son cousin. Mon histoire ne la surprend pas du tout. Elle avait remarqué qu'Antoine me faisait bien souvent des yeux doux. Tout d'abord à la fête de la Saint-Jean, puis à son mariage. Je lui fais jurer de n'en parler à personne et la serre dans mes bras. Lorsque nous desserrons notre étreinte, nous sommes très proches l'une de l'autre. Elle pose sa bouche sur la mienne et m'embrasse. Elle fait courir ses lèvres douces et chaudes sur les miennes. Elle s'interrompt pour caresser de ses petites mains mes cheveux et mon visage.

— Je t'aime, Marie de la mer, me dit-elle.

— Je t'aime, Rosalie Boucher.

Elle sourit, surprise de m'entendre pour la première fois prononcer son nom de femme. Parce que maintenant, c'est une femme, ma Rosalie. Enfin, c'est ce que doit penser son Émile : qu'il a fait d'elle une femme. Même si, toutes les deux, nous savons pertinemment qu'elle était une femme bien avant qu'il ne l'épouse. Bien avant qu'elle le connaisse et qu'il pose ses grandes mains sur elle.

— Si un jour on se retrouve toutes les deux sans homme, on se fera plaisir ensemble, hein, Marie? me murmure-t-elle à l'oreille.

— Oui, Rosalie.

Elle m'embrasse de nouveau, mais cette fois avec plus de passion. Ses lèvres parcourent les miennes et elle m'étreint doucement. Je me demande si ça aussi, c'est péché. Mais je repense au curé qui ne fait jamais rien, et je décide de faire plaisir à Rosalie en la laissant m'embrasser. Une porte claque au rez-de-chaussée. Nous nous arrêtons net, surprises, avant d'éclater de rire.

– Ne mentionne à personne que je t'ai embrassée, me dit-elle alors que nous descendons l'escalier.

– Ne t'en fais pas.

Il est midi; c'est Émile qui vient dîner. Rosalie et moi préparons rapidement une omelette et du lard grillé pour son homme affamé. Il mange tout le contenu de son assiette ainsi qu'une grosse portion de mon gâteau à la rhubarbe. Après avoir aidé Rosalie à laver la vaisselle, je repars avec Émile car j'ai du travail qui m'attend à la maison. En sortant sur le perron, je lance un regard complice à Rosalie, qui sourit, timidement.

Sur le chemin de la maison, je me sens légère. Le soleil brille très haut dans le ciel. Je sais que Rosalie sera toujours là pour moi. C'est bien dommage que l'on n'aille plus à la chasse aux papillons…

En passant devant chez les Boileau, je croise Antoine qui s'en va au village. Il me cherchait justement pour m'inviter à aller pêcher avec lui demain. Je lui dis que les pêcheurs vont se moquer de lui s'il emmène une fille en mer, mais il insiste. Je suis touchée qu'il fasse passer son envie d'être avec moi avant l'opinion des pêcheurs. J'accepte son invitation et rentre à la maison le cœur encore plus léger.

* * *

Le jour se lève à peine lorsque nous arrivons sur la grève. Une dizaine de *flats* sont alignés près de l'eau. Des pêcheurs qui s'apprêtent à partir font des remarques sur ma présence. Ils disent que les femmes n'ont pas leur place sur la mer. Avec son air le plus sérieux, Antoine leur répond qu'il a entendu dire que les femmes attiraient la morue. Je me retiens pour ne pas pouffer de rire. Les quatre hommes se taisent, ne sachant si Antoine est sérieux ou s'il se moque d'eux. Je dis à Antoine qu'il avait l'air si convaincant que, demain, les pêcheurs vont tous emmener leur femme en mer.

J'aide Antoine à pousser son *flat* à l'eau et nous nous installons à l'intérieur. Il rame durant quelques minutes jusqu'à ce que nous ayons atteint, selon son expression, «un bon coin pour la morue». Il me dit que lorsque les margots plongent à pic dans la mer on peut être sûr d'y trouver de la morue. Même s'il ne pêche pas au grand large, Antoine est fier de me montrer son équipement. Il me donne un manigau pour que je ne me blesse pas en tirant la ligne et m'explique les gestes à faire si je sens que ça tire. Je trouve cela très excitant. Nous pêchons à deux lignes, toutes deux armées de crocs appâtés.

Je contemple le soleil qui se montre le bout du nez. Chaque jour où je me suis levée avant lui, je l'ai vu apparaître au même endroit, toujours fidèle. Lorsque vient l'aurore, je n'ai qu'à fixer la plaine qui s'étend entre le mont de l'Ermite et le mont Chauve pour apercevoir ses douces lueurs, prémices d'une autre belle journée. Lorsque Antoine sort sa première morue de l'eau, il fait jour depuis quelque temps déjà. Il me dit en riant qu'il s'est trompé : les femmes n'attirent pas la morue!

Je continue de fixer la surface de l'eau à l'affût du moindre mouvement, de la moindre petite onde. Soudain, ma ligne descend de quelques centimètres sous la surface de l'eau. Ça mord! Je crie à Antoine de venir m'aider. Il se positionne derrière moi et m'aide à remonter le poisson. C'est ma première morue. Une belle morue d'au moins dix kilos.

– Celle-là est bien trop belle pour qu'on la vende! dit-il. On va la manger ce soir… si tu veux bien la cuisiner.

– Parce que tu sais les pêcher, mais tu ne sais pas les faire cuire, dis-je pour le taquiner.

– Tu n'as qu'à me montrer, dit-il. Comme ça, on aura tous les deux appris quelque chose de nouveau aujourd'hui.

Le soleil à son zénith nous indique qu'il est temps de dîner. Nous faisons cuire une petite morue sur la cambuse. Je suis affamée et avale ma portion en quelques bouchées. Antoine dit que c'est l'air marin qui creuse l'appétit. En allant rincer mon assiette dans l'eau, je scrute la mer autour de nous; je distingue des goélands et des cormorans qui pêchent, mais aucune barge à l'horizon.

— Elles sont au moins à huit milles plus au large, me dit Antoine.

— Pourquoi ne vas-tu pas pêcher avec les autres?

— Parce que ça me prendrait une bonne barge, avec des voiles. Avec juste un *flat*, c'est trop long à ramer. Et, avec tous les autres là-bas, il y a beaucoup plus de morue pour moi ici.

Antoine installe une couverture de laine au fond de la chaloupe. Il s'y étend et me prie de venir le rejoindre. Nous demeurons dans le silence durant un certain temps. J'observe le ciel bleu et les oiseaux qui survolent la mer à la recherche de nourriture. La mer est bien généreuse de nourrir tout ce beau monde.

— Antoine, est-ce que tu vas pêcher tout l'été?

— Je pense bien… Pourquoi?

— Je me demandais… Pourquoi fais-tu ce travail si tu n'as pas vraiment besoin d'argent?

— Premièrement, je ne serais pas capable de passer l'été à ne rien faire. Et puis pêcher, pour moi, ce n'est pas du travail. Le travail, c'est quand j'étudie. De toute façon, heureusement qu'on ne pêche pas pour la gâgne! À la vitesse où on sort notre poisson de l'eau, on mourrait de faim cet hiver. Les vrais pêcheurs ont des filets et ils savent où pêcher. Ils ramènent au moins dix fois plus de poissons que moi. Il y en a qui me trouvent bien drôle quand je leur amène mes morues séchées pour qu'ils les vendent avec les leurs à Percé. Eux non plus ne comprennent pas.

Je peux comprendre mon faux pêcheur. On est si bien à profiter du calme de la mer, à se laisser bercer sous le ciel azuré, que ce n'est plus du travail. Antoine se tourne sur le côté et pose sa main sur mon ventre. Il le caresse doucement. Au-dessus de nous, les nuages blancs se déplacent rapidement, poussés par le vent, et je vois apparaître une forteresse à six créneaux. Je la montre à Antoine qui voit plutôt une longue locomotive. Je lui demande ce que peuvent bien signifier nos interprétations différentes des nuages.

— Toi, tu es prisonnière de ta forteresse, me dit-il, ou bien tu aimes les batailles. Moi, je suis celui qui est fort comme une locomotive.

— Ou tu es celui qui s'en va. Celui qui va sauter dans le dernier train pour Québec.

— Ce n'est pas avant un mois, Marie. Ne pense pas à ça. Si tu veux, je vais conduire cette locomotive-là pour t'emmener visiter ta forteresse : la citadelle à Québec.

— Tu m'emmènerais à Québec, Antoine?

— Je comprends donc! Je t'emmènerais à Québec et je te ferais tout visiter. Tu trouverais ça tellement beau que tu ne voudrais plus jamais repartir... Tu t'installerais avec moi...

Il remonte sa main de mon ventre jusque sur ma poitrine, qu'il effleure. Je prends doucement sa main et la repose sur mon ventre.

— Qu'est-ce qu'il y a? Tu n'aimes pas ça? me demande-t-il.

— Je n'ai pas envie d'y prendre goût, c'est tout.

— Mais tu aimes ça?

Je ne réponds pas. Il repose sa main sur ma poitrine, sur mes seins qu'il aime tant. J'observe les fous de Bassan qui parcourent le ciel. Je voudrais me joindre à eux pour partir loin d'ici. J'étirerais mes ailes et me laisserais porter par le vent. Je fendrais les nuages, piquerais vers la mer, remonterais vers l'infini du ciel, traverserais les forteresses et rattraperais les locomotives. Tout ce qui vit sur cette terre serait minuscule et sans importance à mes yeux. Je serais libre...

Antoine se colle contre moi pour m'embrasser. Mes ailes se referment et je redescends brusquement sur terre. Mon premier réflexe est de le repousser, mais mes lèvres sont soudées aux siennes par une force incontrôlable. C'est lui qui me retient au sol. Avec mon cœur qui s'alourdit chaque fois qu'il me touche, je ne serai jamais assez légère pour rejoindre les nuages.

Je le repousse doucement et vais m'asseoir sur le banc.

– C'est le temps de se remettre au travail, lui dis-je pour éviter d'expliquer mon geste.

– Ouais… Tu as raison. Si mon oncle vient voir ce que j'ai pêché à la fin de la journée, il va se demander ce qu'on a fait de notre temps. Il va se douter qu'on n'a pas juste pêché!

Nous retournons agiter nos lignes tout en continuant notre conversation sur Québec. J'apprends qu'Antoine aimerait s'y acheter une belle grande maison où il pourrait pratiquer le droit et peut-être même faire de la politique. Il me parle de la ville, de ses rues et de ses maisons, et me dit qu'il m'y emmènera un jour. Il me dit qu'il me fera aussi visiter Paris, où nous irons dans les grands restaurants et les petits cafés, à l'opéra et même au bal. Il m'achètera de longs gants blancs et une magnifique robe de soie pour m'emmener valser. Il me fera tourner, tourner, tourner… Ma longue robe bleue caressera mon corps comme de douces vagues. Tous les regards de l'aristocratie parisienne se poseront sur moi. Je ne danserai plus pour des pêcheurs, mais pour des princes. Je serai la plus désirable des femmes. Je serai la plus belle. Une étoile, brillante… Pour l'espace d'un soir, je m'approcherai du ciel.

Nous remontons quelques morues de plus et Antoine décide qu'il est temps de rentrer.

– L'avantage de ne pas pêcher pour la paye, c'est qu'on peut partir quand on veut, dit-il.

Il rame jusqu'au rivage et je l'aide à sortir son *flat* de l'eau. Le soleil étant très chaud, il enlève sa chemise avant de soulever le panier rempli de morues. J'admire son torse musclé : il est bâti pour travailler la terre et pour bûcher du bois. Je me dis que ce serait bien pratique d'avoir un homme comme lui à la maison.

Sur la grève, nous étêtons et éviscérons la morue destinée à la vente. Je suis bien contente qu'Antoine me laisse trancher les poissons; certains disent que manier les couteaux, c'est une affaire d'homme. Moi, je crois qu'il n'y a rien qui ne soit qu'une affaire d'homme, excepté ce que les hommes sont trop orgueilleux pour laisser faire aux femmes, de peur que celles-ci ne se rendent compte qu'elles peuvent tout accomplir sans eux.

Nous nous amusons tout en travaillant. Après un double lavage, nous empilons la morue en arrime pour la saler. Il ne nous reste plus qu'à attendre trois jours avant de la laver de nouveau, puis de l'arrimer encore en ajoutant une pesée pour accélérer l'égouttement. Avant de partir, Antoine va jeter un coup d'œil à ses vigneaux où est étalée sa morue qui sèche. Il me dit qu'elle lui rapportera quatre piastres du quintal. Un maigre gain, selon lui. Un salaire de famine pour certaines grosses familles du village, qui doivent s'endetter auprès des Jersiais, qui contrôlent le marché de la pêche sur la péninsule.

En arrivant devant la maison des Boileau, il me dit de l'attendre; il a une surprise pour moi. Lorsqu'il ressort de la maison, il a les mains derrière le dos.

— Tiens, c'est pour toi, dit-il en me tendant un livre sur lequel est inscrit *Vingt mille lieues sous les mers* en lettres dorées. Je l'ouvre au hasard et tombe sur une magnifique illustration du fond de la mer en noir et blanc. On y voit des poissons de toutes les formes et grosseurs, une pieuvre, des algues géantes, l'épave d'un bateau et un grand coffre aux trésors contenant des pierres précieuses, des pièces d'or et des colliers de perles. Je ne savais pas que le fond de la mer était aussi merveilleux.

— C'est une très belle histoire. Je suis certain qu'elle va te plaire. Je me suis dit que, comme tu aimes tellement la mer, ce livre te ferait sûrement plaisir. Mais, tu sais lire, j'espère? demande-t-il inquiet.

— Ce n'est pas parce qu'on vient de la campagne qu'on n'est pas instruit, tu sauras!

— Je suis désolé…

Pour lui montrer que je ne lui tiens pas rigueur de ce qu'il vient de dire, je l'embrasse sur la joue. Je le remercie pour ce beau présent, puis nous reprenons le chemin de la maison. Je serre mon nouveau livre sur ma poitrine. Ce sera une belle histoire à lire lorsque l'hiver s'emparera de la nature et gèlera la terre, me confinant à la maison. Lorsque les pêcheurs seront remontés dans les chantiers et qu'Antoine sera retourné à Québec.

En entrant, je montre fièrement ma morue au Carol, avant de laisser Antoine l'évider, avec quelques autres, plus petites. Il est très habile avec le couteau, le faux pêcheur! Je lui montre ensuite comment apprêter la morue selon la recette de cambuse de la Madeleine, une recette qui vient de la baie des Chaleurs. Dans mon grand chaudron de fer, j'étale un rang de patates non pelées, un rang de morue, un rang de têtes séparées en deux, un rang de foies et deux oignons, puis je fais cuire le tout à petit feu. Antoine écoute mes instructions avec attention. Je lui souris.

— Qu'est-ce qu'il y a? me demande-t-il.

— Rien… Je suis juste fière d'avoir montré à un homme à cuisiner.

— Ce n'est pas cuisiner, ça. C'est apprêter le poisson. Ce n'est pas pareil.

— C'est la même chose que de faire un pot-au-feu ou du pain. Je t'ai appris à cuisiner, dis-je pour le taquiner.

— Les pêcheurs et les chasseurs ont le droit d'apprêter le poisson et le gibier sans passer pour des femmes. Faire cuire la viande, c'est une affaire d'hommes!

— Peut-être. Mais, même si ce n'en était pas une, qu'est-ce qu'il y aurait de mal à savoir faire à manger aussi bien qu'une femme?

— Tu es mal pris, là, mon Antoine! dit le Carol en se moquant de lui.

— Rien! Il n'y aurait rien de mal à ça!

— Bon…

— Sauf que la cuisine, ce n'est pas la place des hommes!

— Je trouve que tu as des idées pas mal arriérées pour un gars de la ville, Antoine Boileau!

— Ce n'est pas moi qui dis ça, c'est la coutume, dit-il pour s'en sortir. Moi, je serais bien prêt à cuisiner de temps en temps et à laisser ma femme faire des travaux d'hommes, si c'est ce qu'elle veut.

– Toi, mon Antoine, tu es le genre de gars à se faire mener par sa femme! dit le Carol pour l'agacer.

– Ne l'écoute pas, Antoine. Il veut te faire choquer. Ce qu'il ne te dit pas, c'est que la Madeleine l'a mené par le bout du nez toute sa vie!

– C'est vrai, dit le Carol. Mais quand tu as affaire à une belle femme comme la Madeleine, c'est tellement plaisant de se faire mener. Tu sais, Antoine, les femmes, même si elles ont l'air de te laisser prendre les décisions, elles s'arrangent toujours pour être satisfaites. Prends ma Marie, par exemple. Elle me demande toujours des permissions, mais je le sais que c'est pour me faire plaisir. De toute façon, elle fait toujours à sa tête!

– Arrête, Carol! Qu'est-ce qu'Antoine va penser de moi?

– Je pense que, pour une belle fille comme toi, je serais prêt à me laisser mener un peu, me chuchote-t-il à l'oreille.

Le Carol nous regarde en souriant. Je suis un peu troublée. C'est la deuxième fois aujourd'hui qu'Antoine me laisse entendre qu'il s'intéresse à moi. J'ai envie de lui dire d'arrêter de faire ce genre de remarque puisqu'on sait bien tous les deux qu'il repart dans cinq semaines. Mais c'est si agréable de se laisser faire la cour…

Après avoir dégusté ma cambuse, nous sortons sur la galerie.

– Merci, Marie. C'était bien bon!

– C'est moi qui te remercie pour la belle journée. Quand est-ce qu'on va se revoir?

– Bientôt, c'est sûr! dit-il en prenant ma main. Je vais revenir te voir cette semaine.

Il effleure ma joue du bout des lèvres et repart sur le chemin en sifflotant. Déjà, je voudrais que la semaine s'achève, pour qu'il revienne vers moi. Mais je me consolerai du fait qu'elle passe lentement en savourant chaque instant où mon esprit ira vers lui.

Je m'assois sur la galerie et me berce en admirant le soleil qui redescend vers la mer.

* * *

Samedi matin, après une semaine de travail au grand air, je décide de me faire plaisir. Je sors mon grand chaudron en fonte et y dépose mes fraises et quelques tasses de sucre pour en faire de la confiture. Le Carol me demande si j'ai l'intention d'aller au village ce soir, pour rencontrer des gens et m'amuser un peu. Je vois qu'il s'inquiète encore parce que je sors peu pour rester à ses côtés. Pour lui faire plaisir, je lui dis que j'irai peut-être rendre visite à Rosalie demain après la messe. Alors que je vais chercher une cuillère de bois pour brasser mes fraises, on cogne à la porte. Mon cœur bondit... C'est Antoine qui vient me rendre visite! Le Carol me regarde en souriant. Je me débarrasse de mon tablier et peigne mes cheveux avec mes doigts. J'ouvre la porte et reste muette quelques instants devant Isidore qui me tend un bouquet de fleurs.

– Salut, Marie! Tiens, c'est pour toi, dit-il en me donnant les fleurs.

– Merci, Isidore. Mais qu'est-ce qui t'amène par ici?

– Eh bien... je m'ennuyais de toi, Marie. Au magasin, on a beaucoup d'ouvrage depuis que la pêche est recommencée. Mais aujourd'hui, le père m'a dit de prendre congé et d'en profiter pour aller voir ma Marie. Je pense qu'il t'aime bien... et moi aussi.

– Ça me fait plaisir de te voir, Isidore. Des fois, je trouve les semaines longues quand je ne vois personne d'autre que le Carol.

Nous nous assoyons sur les marches de la galerie. Je suis bien contente qu'Isidore me rende visite. Au printemps, il venait me voir au moins deux fois par semaine et nous faisions des marches interminables, qui se prolongeaient parfois jusqu'à la tombée de la nuit. Je crois qu'il aimait bien que nous marchions dans la noirceur, cela lui donnait un prétexte pour me tenir la main. Et je la lui laissais, sachant que cela le contentait.

Mais je n'ai jamais pu m'imaginer être sa femme. Pourtant, c'est un bon parti. Il gagne déjà un bon salaire et il héritera du magasin général à la mort de son père. On peut dire qu'il a un bel avenir au village et que bien des filles aimeraient qu'il leur fasse la cour. Et puis, il est beau aussi. Il n'est pas aussi bâti qu'Antoine ou même que son frère Émile, mais il a un beau visage. Avec ses cheveux blonds, il ressemble à l'enfant Jésus dans la crèche que monsieur le curé aime sortir dans le temps des fêtes. Et ce que j'apprécie le plus chez lui, c'est qu'il est instruit. Au magasin de son père, lorsqu'il n'y a pas de clients, il lit le journal de Québec. Il dévore chaque article et a toujours des choses très intéressantes à me raconter, des anecdotes, mais aussi des nouvelles concernant le progrès. Je l'écoute toujours avec grand intérêt. C'est lui qui m'a appris qu'il y a deux ans une première automobile a roulé à trente kilomètres à l'heure sur le chemin Sainte-Foy, et qu'il y a déjà sept ans que Montréal a un tramway électrique. C'est grâce à lui que je me tiens au courant de ce qui se passe en dehors de l'arrière-pays. Je crois que nous, qui sommes isolés sur la pointe, devons nous tenir informés du progrès, même si nous sommes toujours les derniers à en bénéficier. Un jour que je lui parlais de ce que j'envisageais semer cet été, il m'a dit qu'il ne savait pas comment cultiver la terre, mais qu'il cultivait son esprit. J'ai trouvé ça très beau. Depuis, j'essaie aussi de cultiver mon esprit.

À ma demande, il me raconte les dernières nouvelles de Québec. Je me dis que j'aimerais bien y aller un jour. Je pourrais y visiter le parlement, où toutes les décisions politiques de la province sont prises, et me promener sur ses belles collines. Et – qui sait? – je pourrais peut-être même y vivre. Je m'imagine habitant une belle maison comme celle du docteur Dufour et lisant mon journal chaque semaine. Je pourrais aller au théâtre, dans de belles robes et de beaux souliers brillants comme la neige sous le soleil, faire des promenades le long de la Grande Allée au bras de…

Isidore me sort de mes rêveries. Il me demande à quoi je pense pour que se soit dessiné ce sourire radieux sur mon visage. Je lui dis que ce n'est qu'un rêve, celui de partir d'ici pour avoir une vie nouvelle.

Isidore me confie qu'il aime travailler pour son père, mais qu'il entretient lui aussi des rêves : il s'imagine s'embarquant comme matelot sur un bateau marchand en direction de la Barbade. Ce désir de quitter la pointe me surprend, moi qui croyais qu'il avait les deux pieds bien ancrés à l'Anse. Il me confie qu'au contraire il aimerait voir le monde, entrer en contact avec ces peuples qu'il ne connaît que grâce aux livres, visiter ces villes dont la seule évocation fait rêver : Bagdad, Singapour, Bombay, Istanbul, Casablanca, Madrid. Mais il sait bien que ce ne sont que des rêves et qu'il ne partira jamais. Son destin l'unit à l'Anse, ainsi qu'au magasin que lui léguera son père.

Enfin, il me dit qu'il est inquiet pour son frère Eugène qui pense à s'engager dans l'armée. Il a entendu parler du premier contingent de volontaires canadiens envoyés en Afrique du Sud pour aider l'Angleterre dans sa guerre contre les Boers. Lui aussi a toujours entretenu le désir de quitter la pointe et de voir le monde, de voir l'Afrique… Isidore lui a dit que tout ce qu'il verrait serait la guerre et non son Afrique mythique, mais Eugène est têtu, et c'est bien ce qui lui fait peur.

Je reconnais bien là Eugène, qui n'a toujours su distinguer que le bon côté des choses, ne tenant jamais compte des inconvénients. Pour rassurer Isidore, je lui dis que son frère est le genre de gars que l'on peut parachuter au cœur de la guerre et qui réussira à en ressortir non seulement indemne physiquement et mentalement, mais même grandi. Isidore sourit. Comme moi, il doit songer à toutes les dangereuses bêtises qu'Eugène a faites étant petit et dont il est toujours sorti sans une égratignure. Et Isidore est rassuré. C'est plutôt

Eugène, l'enfant Jésus de la crèche, avec au-dessus de la tête une auréole qui le protège.

Isidore me dit qu'il est temps pour lui de rentrer. Il prend ma main dans la sienne et l'embrasse.

– C'est la fête de mon frère Émile, la semaine prochaine. Avec Rosalie, on a organisé une petite veillée-surprise chez lui. Aimerais-tu ça m'accompagner?

– Une veillée! C'est sûr que ça me tente!

– C'est bon. Je vais passer te prendre vendredi prochain après le souper, vers sept heures.

Il m'embrasse sur la joue, puis part. Pauvre Isidore! Il s'est encore mis dans la tête de me séduire. Au printemps, je lui ai pourtant fait comprendre que je n'étais pas prête à me marier, mais je crois qu'il a déjà oublié.

* * *

Lorsque nous arrivons chez Rosalie, tout le monde est déjà là : quelques amis de Rosalie et d'Émile, Charles, Pierre, Paul, Fernand, Camille, Catherine, Eugène, le petit Arthur et… Antoine! Antoine… je n'y avais pas pensé. Que doit-il s'imaginer en me voyant arriver ainsi avec Isidore? Je lui fais un grand sourire. Il détourne la tête, agissant comme s'il ne m'avait pas vue. Quel enfant! Je décide de ne pas me soucier de lui et de m'amuser. Après tout, il y a plus de dix jours qu'il m'a dit qu'il reviendrait me voir, et je n'ai jamais eu de ses nouvelles. Peut-être a-t-il rencontré une fille du village qui aimerait bien épouser un avocat pour aller vivre en ville. Je connais des tonnes de filles qui seraient prêtes à se marier avec le premier venu juste pour quitter ce bout de pays. Ici, il faut trimer dur pour récolter de quoi manger tout l'hiver et nous devons fabriquer tous nos vêtements à la main. Il paraît qu'à Québec on peut s'acheter des robes et des habits au magasin général. Mais moi, ça m'est bien égal de trimer dur. En fait, j'aime bien trop le Carol et la mer pour partir. Et puis, je ne suis pas le genre de fille à courir après un homme seulement pour qu'il m'emmène loin d'ici. Surtout pas après un gars qui semble m'avoir bien vite oubliée.

Lorsque le bruit du loquet de la porte se fait entendre, nous allons tous nous cacher rapidement dans le salon, derrière la porte. Je suis collée contre Isidore, qui pose ses mains sur mes hanches. Antoine le remarque et fait un air mauvais à Isidore qui lui sourit, fier de m'avoir conquise. Je sens une tension entre eux. Une tension dont je suis la cause. Je laisse Isidore me prendre les hanches et Antoine se faire du mouron. Rosalie nous dit d'arrêter de ricaner, qu'elle entend venir Émile.

Émile entre dans le salon. «Bonne fête!» crions-nous tous en sortant de derrière la porte. Il sursaute et rit ensuite de bon cœur avec nous. Une fois remis de ses émotions, il invite les garçons à tasser tous les meubles du salon pour que l'on puisse commencer la veillée. Fernand empoigne son violon et, pour l'accompagner, Ti-Paul sort de sa poche sa bombarde, Arthur, ses cuillers et Eugène, sa musique à bouche. Fernand, qui aspire à remplacer le violoneux du village, nous entraîne dans une chanson à répondre. Tous l'encouragent en frappant des mains et en tapant du pied. Fernand est un bon meneur, il arrive à nous faire tous participer. Nous chantons ainsi quelques chansons. Bien fier de son succès et sans se soucier d'une visite inopinée du curé, qui n'apprécie pas ce genre de danse, Fernand entame le *Reel du diable* pour qu'on se dérouille les jambes.

Je danse avec Isidore et, cette fois-ci, Antoine ne tente pas de me ravir. Je me surprends à en être déçue. Je le regarde faire virevolter la grande Rita qui sourit de plaisir. L'espace d'un instant, nos regards se croisent et je sens une chaleur dans ma poitrine : un mélange de jalousie, de frustration et de désir. Mais lui ne semble pas se préoccuper de moi, trop occupé qu'il est à en faire danser une autre.

Après une demi-heure de danse, Isidore me propose d'aller prendre l'air. Nous nous assoyons sur le rebord de la galerie avec Pierre ainsi que Loretta et Agnès, les petites-filles du docteur Dufour. La nuit est douce et le ciel est clair. Je montre aux autres où est la constellation d'Orion. Isidore nous explique que même si certaines étoiles semblent rapprochées de notre point de vue, comme celles de la ceinture d'Orion, elles peuvent être en réalité plus éloignées les unes des autres que d'autres étoiles qui, encore de notre point de vue, semblent éloignées mais qui sont en fait voisines. Tout cela dépend du point de vue duquel on les observe. Pierre, Agnès et Loretta semblent perdus par ses explications.

— Tu ferais un bien mauvais professeur, lui dit Agnès.

— Moi, je comprends, Isidore, lui dis-je à l'oreille.

À cet instant, Antoine sort sur la galerie.

— Pierre et Isidore, il y a Charles et Émile qui se cherchent deux autres joueurs de cartes. Ils m'ont dit de venir vous chercher.

— Pourquoi tu joues pas, toi? demande Isidore.

— Euh… je perds toujours, répond-il en guise d'excuse.

— Viens, Isidore! dit Pierre en le tirant par la manche.

— À tantôt, Marie. Ce ne sera pas bien long. Je vais tous les battre! dit Isidore avant d'entrer dans la maison.

Agnès et Loretta, qui, je crois, aimeraient beaucoup se faire remarquer de Pierre et d'Isidore, entrent à leur tour, prétextant que le temps s'est rafraîchi. Antoine, visiblement heureux d'avoir fait rentrer tout ce beau monde, s'assoit à mes côtés sur la galerie.

— C'est vraiment une belle nuit, dit-il.

— On peut voir toutes les étoiles, même les plus lointaines. On dirait qu'on s'est rapprochés du ciel.

— Comme ça, tu fréquentes Isidore, maintenant? me demande-t-il à brûle-pourpoint.

— Non, je ne le fréquente pas. Je l'accompagne, c'est tout.

— En tout cas, il a l'air pas mal amoureux. Il avait le sourire d'un homme… d'un homme comblé, quand il dansait avec toi.

— Je ne peux rien faire contre les sentiments des hommes, moi, dis-je en ne faisant pas attention à l'allusion qu'il vient de faire.

— Non, mais tu aimes ça faire la belle devant eux!

— Pourquoi es-tu jaloux, Antoine?

— Je ne suis pas jaloux!

— Qu'est-ce que ça peut te faire, alors, si je me fais courtiser?

— Ça ne me fait rien… si c'est lui que tu veux. Un gars gros comme un hameçon qui ne pourrait même pas fendre du bois!

— Je n'ai jamais dit que c'est lui que je voulais.

— Ah non? Alors pourquoi le laisses-tu te toucher et te murmurer des choses à l'oreille?

Je n'ai plus envie d'argumenter avec lui. Sa jalousie me montre ce que je voulais savoir. Je me rapproche de lui jusqu'à ce que nos jambes se frôlent.

— C'est toi, Antoine, qui devrait me murmurer des choses à l'oreille… et me toucher… Qu'est-ce que tu attends? Je n'ai pas eu de tes nouvelles depuis dix jours, lui dis-je tout bas.

Ses yeux s'illuminent et il esquisse un sourire. Il me prend la main.

— Quand je suis revenu de la pêche avec toi, ma tante m'a parlé. Elle m'a dit, en secret, qu'elle avait compris ce qui se passait entre nous deux et que ça pourrait te faire une très mauvaise réputation si ça se savait. Elle m'a dit de te laisser tranquille.

— Mme Boileau a raison. Si je veux me trouver un mari dans le coin, je ferais mieux d'arrêter de te voir.

— Mais… tu ne penses pas que moi, je pourrais…

Antoine s'arrête net de parler et regarde Isidore qui referme la porte derrière lui.

— Ne t'arrête pas de parler pour moi, Antoine, dit-il. Continue.

— Euh… je disais juste à Marie combien j'avais hâte au mois de mai prochain, quand je vais devenir avocat. On va m'appeler «maître» Boileau.

— C'est vrai? dis-je.

— Bien oui. Tous les avocats sont des maîtres. On appelle ça un titre.

— Bon, rentres-tu, Marie? On va jouer à un jeu tous ensemble, fait Isidore, visiblement peu intéressé par ce que raconte Antoine.

Nous retournons à l'intérieur. Rosalie a organisé des jeux comme lorsque nous étions enfants. Pour quelque temps, nous oublions nos tracas de jeunes adultes et rions de bon cœur. Même Isidore et Antoine, qui se retrouvent dans la même équipe, semblent s'amuser.

Après les jeux, Fernand reprend son violon et lance un défi d'agilité et d'endurance aux garçons : danser une gigue. Aucun n'est vraiment bon *gigueur*, mais tous participent. Fernand fait glisser son archet à un rythme extrêmement rapide et les semelles battent la mesure en faisant résonner le plancher. Le corps bien droit, la tête légèrement penchée vers l'arrière, les bras à la hauteur des épaules et les coudes tournés vers l'extérieur, les garçons agitent les jambes et les pieds tout en gardant le reste du corps immobile.

Certains abandonnent bien vite la danse, mais d'autres semblent infatigables. Nous formons un cercle autour de Pierre, Antoine, Paul et Isidore qui se trémoussent encore sans manquer la mesure. Nous les encourageons en tapant des mains. Tout le monde rit et s'amuse, sauf les quatre danseurs qui, l'air sérieux, se concentrent sur leur jeu de jambes. Je sens qu'Isidore et Antoine veulent prouver quelque chose. Pierre et Paul ne veulent que relever le défi, mais les deux autres ont plutôt l'air de participer à un duel. Pourvu que cela ne se termine pas en bagarre, me dis-je, songeant aux tensions qui existent entre eux. Heureusement, Ti-Paul abandonne et Fernand, qui a remarqué que les garçons prenaient ça très au sérieux, en profite pour ranger son instrument et féliciter les trois derniers *gigueurs*.

Le corps par en avant et les mains sur les genoux, Antoine reprend son souffle. Il lève la tête et, voyant que je le regarde, me fait un clin d'œil. Je lui réponds par un sourire. Au même moment, Isidore, qui a tout vu, se jette sur Antoine.

— Ah bien là, ça va faire! crie-t-il en empoignant la chemise d'Antoine à deux mains.

— Pierre! Charles! crie Paul en tentant de retenir Isidore, qui assène un coup de poing à Antoine de toutes ses forces.

Antoine se remet rapidement de sa surprise et Isidore n'a pas le temps de récidiver qu'il le jette dos contre le sol, s'assoit à cheval sur lui et le frappe à deux reprises au visage. Heureusement, les frères Boileau maîtrisent leur cousin et l'emmènent à part. Du sang coule sur le visage d'Isidore qui se relève lentement. Émile tente de l'aider à se remettre debout, mais Isidore le repousse d'un geste brusque et sort sur la galerie. Je le suis à l'extérieur.

— Pourquoi fais-tu ça, Marie? dit-il en essuyant avec sa chemise le sang qui coule sur son menton.

— Pourquoi *je* fais ça?

— Oui, pourquoi te jettes-tu au cou du premier venu comme une dévergondée?

— La question serait plutôt pourquoi, *toi*, t'es-tu jeté sur Antoine?

— Parce que ce gars-là mérite une bonne volée. Parce qu'il profite de toi. Il a besoin qu'on lui montre qu'il ne peut pas arriver ici comme un survenant et bouleverser la vie de tout le monde.

— Premièrement, personne ne profite de moi. Et puis, veux-tu bien me dire ce qu'Antoine a bouleversé ici?

— Il bouleverse notre avenir.

— Je n'ai jamais vu mon avenir avec toi, Isidore, tu le sais.

— Non, tu aimes mieux te donner à un gars de la grande ville qui ne te respecte même pas! dit-il en descendant les marches de la galerie.

— Attends, Isidore!

— J'en ai assez entendu pour ce soir, dit-il en se dirigeant chez lui.

Je le regarde s'éloigner, furieux. Les autres, qui attendaient que notre discussion soit terminée, viennent me rejoindre. Personne ne fait de commentaire sur l'incident. Charles brise le silence en proposant que l'on rentre tous à la maison. Alors que les invités s'éloignent à pied ou remontent dans les charrettes, Rosalie me prend dans ses bras.

— Ne t'en fais pas, me dit-elle, il va se défâcher.

— C'est des affaires qui arrivent entre gars, ajoute Émile. Mon frère est juste bien amoureux.

— S'il pouvait l'être un peu moins, ce serait mieux pour tout le monde, dis-je en les saluant.

Je monte dans la charrette des Boileau. Durant le trajet du retour, personne ne brise le silence. Lorsque nous arrivons devant leur maison, Charles dit à ses frères et sœurs qu'ils peuvent descendre, qu'il va aller me reconduire seul. Ses cadets sont bien heureux de pouvoir retrouver enfin leur lit, mais Antoine insiste pour rester. Nous repartons, Charles tenant les rênes et moi assise avec Antoine à l'arrière.

— Le grand Isidore a l'air bien épris de toi, me dit Charles, qui veut visiblement discuter de l'incident.

— Tu crois? dis-je avec un air innocent.

— Moi, je le comprends, dit Charles. Mon frère Paul, aussi, parle souvent de toi, mais il est trop gêné pour venir te voir.

— Marie, elle gêne les hommes, dit Antoine pour me taquiner.

— Ou elle les fait se battre entre eux, renchérit Charles.

— Tu diras à ton frère Paul de ne pas se gêner. Il peut venir me voir quand il voudra, dis-je pour agacer Antoine.

— Je pensais que tu te réservais pour Isidore, dit Antoine d'un ton sarcastique.

Il pose sa main sur ma cuisse qu'il caresse et qu'il serre. L'atmosphère devient tendue et la conversation prend une tournure inattendue. Mais je me surprends à apprécier ce petit jeu.

– Si Ti-Paul veut venir me voir, ou Isidore, ou même Pierre, ça ne me dérange pas. Je ne me réserve pour personne!

– Ah bon! Est-ce que ça veut dire que moi et Charles, par exemple, on pourrait avoir droit à tes faveurs?

– Arrête, Antoine! dit Charles. Tu sais très bien ce que Marie a voulu dire.

– Qu'est-ce qu'il y a, Charles? Tu n'en as pas envie, toi, de la belle Marie? Hein, Charles? Avoue que tu penses à elle, toi aussi, quand tu te couches. Comme Isidore, et Ti-Paul, et bien d'autres!

– Antoine! Saudit malpoli! Excuse-toi tout de suite à Marie!

– Ce n'est pas elle que je choque, c'est toi.

Charles arrête la charrette, en descend et agrippe Antoine qu'il fait passer par-dessus bord. Les deux hommes commencent à se battre à coups de poing sous mes yeux. Je descends à mon tour de la charrette.

– Charles! Arrête! Il ne sait pas ce qu'il dit!

Charles cogne Antoine au visage, puis lâche prise. Ils se fixent durant quelques longs instants. Alors que je crois que Charles va frapper de nouveau son cousin, il le prend plutôt par l'épaule et lui tourne le visage pour examiner sa joue.

– Je m'excuse, Antoine, dit Charles.

– Ce n'est rien, dit Antoine.

– Je pense que ce soir, tu cherches vraiment la bagarre.

– J'aurais pu te frapper aussi si je l'avais voulu.

– Ah, tu penses ça! dit Charles en souriant.

– Je m'excuse, Marie, dit Antoine. Je n'ai pas voulu te manquer de respect. Je m'excuse à toi aussi, Charles. On oublie tout, d'accord?

– C'est tout oublié, dit Charles.

– Eh bien moi, je n'oublierai pas que vous êtes deux beaux coqs qui se battent pour rien!

– Ce n'était pas pour rien, dit Charles, tout bas, en remontant dans la charrette.

Charles fouette les chevaux, qui reprennent leur marche. Nous approchons de la maison.

– Je m'excuse, Marie, me dit Antoine à l'oreille, sa voix camouflée par le bruit des sabots sur le gravier. Te voir avec Isidore… Voir qu'il y a d'autres hommes qui ont envie de toi… qui ont envie de te sentir, de te toucher… Ça m'a rendu fou! J'ai tellement envie de toi que ça me fait dire n'importe quoi. Après-demain, lundi, je vais venir te voir, d'accord?

Charles arrête la charrette près de la maison. Devant lui, je ne peux rien dire à Antoine, alors je pose ma main sur la sienne quelques instants pour qu'il comprenne que je l'attendrai. Les deux garçons me saluent et je rentre dans la maison retrouver mon Carol, qui m'attendait, encore éveillé. Je lui raconte cette belle soirée, en omettant les deux bagarres qu'Antoine a provoquées.

* * *

Lundi matin, je reprise une robe sur la galerie lorsque j'aperçois la charrette des Boileau au bout du chemin. Antoine immobilise Furie et me dit de venir le rejoindre. Intriguée, je lui demande ce que nous allons faire.

– On retourne chez mon oncle, me dit-il.

Sans poser plus de questions, je range ma robe et pars avec lui.

Chez les Boileau, j'entre saluer Constance et les filles qui se préparent à faire quelques fournées. Mᵐᵉ Boileau me prend dans ses bras, aussi chaleureuse qu'à l'accoutumée.

– Marie! Ça fait plaisir de te revoir! Comment va Carol?

– Bien, madame Boileau.

– Et toi, ça va?

– Oui, très bien.

Antoine sort par la porte d'en arrière et me dit de venir le rejoindre quand j'aurai fini de jaser. Il me revient alors à l'esprit que Mᵐᵉ Boileau voit d'un mauvais œil qu'Antoine me fréquente.

– Ma petite Marie, me dit-elle tout bas, les yeux un peu tristes, tu ne devrais pas laisser un garçon prendre ton cœur comme ça.

– Vous parlez d'Antoine? Ne vous en faites pas, ce n'est qu'un ami.

– Tu n'as pas besoin de tout me dire, Marie. Tes yeux sont brillants quand il est là. Je m'inquiète pour toi, c'est tout. Une belle fille comme toi... Je ne voudrais pas que tu restes vieille fille parce qu'un gars de la ville...

– Ne vous inquiétez pas, Mme Boileau. Je vais trouver mon homme dans le temps comme dans le temps.

Je la laisse à sa pâte et vais rejoindre Antoine derrière la maison. Il s'affaire à seller les chevaux. Il m'aide à monter sur Furie, puis enfourche Tornade. Je suis ravie de son initiative. La dernière fois que j'ai chevauché Furie, je devais avoir dix-sept ans. Avec Rosalie, nous avions l'habitude d'aller nous promener à cheval entre les grands champs d'avoine et de maïs de M. Giguère. Nous allions toujours au galop, à califourchon comme les hommes, quand nous étions certaines d'être seules. Nous allions plus vite que le vent...

Antoine et moi partons au trot sur le grand chemin. Lorsque nous arrivons devant un sentier qui pénètre dans la forêt, Antoine me défie d'aller au galop. Il ne sait pas à qui il a affaire! Sans lui répondre, je fais claquer les rênes et part à la course. Il fait de même, tentant de me rattraper, mais Furie a toujours galopé plus vite que Tornade. Je l'entends crier derrière moi :

– Ne va pas si vite, je ne pourrai jamais te rattraper!

Je sais que ce n'est qu'une tactique pour que je ralentisse et qu'il puisse me dépasser.

Ne me laissant pas berner par ses paroles, je galope à vive allure jusqu'à l'étang aux têtards. Que de souvenirs... J'ai découvert cet étang il y a environ huit ans avec Charles, Pierre et Rosalie alors que nous explorions la forêt. C'était en juillet. Il faisait extrêmement chaud cette journée-là. Si chaud que pour se rafraîchir les garçons se déshabillèrent et entrèrent dans l'eau jusqu'à la taille. Même s'ils savaient que ce n'était pas convenable pour des jeunes filles de douze ans de se baigner presque nues avec des garçons, ils nous défièrent de venir les rejoindre. Ils restèrent bouche bée quand nous pénétrâmes dans l'eau en petites culottes. Ce sont eux qui étaient les plus gênés, ne sachant s'ils devaient détourner le regard. Mais la gêne fit vite place au plaisir.

Malgré le fond visqueux et les têtards qui nous chatouillaient les jambes, nous commençâmes à nous arroser. C'était si rafraîchissant! Je me souviens que Charles me saisit par la taille et me fit basculer complètement dans l'eau. Je le fis basculer à mon tour et lui enfonçai la tête sous l'eau. Rosalie et Pierre se joignirent à nous et nous nous amusâmes à tenter de plonger les autres dans l'eau. Alors que je prenais quelques moments de répit, Charles attrapa un têtard et le mit dans ma culotte. Paniquée, j'enlevai mon sous-vêtement et le jetai au loin. Les garçons se tordirent de rire. Rosalie alla chercher ma culotte en grondant ses frères.

En revenant à la maison, Charles me chuchota des mots d'excuse à l'oreille, me disant que les garçons faisaient parfois aux filles des choses qu'ils regrettaient par la suite, parce qu'ils sont maladroits et qu'ils ne savent que faire pour attirer leur attention.

Antoine et moi descendons de nos chevaux, que nous attachons à une branche basse d'un arbre. L'étang n'a pas changé. On dirait qu'il est encore entouré des mêmes quenouilles et recouvert des mêmes nénuphars. J'examine l'eau stagnante et imagine son effet sur mon corps collant de chaleur. Pendant qu'Antoine regarde ailleurs, j'enlève ma robe et me glisse sous l'eau, ne laissant dépasser que ma tête. Antoine se retourne et me cherche du regard.

— Ici! dis-je doucement.

— Qu'est-ce que tu fais là, ma belle petite grenouille? me demande-t-il en riant.

— Grenouille, moi? dis-je sur un ton offensé.

— Bien oui! Tu aimes nager… comme une belle petite grenouille!

– Viens donc me rejoindre, au lieu de dire des niaiseries!
À moins que tu aies peur de l'eau.

– Tu ne me diras pas ça deux fois! dit-il en enlevant sa
chemise.

Sans une once de gêne, il baisse son pantalon et marche
vers moi. C'est la première fois que j'ai la chance d'admirer
Antoine flambant nu. Je reste muette, le regard fixé sur les
courbes de son corps. La vue de son sexe fait remonter en
moi des vagues de désir. Je plonge sous l'eau pour penser à
autre chose. Quand je ressors la tête, à quelques mètres de
là, Antoine a disparu. Je fais un tour sur moi-même et
sursaute en sentant un frôlement sur ma cuisse. Antoine
ressort de l'eau à mes côtés. Nous sommes au plus creux
de l'étang et nous avons de l'eau jusqu'aux épaules. Il me
prend dans ses bras. Mes seins nus se pressent contre sa
poitrine. Je sens immédiatement son sexe qui durcit. Il
m'embrasse vigoureusement dans le cou. Je le repousse.

– Le premier qui traverse l'étang à la nage! dis-je en
m'éloignant de lui.

– Ah, tu veux jouer! dit-il en me poursuivant.

Je sens qu'Antoine tente plus de m'attraper que de gagner
la course. Je nage à toute vitesse. Alors que j'arrive sur le
bord de l'étang et me remets sur mes jambes pour courir, il
m'agrippe par le pied.

– J'ai gagné! lui dis-je.

– Et moi, je t'ai attrapée! répond-il.

Je sors de l'eau en tentant de dégager mon pied et
Antoine se jette sur moi. Il ne me laisse pas de répit et m'immobilise rapidement au sol. J'essaie de me défaire de lui,
comme lorsque j'étais enfant et que les frères de Rosalie
s'amusaient à me prouver qu'ils étaient plus forts que moi
en me maîtrisant par terre. Sauf que, cette fois-ci, Antoine
et moi sommes nus, et nous ne sommes pas des enfants.
Le corps mouillé d'Antoine se frotte contre le mien : son
torse contre ma poitrine, ses cuisses contre les miennes.
Après quelques secondes de lutte, ce n'est plus un jeu…

Il descend sa main jusque entre mes jambes et caresse mon sexe de ses doigts mouillés. Il a la peau des mains douce, les mains d'un homme de la ville. Il fait pénétrer ses doigts dans le creux de mon sexe bien humide. Je vois une caverne dans le roc de la falaise où les vagues déchaînées entrent, effleurant les parois, pour aller se briser tout au fond. Et la mer gémit.

Il retire ses doigts et fait glisser tout doucement en moi son sexe bien dur. Il me remplit complètement, inondant mon ventre de chaleur. Il saisit mes deux poignets et les maintient contre le sol au-dessus de ma tête. Il me pénètre, doucement tout d'abord, puis avec de plus en plus de vigueur. Je sens qu'il me possède entièrement. Je voudrais que ça n'arrête jamais.

Les mouvements de son sexe s'accélèrent et, à chacun de ses soupirs, je crois que c'est terminé. Mais il continue, avec de plus en plus de force dans ses mouvements de hanches. Et, bientôt, je ressens des contractions dans mon sexe. Des contractions de plus en plus fortes qui montent dans mon ventre. Je ferme les yeux; je ne suis plus sur le bord de l'étang, mais dans une étendue bleue. Je flotte, avec toujours dans mon ventre cette merveilleuse sensation. Elle s'amplifie encore et encore, si bien que je ne peux retenir mes cris. Un grand frisson me parcourt tout le corps, du bout de mes pieds en passant par mon ventre, jusqu'au bout de mes mains. Durant quelques secondes, mon corps tout entier tremble de plaisir et, ensuite, plus rien. J'ouvre les yeux et observe les chevaux attachés à l'arbre. Antoine pousse des cris de jouissance et s'écroule sur moi.

Je me sens bien. Tous les muscles de mon corps sont détendus. Antoine s'étend à mes côtés et nous apprécions le silence. Sur une branche basse d'un grand chêne, deux tourterelles tristes nous épient, faisant résonner leurs roucoulades dans toute la clairière tels deux amoureux s'échangeant des propos langoureux. Les ouaouarons se font dorer au soleil sur le bord de l'étang, coassant comme de vieilles bavasseuses. À quelques mètres de nous, semblable à une fée des bois, un oiseau-mouche butine de fleur en fleur, se nourrissant d'un nectar divin. Au-dessus de l'étang stagnant, des puces d'eau, des araignées et des maringouins valsent au rythme du grésillement des grillons en un ballet enchanteur.

Après un certain temps, Antoine se relève. Je le regarde s'habiller et revenir vers moi, ma robe à la main. Je me dis que cet homme est fait pour moi. Je devrais tenter par tous les moyens de le retenir à l'Anse. Mais quel métier pourrait-il bien y pratiquer? Nous n'avons aucunement besoin d'un avocat : c'est un métier des grandes villes, pas des villages de campagne comme Anse-aux-Rosiers. Et serait-il prêt à devenir pêcheur ou cultivateur pour vivre avec moi?

Je me rhabille pendant qu'Antoine détache les chevaux. Il m'aide à monter en selle. En silence, nous retournons au pas chez les Boileau. Une fois les chevaux dans leur enclos, Antoine propose de m'accompagner jusqu'à la maison. Je lui dis que j'ai envie d'être seule. Il passe sa main dans mes cheveux, ce qui me donne envie de pleurer. Je me ressaisis pour ne pas perdre la face devant lui. Je veux que les semaines qui nous restent soient joyeuses. Il me demande si je veux l'accompagner à la pêche, demain. J'accepte, même si cela va encore faire jaser les gens du village. De toute façon, les garçons de l'Anse peuvent bien penser ce qu'ils veulent, aucun d'eux ne m'intéresse.

* * *

Le lendemain, je vais à la pêche avec Antoine. Et le surlendemain aussi. Et tous les jours de cette première semaine d'août. Je néglige un peu mes légumes et tous les autres travaux, mais j'apprends beaucoup. Antoine me montre les rudiments de la pêche et tous les trucs qu'il a appris cet été. Et puis, nous divisons les profits en deux, ce qui compense mes pertes pour les légumes que je ne prends plus le temps d'aller vendre.

Nous passons du bon temps ensemble. Pour moi, comme pour Antoine, la pêche n'est pas du travail. Je suis si bien sur la mer, avec les goélands qui pêchent eux aussi et Antoine à mes côtés. Nous ne faisons pas autant d'argent que les vrais pêcheurs, qui sont équipés pour pêcher au grand large, mais nous prenons le temps d'apprécier la mer. Nous apprenons également à mieux nous connaître. À passer des journées ensemble dans un endroit aussi restreint qu'une barge, année après année, les pêcheurs doivent bien connaître leurs partenaires. Que faire d'autre que de se raconter sa vie, ses rêves et ses états d'âme lorsqu'on attend que le poisson morde?

* * *

À la fin de la semaine, j'aide Antoine à emmener sa morue séchée sur le quai où Armand et Victor se préparent à partir pour Percé avec une charrette bien pleine de morue. Chaque semaine, à tour de rôle, les pêcheurs vont vendre leurs prises à la Robin, la compagnie qui s'occupe d'exporter notre poisson jusqu'en Europe.

— Attendez, dit Antoine en arrivant. Ne me dites pas qu'il ne reste pas un peu de place pour les miennes.

Antoine commence à vider son premier panier dans la charrette.

— De la place, il en reste, mais tes morues, on n'en veut pas, répond Victor en le forçant à reposer son panier par terre.

— Qu'est-ce qu'elles ont, mes morues? demande Antoine, se disant que Victor est probablement en train de le taquiner. Elles ne sont pas assez bonnes pour vous, peut-être?

Une douzaine de pêcheurs, qui sentent le début d'un affrontement, s'approchent lentement de nous.

— Elles sont bonnes, mais tu iras les porter tout seul à la Robin.

Avant qu'Antoine ne s'emporte, je prends la situation en main.

— Victor, c'est quoi le problème? Vous avez toujours pris les morues d'Antoine.

Armand, qui jusque-là regardait la scène en silence, s'approche et prend la parole.

— Il n'y en a pas de problème. Et on n'en veut pas, justement. Ça fait que toi, la Marie, tu vas dégager, et que toi, Antoine, tu vas régler tes comptes tout seul et nous laisser travailler en paix.

— Mais c'est ridicule! dit Antoine en tentant de se maîtriser. Expliquez-moi au moins pourquoi!

— C'est des histoires de petits gars, dit Victor en commençant à retirer les morues d'Antoine de sur la charrette et à les remettre dans ses paniers. De petits gars et de petites filles, hein, Marie?

— Tu vas t'expliquer, Victor, ou bien on va aller s'expliquer sur la grève! dit Antoine, rouge de colère, en le saisissant au collet.

Victor réagit en le repoussant brusquement et les deux hommes commencent à se bousculer. Avant qu'ils n'en viennent aux coups, Armand intervient en les séparant.

— Ça suffit, Victor! Là, c'est toi qui cherches la bagarre. Antoine a quand même droit à une explication. Ce n'est pas compliqué : le fils Boucher nous a fait comprendre que si on continuait à t'aider à vendre tes morues on aurait de la misère à obtenir du crédit chez lui.

— Isidore Boucher vous a fait des menaces?

— Pas vraiment des menaces, mais on a besoin du crédit que nous fait le magasin. Vous allez donc régler vos comptes entre hommes et essayer de ne pas mêler tout le village à votre histoire. En attendant, tu reprends tes morues.

— Tout ça parce qu'il est jaloux que je passe du temps avec Marie! Vous n'allez pas le laisser faire sa loi?

— Viens, Antoine, dis-je. Ce n'est pas la peine de s'obstiner. C'est Isidore qu'il faut aller voir.

— Tu ramèneras tes morues quand tout ça sera réglé, dit Armand pendant que nous ramassons nos paniers.

Nous reprenons le chemin de la maison. Je suggère à Antoine de passer au magasin général pour aller discuter avec Isidore, mais il refuse. Il me fait comprendre que ce sont des problèmes qui se règlent entre hommes et me dit qu'il ira lui rendre visite ce soir.

* * *

Après le souper, je me rends chez Rosalie avec l'idée de me trouver une complice pour aller espionner les garçons. Je suis trop curieuse. Je dois absolument savoir ce qu'ils vont se dire, surtout qu'il sera question de moi. Lorsqu'elle m'ouvre la porte, je tire Rosalie dehors et lui explique mon plan : aller nous cacher sous la galerie des Boucher et tendre l'oreille. Comme je l'avais prévu, Rosalie est excitée par mon idée. Pour ne pas passer pour une petite fouineuse, je lui dis qu'il se pourrait que les garçons en viennent aux coups et que quelqu'un doit bien les surveiller. Rosalie me fait un sourire complice et rentre dire à Émile que nous allons faire une promenade. Elle ressort avec une couverture pour que nous ne salissions pas nos robes sur la terre humide.

En silence, nous marchons jusqu'à la maison des Boucher, en surveillant bien le chemin au cas où Antoine arriverait. Je suis surprise que l'espace pour se glisser sous la galerie ait autant rapetissé. Rosalie me fait remarquer que c'est plutôt nous qui avons grossi. Je ris en me rendant compte du ridicule de la situation : deux grandes filles de vingt ans qui vont jouer sous la galerie pour épier les garçons. Rosalie me fait signe de me taire mais, en me voyant rire, elle s'esclaffe à son tour. Nous nous étendons sur la couverture, collées l'une contre l'autre, et je prends sa petite main dans la mienne. Nous gardons le silence. À ce moment précis, je prends conscience que je me sens parfaitement heureuse, avec les grillons et les cigales qui chantent, et Rosalie à mes côtés. Même l'odeur du bois humide de cette vieille galerie parvient à faire de ce moment un instant de bonheur.

— On est bien, hein ? dis-je à Rosalie.

— Je suis toujours bien avec toi, me répond-elle.

Soudain, j'entends la première marche craquer, puis la deuxième, et la troisième, puis des pas qui se dirigent vers la porte. On cogne trois coups. Rosalie et moi retenons notre souffle. On entend le grincement de la porte qui s'ouvre enfin.

— Salut, Isidore, fait la voix d'Antoine. Je peux te parler quelques minutes?

— Je me doutais bien que tu viendrais me voir, dit Isidore en refermant la porte derrière lui. Les pêcheurs ont refusé de prendre ta morue, n'est-ce pas?

— Pourquoi tu fais ça, Isidore? Je pensais que Marie était ton amie. Tu penses qu'elle va t'aimer plus si tu agis comme ça?

— Justement, c'est mon amie. Je ne sais pas comment faire pour qu'elle m'aime plus, mais je sais que je ne vais pas la laisser gâcher son avenir avec un gars comme toi.

— Mais pourquoi mêles-tu les pêcheurs à cette histoire?

— J'avoue que c'était irréfléchi. J'ai agi sous le coup de la colère. Je me suis dit que si tu ne pouvais plus vendre ta morue tu retournerais peut-être chez toi et que tu laisserais Marie tranquille.

— Marie ne veut pas que je la laisse tranquille.

Rosalie me donne un petit coup de coude. Je lui fais signe de ne pas faire de bruit.

— Moi, je pense que tu profites d'elle. Tu profites du fait que tu n'es pas d'ici pour faire ce que tu veux, sans te soucier de la réputation que tu vas lui faire. L'emmener pêcher, comme ça, tous les jours, et faire autre chose que je n'ose même pas imaginer... Penses-tu que ça ne jase pas au village?

— Moi, je profite d'elle! C'est plutôt toi qui en profiterais bien, si seulement elle voulait. C'est ça qui t'enrage : elle ne veut pas de toi, et toi, tu es fou amoureux d'elle.

— Ce n'est pas vrai qu'elle ne veut pas de moi. Et je vais te le prouver. Dimanche prochain, on fait une épluchette de blé d'Inde en arrière de la maison, pour fêter Eugène qui part se battre en Afrique du Sud. Je vais inviter Marie, et je vais lui poser la question. Si elle me laisse le temps de lui en parler, je suis certain qu'elle va accepter de m'épouser.

— D'accord. Mais, en attendant, dis aux pêcheurs que notre problème est réglé, et qu'ils prennent mes morues, parce que ce n'est pas ça qui va me faire quitter l'Anse plus vite.

— Je vais le leur dire. À dimanche, Antoine.

— À dimanche.

Rosalie et moi gardons le silence, le temps que les pas d'Antoine s'éloignent et qu'Isidore rentre à l'intérieur.

— Ah, Marie! Te rends-tu compte? Mon beau-frère veut t'épouser et mon cousin…

— Ton cousin, on ne sait pas plus ce qu'il pense.

— C'est vrai… Il n'a pas parlé d'amour, lui. Mais, dis-moi, Marie, est-ce que tu as recouché avec lui, depuis la fois que tu m'as racontée?

— Euh…, oui, dis-je un peu gênée.

— J'espère que tu sais ce que tu fais, dit-elle en serrant mes mains dans les siennes.

— Je ne sais pas ce que je fais, ni ce que je veux, ni ce qu'Antoine veut! Si je le savais, je ne serais pas cachée sous une galerie à essayer de l'entendre dire ce qu'il pense de moi!

— S'il t'aime, tu veux dire.

Je ne réponds pas à Rosalie. Je ramasse la couverture et me dirige, recroquevillée, vers la sortie. Pour poursuivre notre jeu, nous nous cachons derrière les sapins, courant entre chacun, jusqu'à la rue Principale. Rosalie me dit qu'elle doit rentrer et je l'accompagne jusque chez elle avant de reprendre le chemin de la maison. Encore une fois, je n'ai que la lune pour éclairer mes pas. Je marche lentement, réfléchissant à tout ce que j'ai entendu ce soir. Une vague de tristesse m'envahit tout à coup. J'ai ces deux hommes dans ma vie : un qui veut m'épouser et que je n'aime pas, et un qui me plaît mais qui n'a jamais de mot d'amour aux lèvres.

Antoine m'aura fait vibrer le cœur durant tout un été, mais je dois maintenant lui faire comprendre que c'est terminé, si je ne veux pas être celle qui pleurera à l'automne. J'irai à cette épluchette dimanche, et je leur ferai comprendre à tous les deux qu'ils peuvent m'oublier.

* * *

Isidore a proposé de venir me chercher en charrette, mais j'ai insisté pour me rendre chez lui à pied. Il n'y a rien de mieux qu'une bonne marche pour s'éclaircir les idées. En arrivant chez les Boucher, je passe sur le côté de la maison pour me rendre sur leur terrain. En m'apercevant, Isidore vient immédiatement vers moi et m'embrasse sur les joues. Si je ne savais pas qu'il a l'intention de me demander en mariage, je trouverais ce débordement d'affection un peu inconvenant, mais je vois bien qu'Isidore se prépare à me faire la grande demande. Beaucoup de villageois sont déjà en train d'éplucher des blés d'Inde et nous allons les rejoindre. Sur trois grandes tables sont installées d'énormes poches d'épis. Il y a à manger pour au moins cent personnes. Cette fête est très importante pour M. Boucher, qui y invite chaque année tous les villageois, les pêcheurs et les cultivateurs de la paroisse. C'est une bonne occasion de manger et de danser, et aussi une occasion pour le propriétaire du magasin général de remercier ses fidèles clients et de s'assurer qu'ils n'oublient pas qui leur a fait crédit, maintenant que la pêche et l'agriculture ont renfloué leurs bas de laine.

J'aide à l'épluchette des épis. Je suis en train d'essayer de débarrasser ma robe de tous ces cheveux collants lorsqu'une main se pose sur mon épaule. Je me retourne. Antoine me fait son plus beau sourire et me salue. Je sens immédiatement qu'Isidore, à mes côtés, se raidit.

— Tu n'aurais pas envie d'une petite danse, Marie? me demande Antoine.

— Marie allait nous aider à faire cuire les blés d'Inde, répond sèchement Isidore.

Il me prend par la main et m'entraîne jusqu'aux trois gros chaudrons posés au-dessus de quelques bûches qu'Émile tente d'allumer. Je lui fais remarquer qu'il s'est comporté de façon très impolie devant Antoine, que je n'ai même pas eu le temps de saluer. Il me dit que je vais avoir l'occasion de le faire puisque ce dernier s'en vient justement, une poche de blés d'Inde sur l'épaule.

— Je vais vous aider aussi avec la cuisson, dit Antoine en arrivant.

Isidore lui lance un regard mauvais et lui dit, de mauvaise grâce, d'aider Émile à faire prendre son feu. J'aide à déposer des épis dans l'eau, en veillant à les débarrasser de leurs derniers cheveux, ceux qui se cachent entre les grains, pour qu'ils soient plus agréables à déguster. L'atmosphère est tendue. Isidore regarde ce qu'Antoine fait en le critiquant. Antoine finit par se relever et lui dit de le faire lui-même, s'il croit que c'est si facile. C'est assez! J'en ai assez entendu! Je les salue et vais rejoindre Eugène qui se fait dorer la couenne au soleil. En m'éloignant, je me retourne et vois leur air hébété devant mon départ soudain.

C'est le dernier jour de permission du soldat Eugène, qui partira avec un contingent de l'armée canadienne porter secours aux Anglais dans leur guerre contre les Boers. Aujourd'hui, il porte l'uniforme qui causera peut-être sa mort et dont il est si fier. Eugène est l'aîné de la famille. C'est aussi le plus grand et le plus fort des fils Boucher. Il a vingt-six ans et ses frères semblent être encore des enfants à côté de lui, même si seulement deux ans le séparent d'Isidore et quatre d'Émile. Mais je crois que ce sont plutôt ses deux années passées dans l'armée qui ont tracé sur son visage ces traits d'homme et lui ont donné ce regard plein de maturité.

Je m'assois à ses côtés dans l'herbe. Il semble visiblement très heureux de me voir. Ça fait deux ans que nous ne nous sommes pas vus, depuis son départ pour l'armée. Sa base est bien loin d'ici et il n'est jamais rentré à la maison lors de ses permissions, préférant aller flâner dans la grande ville. Je parie qu'il ne sait rien de l'amour que me porte son frère et encore moins de mon histoire avec Antoine. Pour lui, je suis toujours Marie la douce, assise devant lui à l'école de rang et à qui il aimait tant tirer les tresses.

Nous jasons de cette guerre qui n'est pas la sienne et pour laquelle il veut risquer sa vie. Ses yeux sont pétillants et je me rends compte que ce voyage qu'il entreprend renferme tous ses rêves de petit garçon : partir en bateau et traverser l'océan, peu importe ce qu'il y a sur l'autre rive, peu importe ce qui l'attend, puisqu'il sera de l'autre côté, en terre étrangère, en pays africain, où l'on danse autour d'immenses feux dans la nuit pour éloigner les lions qui rugissent, où l'on va chasser dans la savane, carabine à l'épaule, la gorge serrée par la peur de l'animal sauvage qui chasse lui aussi, et où le soleil est si chaud qu'il vous brûle la peau jusqu'à la noircir. Je voudrais dire à Eugène qu'il sera déçu, mais, en fait, qui sait ce qu'il va vraiment trouver là-bas?

Lorsque Mme Boucher crie à tous les invités que le maïs est prêt, nous nous rendons rapidement près des grandes tables. On sert les épis bien chauds dans de grands plats. Je roule le mien sur le gros morceau de beurre et le porte à mes lèvres. Quel plaisir, que cette première bouchée du blé d'Inde qui vient d'être cueilli! Le beurre coule le long de mes doigts qui se brûlent sur les grains encore tout chauds. Je me lèche les doigts pour goûter le beurre. Je lève les yeux et croise le regard d'Eugène qui me fixe intensément. Je remarque aussi Antoine et Isidore qui nous regardent. Je peux sentir d'ici qu'ils bouillent tous les deux de jalousie. Je déguste deux autres épis tout en continuant à discuter avec Eugène.

Lorsque le *câleur* invite les gens pour un quadrille, Eugène me propose immédiatement d'être sa partenaire. Durant la danse, je sens les regards d'Isidore et d'Antoine qui me surveillent de loin. Je n'ai pas du tout envie d'entendre Isidore me parler de mariage et je veux maintenant me tenir loin d'Antoine, alors je passe une bonne partie de l'après-midi avec Eugène, qui semble bien apprécier ma compagnie.

Vers la fin de l'après-midi, Isidore, qui a bien dû se rendre compte que je le fuyais, vient me trouver et me dit qu'il veut me parler. Il s'excuse auprès d'Eugène et m'entraîne sur la galerie d'en avant. Je sais que tout ce que j'ai à faire est de décliner sa proposition, mais j'ai tout de même les mains moites et la gorge un peu sèche. Nous nous assoyons dans l'escalier. J'attends qu'Isidore parle, mais il ne dit rien.

— Je pense que tu n'as pas à t'en faire pour ton frère, dis-je pour briser ce silence inconfortable.

— Je t'ai emmenée ici dans le but de te dire quelque chose de bien précis, mais je crois que ce n'est pas encore le bon moment, dit-il. Mais je voudrais te parler d'Antoine.

— Encore Antoine! dis-je pour qu'il renonce à son idée.

— Si je ne l'aime pas, Marie, c'est parce que j'ai mes raisons. Je me doute de ce que vous avez fait ensemble et je pense que ça peut te nuire beaucoup plus que tu ne le penses. Si monsieur le curé savait, il pourrait t'excommunier.

— Ne t'en fais pas, dis-je pour le rassurer. Si c'est vrai qu'on a fait quelque chose ensemble, quelque chose que monsieur le curé n'apprécierait pas, tu peux être certain que ça n'arrivera plus jamais.

— Tu ne vas pas épouser Antoine?

— Antoine ne pense pas au mariage, et puis il repart dans deux semaines.

— C'est bien, ça, il va enfin te laisser tranquille.

Je me dis que ce serait bien, en effet, s'il pouvait me laisser tranquille, pour que je l'oublie.

Nous retournons rejoindre nos amis à l'arrière de la maison. Tout le monde a remarqué notre absence et Rosalie veut savoir ce qu'on s'est dit. Je lui chuchote que je lui raconterai tout un peu plus tard. Sans perdre de temps, Eugène revient vers moi et m'invite encore une fois à danser. Je danse le cœur un peu plus léger, cette fois, maintenant que j'ai discuté avec Isidore. Je suis contente qu'il ne m'ait pas fait sa demande. Peut-être y renoncera-t-il avec le temps.

Le soleil a commencé sa descente vers l'autre côté de la terre. J'adore cette douce lumière des couchers de soleil du mois d'août. Je respire à pleins poumons l'air qui se rafraîchit et, comme hier sous la galerie, je prends conscience qu'il s'agit d'un moment de pur bonheur. Je me dis que c'est l'accumulation de tous ces petits moments de bonheur qui fait que l'on est heureux. Je crois qu'il ne faut pas courir après le bonheur, ne pas tenter de le traquer et de le mettre en cage, parce qu'on passe alors à côté de ces moments de la vie, simples et fragiles, qui sont en fait le plus près que l'on pourra jamais s'approcher du vrai bonheur sur terre. Entre deux quadrilles, je regarde les éclatantes couleurs et la lumière sublime du ciel, et je me dis que c'est un avant-goût des splendeurs du paradis.

Chaque fois qu'il en a la chance, Eugène me colle contre lui. Je n'accepterais pas cela de n'importe quel garçon, mais Eugène m'a toujours plu, depuis la petite école. Je pense à Isidore et à Antoine qui pourraient ne pas apprécier de nous voir danser si près l'un de l'autre, mais je me dis qu'ils prendront peut-être conscience que je ne suis pas à eux, que je n'appartiens à personne, tant que je n'aurai pas fait mon choix.

À la fin de la danse, Eugène dit qu'il a envie d'un verre d'eau et me demande si j'en veux un aussi. Je le suis jusque dans la cuisine. Alors que nous buvons nos verres, il me propose de monter à sa chambre pour voir son sac d'armée et discuter encore un peu. Je lui dis que ce serait bien mal vu qu'on se retrouve seuls dans sa chambre, mais il me répond que personne n'en saura rien. Je le suis donc à l'étage. Je trouve d'ailleurs ridicules les règles de bonne conduite qui empêchent les jeunes gens d'avoir des moments d'intimité. Eugène part demain pour la guerre et je sens qu'il a besoin de parler à quelqu'un.

En effet, une fois assis sur son lit, le grand Eugène m'avoue qu'il est mort de peur à l'idée d'aller se battre dans un pays inconnu, contre des hommes qui ne lui ont rien fait personnellement. Je le laisse s'exprimer en l'écoutant attentivement. Et puis vient un moment de silence. Il enlève son béret et le dépose sur le lit.

— Je peux te demander une faveur? me dit-il en serrant mes mains dans les siennes.

— Comme la dernière faveur du condamné...

— Ça fait des mois que je n'ai pas embrassé une fille.

— Eugène...

— Peut-être que je n'en aurai plus jamais la chance.

Si je n'étais pas hantée par toutes les contraintes sociales, je serais portée à m'abandonner à lui. Parce que j'en ai envie. Parce que le moment est plein de tendresse et qu'il a ce petit goût de bonheur qui fait que l'on repense à certains souvenirs en souriant. Je me dis que si j'embrassais Eugène ce soir pour son dernier jour à l'Anse, avant qu'il ne parte pour la guerre, ce serait un de ces souvenirs-là, qui font tout chaud dans la poitrine quand on y repense, tout simplement parce que c'était beau. C'était la vie.

Devant mon silence, le bel Eugène commence à m'embrasser. Tout doucement d'abord, en caressant mes lèvres du bout des siennes, comme pour mieux goûter ce plaisir. Et puis, de plus en plus passionnément, en m'enlaçant comme pour s'accrocher à la vie, à cette vie qu'il aime et qui ne tiendra bientôt plus qu'à un fil. Alors qu'il m'embrasse et me caresse la poitrine, je prie pour que sa mère n'entre pas dans la chambre. Et je repense à son frère Isidore...

Il me couche sur le dos et s'étend sur moi. Il glisse sa main sous ma jupe et caresse l'intérieur de mes cuisses.

— Marie, j'ai trop envie de toi...

— Arrête, Eugène! Tu m'as demandé un baiser, pas plus.

— Ne fais pas ta Sainte Vierge! Je le sais que tu aimes ça, et que tu en as envie autant que moi.

Il glisse ses doigts sous ma culotte et caresse mon sexe tout en parcourant mon cou de sa langue. Cela suffit à m'emplir de désir. Je savoure quelques instants ses caresses...

— Eugène, arrête! C'est mal!

– Non, c'est bon…

– Ton frère a l'intention de me demander en mariage, lui dis-je pour enfin mettre fin à nos ébats.

– Quoi? dit-il en cessant tout mouvement.

– Il veut m'épouser.

En silence, Eugène se relève et s'assoit sur le bord du lit. Il replace tranquillement son uniforme tandis que je replace ma jupe et ma chemise. Je cherche mes mots, quelque chose à ajouter pour expliquer ma conduite.

– Je suis désolé, je ne le savais pas, dit-il.

– Il m'aime, mais ce n'est pas réciproque. Je ne l'épouserai pas.

Eugène ne me pose aucune autre question. Que je sois celle que son frère aime est assez pour le retenir de me toucher. Il me prend dans ses bras et nous restons immobiles quelques instants. On entend par la fenêtre, comme un écho derrière les notes du violon, les voix des villageois qui font la fête et les cris des enfants qui se poursuivent autour de la maison, se cachant derrière les arbres et les bosquets. Je pense à Antoine qui est juste en bas, à quelques mètres d'ici, et qui me cherche peut-être du regard.

Après quelques minutes, le soldat Eugène desserre son étreinte et remet son béret.

– Je vais penser à toi, là-bas, quand ça va être difficile, me dit-il avant que nous allions rejoindre les autres pour continuer la fête.

Dès qu'Eugène s'éloigne de moi, Antoine en profite pour venir me trouver.

– Je t'ai attendue chaque matin de la semaine, avant de prendre la mer. Tu as décidé de ne plus venir pêcher avec moi?

– C'était bien agréable, Antoine, mais je ne peux pas délaisser ma terre comme ça.

– Ça ne te posait pas de problème avant… C'est parce que je pars dimanche prochain que tu me fuis?

– Je ne te fuis pas.

– Voyons, Marie. Tu as passé la journée à te pavaner au bras du soldat et à me chercher des yeux pour voir si je te regardais.

Je me sens honteuse qu'Antoine ait remarqué que je faisais tout cela pour lui. J'ai beau chercher à m'en éloigner, je ne fais que le désirer encore plus. Même dans les bras d'Eugène, mon esprit va vers lui.

– Et chaque fois, tu me regardais…

– Oui. C'est comme l'irrépressible envie de regarder le soleil, même si on sait qu'il va nous brûler les yeux…

Je m'étais convaincue que notre histoire était du passé et que je ne reverrais Antoine que pour lui souhaiter un bon retour à Québec, mais, encore une fois, mon cœur supplante ma raison. Et lorsque Antoine me prend par la main pour m'entraîner discrètement dans le champ de maïs, je le suis en silence, les yeux fermés et le cœur battant, comme une somnambule qui marche aveuglément vers l'objet de ses désirs.

* * *

Pour aller à la messe du dimanche, j'ai mis la robe que je portais quand Antoine est venu me rejoindre dans le champ, la première fois. Lorsqu'il sort de la maison, accompagné de Charles et de Pierre, je le trouve encore plus beau que d'ordinaire. S'il était du coin, ce serait sans aucun doute le plus beau gars du village, avec ses petites mèches rebelles qui lui tombent devant les yeux, même quand il va à la messe. J'admire ses épaules carrées ainsi que ses cuisses, bien musclées et bien rondes. Charles aussi est bel homme, et je me demande à quoi ressemble sa fiancée. Elle devrait arriver bientôt à l'Anse puisqu'ils se marient en septembre.

Le sermon du curé porte sur l'entraide entre les gens du village. C'est un bien beau discours. Je me dis que, au fond, les hommes d'Église reçoivent peut-être tellement d'amour du Seigneur qu'ils n'ont pas besoin de celui des femmes. Mais je reçois aussi l'amour du Seigneur et ça ne me fait pas chaud au ventre comme les caresses des hommes. L'amour du Seigneur est ce qui me fait préférer la lumière à l'obscurité et accepter dans mon cœur même ceux qui me veulent du mal; c'est ce qui me fait combattre la haine et apprécier la beauté des fleurs, des arbres et de la mer; c'est ce qui me pousse à vouloir devenir meilleure, à ouvrir mes ailes pour monter toujours plus haut vers le ciel. L'amour des hommes est ce qui me ramène sur terre, dans mon corps de femme, ce corps fait pour donner la vie et consoler les hommes qui cherchent l'amour de Dieu.

Après la messe, je dois aller chez le docteur Dufour chercher les médicaments du Carol. Antoine propose de m'accompagner. M. Boileau lui donne sa bénédiction et Mme Boileau tente de cacher son visage triste. Elle voudrait que j'empêche cet homme de voler mon cœur et de me faire du mal.

Nous marchons dans la rue Principale jusque chez le docteur Dufour, qui m'accueille chaleureusement, comme à l'accoutumée. Il me donne les médicaments, refusant toujours que je le paie, et dit qu'il viendra examiner mon père cette semaine. Antoine le trouve fort sympathique et me dit, en sortant, que c'est dommage qu'un homme si dévoué doive arrêter de faire son métier, s'il l'aime encore. Antoine a raison. Le docteur Dufour est un homme plein de bonté. Même une fois qu'il aura cédé sa place à Charles, je continuerai de lui rendre visite. Pas pour les médicaments qu'il me donne gratuitement, mais pour lui, parce qu'il est un de mes seuls amis au village, un des seuls qui ne soient pas hypocrites.

En descendant les marches de la galerie, Antoine me fait remarquer que j'ai perdu le ruban qui retenait mes cheveux. Nous retournons chez le docteur : aucune trace du ruban. Le docteur Dufour nous conseille de refaire notre chemin en sens inverse pour le retrouver. Après avoir traversé la rue Principale, nous arrivons face à l'église. Je dis à Antoine de m'attendre sur le perron. J'ouvre les grandes portes et

pénètre à l'intérieur. Le silence règne. L'église est complètement vide; tous les fidèles sont partis et monsieur le curé
est probablement en train de dîner. Une odeur d'encens me
chatouille les narines. Je respire profondément.

J'avance dans l'allée en scrutant le sol. Enfin, j'aperçois
mon ruban, sous le premier banc. Je me penche pour le
saisir et sens un bras qui m'enserre la taille. Je me relève
brusquement.

– Arrête, Antoine! Là, tu n'es plus drôle!

– Quoi, tu dis ça parce qu'on est à l'église?

Il me serre dans ses bras et pose ses lèvres chaudes dans
le creux de mon cou. Je veux lui résister! Parce que c'est
un prétentieux et un profiteur! Parce que je lui donne trop
facilement ce qu'il veut! Parce qu'il sait justement que je
ne peux jamais lui résister! Et parce qu'il ne me dira jamais
qu'il m'aime…

Il continue de m'embrasser tendrement le cou en me
caressant les fesses. Dans le silence de l'église, j'ai, l'espace
d'un instant, l'impression qu'il aimerait aussi que notre
histoire continue…

– Oh, mon Dieu! Mon Dieu! C'est la petite Marie de
la Madeleine! crie une femme à l'autre bout de l'allée.

– Vous n'avez pas honte! Ici! Petite impie!

Ce sont Mmes Richard et Arsenault qui nous observent,
abasourdies. Je me défais de l'étreinte d'Antoine. Elles
quittent l'église furieuses en continuant de dire : «Oh! mon
Dieu!» Les larmes me montent aux yeux. Les vieilles chipies
m'ont surprise dans leur église. Tout le village va être contre
moi maintenant. Et tout ça à cause d'Antoine! À cause d'un
profiteur qui ne peut s'empêcher de me toucher! À cause
d'un égoïste qui repart après m'avoir fait une bien mauvaise
réputation! À cause d'un gars qui ne m'aime même pas assez
pour vouloir de moi! Je me sauve en courant. Antoine me
rattrape sur le chemin de la maison.

– Attends, Marie! Il faut que je te dise quelque chose.

– C'est de ta faute, Antoine Boileau! Les gens du village,
tu ne les connais pas! Mme Arsenault et Mme Richard, ce

sont de vraies commères. Ça ne sera pas bien long que tout le village ne parlera que de ça.

– Je m'excuse, Marie. C'est vrai que ce n'était pas l'endroit pour t'embrasser, mais je ne t'avais pas suivie pour ça. En fait, je voulais te dire…

– Arrête! Je ne veux plus rien entendre. Tu t'es bien amusé avec moi! Tu as passé un bel été! Eh bien, maintenant, retourne donc à Québec!

Je repars en courant, sans me retourner. Une fois à la maison, je n'entre pas. Je n'ai pas envie d'expliquer au Carol pourquoi je suis si bouleversée. Je me dirige vers le bord de la falaise, où je m'assois, les pieds pendants dans le vide. J'ai les tempes qui vont éclater. Je laisse mon cœur se vider en un torrent de larmes. Il peut bien s'en retourner d'où il vient, Antoine l'insolent! Le faux pêcheur! Il peut bien s'en retourner d'où il vient et ne jamais revenir.

* * *

Dans le courant de la semaine, je retourne au village pour faire quelques commissions. En entrant au magasin général, je tombe sur Mme Arsenault, la grosse commère. Je détourne la tête et l'ignore, espérant qu'elle ne m'interpelle pas. L'atmosphère est tendue. Il y a au moins dix personnes dans le magasin, et je sens leurs regards accusateurs sur moi.

– Tiens, si c'est pas Marie la salope! lance Mme Arsenault bien fort.

Je sursaute en entendant ces paroles si méchantes.

– Bien oui, regarde donc ça! La Marie qui profane notre église le dimanche! Tu as bien raison, Germaine, on va l'appeler «Marie la salope», maintenant.

– Marie la salope, tu devrais peut-être retourner chez vous, voir s'il n'y a pas un homme qui t'attend, dit une autre villageoise.

– Je te prendrais bien, moi, Marie! Marie couche-toi là! lance un pêcheur, qui se fait aussitôt dévisager par les femmes.

Leurs paroles me déchirent le cœur tels des hameçons bien acérés. Mais je ne dis rien. Les larmes me montent aux yeux. J'essaie de les refouler. Je vous hais! Vous n'êtes que des sorcières! Je prends ce dont j'ai besoin, paye et ressors le plus vite possible. Je me dirige rapidement chez Rosalie. Elle m'ouvre la porte et me prend dans ses bras.

— Tu n'as rien fait de mal, pauvre Marie! Ne les écoute pas! me dit-elle, devinant la scène que je viens de vivre.

— Oui! Oui, c'était mal! Et en plus, ça n'a servi à rien parce que je l'ai laissé partir!

— Attends. Laisse passer le temps. Tu vas voir, les gens vont oublier.

— Tu penses! Ils se souviennent encore du jour où ils m'ont trouvée sur le rivage. Ils vont encore se souvenir de Marie la salope dans cinquante ans.

Émile, qui était au magasin et qui a tout vu, entre chez lui.

— Je les ai entendus, les commérages, moi aussi, Marie. Je ne veux pas savoir si c'est vrai. Mais j'aimerais mieux que tu ne te tiennes pas trop avec Rosalie, en attendant que ça se calme, tu comprends? On habite ici, nous, et j'ai une clientèle à…

— Émile! dit Rosalie.

— Je dis ça pour ton bien, Rosie. Si tu ne veux pas que les femmes te boudent toi aussi…

— Émile a raison, Rosalie. Je ne voudrais pas te faire de mal. On se verra plus tard, d'accord? Il faut que j'y aille. Salut!

— Reviens me voir! crie Rosalie alors que je m'éloigne de chez elle.

En descendant la rue Principale, j'entends des voix derrière moi. Ce sont des pêcheurs qui reviennent du quai.

— Hé! Marie la salope! En as-tu connu beaucoup, des hommes?

— Tu portes bien mal ton nom, Marie, parce que tu n'es pas vierge du tout!

– Nous autres, ça ne nous dérange pas. Tant que tu ne veux pas qu'on te marie!

– Vous ne savez même pas ce qui s'est passé!

J'ai crié, hors de moi, mais je me ressaisis vite et décide de me taire. À quoi bon... À quoi bon essayer de leur expliquer ce qui m'a fait perdre la tête dans les bras d'un homme, puisque je ne le sais pas moi-même. Je devais être sous l'emprise d'une quelconque force de la nature : la chaleur torride du soleil, le doux bruit du vent, le goût salé de la mer ou l'apaisante odeur de la terre...

Je quitte le village rapidement. Village maudit! Villageois à l'esprit étroit et mesquin qui n'ont rien à faire de la vérité! Qui ne veulent pas savoir ce qui se cache réellement dans le cœur des gens! Village d'hypocrites qui ne veulent que bien paraître le dimanche! Comment vos cœurs peuvent-ils être si aveugles et cruels alors que la mer et la terre qui vous nourrissent sont si douces, si généreuses et bienfaisantes?

En arrivant à la maison, je me couche dans les bras du Carol et lui raconte ce qui m'est arrivé au village.

– Ils ne sont pas tous comme ça, me dit-il. Il ne faut pas les juger. Il y a du bien bon monde à Anse-aux-Rosiers, c'est juste qu'ils ne pensent pas tous comme toi. Ils se sont moqués de la Madeleine aussi. Parce qu'ils ne comprenaient pas pourquoi elle priait en haut de la falaise. C'était trop pour eux... Reste ici un peu, en attendant que les esprits se soient apaisés.

Le Carol me flatte les cheveux et je m'endors dans ses bras.

«Marie... Marie...» On m'appelle dans l'église. Une voix d'homme. «Marie... Marie la salope... entre dans l'église.» J'ouvre les grandes portes. Le soleil passe au travers des vitraux dont les magnifiques couleurs s'étendent sur le sol. J'examine attentivement l'éclat de ces couleurs; elles brillent d'une lumière vive, mais soudain s'assombrissent. «Marie... Marie... tu ne seras plus jamais aussi fière... Marie la salope...» J'avance dans l'allée centrale. Je sens des regards posés sur moi. J'entends des

voix qui murmurent. Je sens des mains qui me bousculent et me poussent. J'avance jusqu'à l'autel sur lequel est posé un calice en or. Je le prends et le porte à mes lèvres. «Bois, Marie... Bois... C'est le sang qui coula d'entre tes jambes après qu'Antoine t'eut prise.» Je lâche le calice qui percute le sol dans un bruit sourd. Le sang se répand lentement sur les dalles. J'avance vers la statue de la Vierge Marie. Elle est si belle... Je pose ma main sur son ventre dur et froid. «Marie... Marie la salope... tu es mauvaise jusque dans le ventre.» Je baisse les yeux. Je suis nue. Je touche mon ventre et mes seins. Des gouttes d'eau salée coulent le long de mon visage. Coulent dans le creux de mon cou, roulent sur le bout de mes seins, glissent le long de mon ventre et le long de mes cuisses jusque sur le plancher où elles résonnent dans toute l'église comme les notes graves du grand orgue. «Marie... tu ne seras plus jamais aussi fière. Marie la salope...» Je sens son souffle derrière moi. Je me retourne brusquement. Je suis seule. Je marche jusqu'aux grandes portes et écoute les villageois qui parlent de moi. Marie la salope qui dansait pour les pêcheurs comme la belle Madeleine. Marie au corps qui donne des envies à tous les hommes, qui fait se détourner les regards, mais dont tout le monde a peur. Marie qui donne même des envies aux femmes, et qui les embrasse. Je sors sur le perron et referme la porte. Je sens son souffle dans mon cou. Je tombe par terre. Je vois son ombre qui s'approche de moi. Et toujours ces voix qui murmurent. «Marie la salope... retourne à la mer...» Je suis étendue sur le dos, les genoux pliés. Il pose ses grosses mains sur mes genoux et écarte mes cuisses. «Tu ne seras plus jamais aussi fière, Marie...»

Marie la salope

Je suis Marie. Pas celle qui a enfanté le Messie, mais la petite Marie de la Gaspésie. Marie la salope. Septembre vient d'arriver, avec ses nuits plus fraîches et ses journées de plus en plus courtes. Je cultive les derniers légumes de la saison, tout en prenant le temps de m'occuper du Carol, qui semble s'affaiblir de jour en jour. Chaque soir ou presque, Paul et Pierre viennent m'aider à le sortir sur la galerie et nous profitons des couchers de soleil, les plus beaux de l'année, ceux qui émettent des couleurs si divines que j'ai l'impression de me rapprocher du ciel. Le Carol dit que c'est la Madeleine qui veut m'égayer le cœur et lui donner un avant-goût des splendeurs du paradis. Notre Madeleine qui est morte il y a dix ans aujourd'hui.

Chaque fois que je me rends au village, je me dépêche de faire mes courses. Les villageois ne me crient plus des noms, ils s'en sont lassés. Ils ne me saluent plus, ne me parlent plus, mais ils sont incapables de m'ignorer. Je suis un courant d'air froid qui les fait frissonner...

Je sens réellement que ma présence les dérange, que je perturbe leur quotidien. C'est une impression subtile que je ressens lorsque je les croise. Je ne suis plus la bienvenue parmi eux. Je suis celle qui fait tourner la tête des hommes et murmurer les femmes entre elles. À mon passage, le ferblantier cesse de battre le fer, le cultivateur cesse de battre le blé, le meunier ne surveille plus son moulin et monsieur le curé se signe. Je suis une intruse dans mon propre village. Chaque fois que je sens posés sur moi leurs regards accusateurs, j'ai envie de crier, de leur expliquer mon histoire, mais aucun son ne sort de ma gorge. Et je marche en silence, sans jamais fléchir la tête. Et je marche en silence dans les rues du village, espérant croiser quelqu'un qui me fera un sourire. Je suis celle qui doit s'en retourner...

Aujourd'hui, après avoir fait mes courses, je décide de rendre une petite visite au docteur Dufour. C'est sa dernière journée en tant que médecin du village et je veux m'assurer qu'il se porte bien, que sa retraite ne l'affecte pas trop. Demain, Charles, qui se marie samedi, emménagera officiellement dans sa maison et M. Dufour ira vivre chez sa fille Hortense.

Je cogne à la porte, espérant ne pas le déranger dans ce qui est peut-être sa dernière consultation. Après un certain temps, la porte s'ouvre enfin. En m'apercevant, ses yeux s'illuminent et il me serre dans ses bras, heureux de me voir, comme à l'accoutumée. Les villageois ont voulu lui raconter ce que la Marie a fait dans l'église, mais il n'a pas voulu les écouter. Il leur a dit de garder leurs ragots pour eux. Parce qu'il l'aime, lui, Marie la douce, et que rien de ce qu'elle fait ne peut le décevoir. Parce qu'il a appris à ne plus écouter les femmes jalouses et les maris frustrés. Parce qu'il sait ce qui se cache derrière toute cette histoire, ce qui se cache dans la tête des gens. Ce qui fait se détourner le regard des hommes à mon passage et se morfondre les femmes.

Pendant que je traverse le corridor, il contemple mon dos et mes fesses, avec ses yeux de docteur, se disant sans doute que j'ai une anatomie parfaite. Ses propres désirs l'amènent à comprendre les réactions du ferblantier, du cultivateur, du meunier, et même de monsieur le curé. Ce cher curé qui rougit de honte face aux réactions de son corps lorsqu'il pense à moi dans la solitude de son presbytère... Monsieur le curé qui, par ma faute, doit dire deux chapelets de plus chaque jour, pour se faire pardonner ses pensées indignes d'un homme d'Église. «Je vous salue, Marie, pleine de grâces. Le Seigneur est avec vous. Vous êtes bénie entre toutes les femmes...»

M. Dufour me confie que je suis une des plus belles créatures qu'il ait eu la chance de côtoyer et que, s'il avait encore vingt ans, cela ferait longtemps qu'il aurait demandé ma main au vieux Carol et veillerait sur moi. Nous prenons place au salon et, curieuse, je lui demande de me parler de la femme qui a eu le bonheur d'être unie à un homme aussi charmant que lui.

– La femme que j'ai mariée s'appelait Estelle. Estelle Rousseau. Je l'ai connue quand j'avais vingt-cinq ans, à Montréal. Elle était infirmière, et moi, je finissais mes études en médecine. On est tombés amoureux durant l'été, et on s'est mariés le printemps suivant, en 1861. On s'est trouvés un beau logement et chacun un bon emploi, dans le même hôpital, croirais-tu ça? On a travaillés ensemble dans le nouvel Hôtel-Dieu durant deux ans, jusqu'à ce qu'Estelle soit enceinte de notre première fille. À partir de ce moment-là, elle a décidé de rester à la maison pour s'occuper des petites.

«Elle m'a fait trois beaux enfants, trois filles que j'aime plus que ma propre vie. Après douze ans de bonheur, mon Estelle est tombée malade. Ce n'est pas étonnant, quand on travaille avec des gens malades. Elle a attrapé la tuberculose pulmonaire, une maladie contagieuse qui s'attaque aux poumons. Elle s'est battue longtemps pour survivre, mon Estelle, mais la maladie a été plus forte qu'elle. Elle est morte dans mes bras. Elle avait juste trente-cinq ans…

«J'étais tellement démoli après sa mort que je ne servais plus à rien à l'hôpital. Surtout que cet hôpital-là me rappelait des souvenirs. Notre maison, aussi. Je voyais encore ma femme sur le bord du poêle en train de nous faire à déjeuner, ou couchée dans notre lit… Ça fait que j'ai décidé de déménager le plus loin possible de Montréal. Je me suis installé ici, sur la pointe, sur le bord de la mer, avec mes trois belles filles. Et, à part le chagrin que m'a causé Estelle, j'ai vécu une bien belle vie à l'Anse.»

– C'est une belle histoire, monsieur Dufour, dis-je, émue qu'il me raconte des souvenirs aussi personnels.

– Je parie que, toi aussi, tu aurais plein d'histoires à me raconter, ma belle fille. La prochaine fois que tu me rendras visite, ce sera à ton tour de m'en raconter une, d'accord?

Je me demande bien ce que je pourrais raconter à cet homme qui me connaît depuis ma naissance, qui m'a soignée lorsque j'ai eu la varicelle et qui m'a expliqué d'où provenait le sang que je perds chaque mois, puisque mon père l'ignorait. Le souvenir d'Antoine me revient et une bouffée de chaleur m'envahit. Je me demande si le docteur Dufour comprendrait ce que j'ai fait. Après tout, c'est le seul qui n'a pas voulu entendre les ragots à mon sujet.

– Entendu! Mais là, je dois partir, lui dis-je. Le Carol m'attend pour dîner.

– Marie, si tu le veux, je peux t'accompagner au mariage de Charles, samedi prochain.

– Euh… je ne sais pas… Je ne suis pas certaine d'avoir envie d'y aller.

– Bien voyons! Charles, c'est comme ton frère. Les Boileau seraient déçus que tu ne sois pas là, et moi, je serais très fier que tu m'accompagnes, dit-il en posant sa main sur la mienne.

– C'est d'accord! On ira ensemble. Je serai chez votre fille vers dix heures.

En sortant de chez le docteur, je me demande si aller à ce mariage avec lui ne sera pas mal vu des villageois, et surtout, de monsieur le curé. Une jeune fille célibataire qui accompagne un vieux veuf, la Madeleine dirait sûrement que je joue avec le feu, comme lorsque je taquinais les vaches de M. Giguère, me réfugiant rapidement derrière la clôture dès qu'elles partaient à courir après moi. Mais je n'ai aucunement envie de me présenter seule à l'église. Et puis, si ma provocation est trop grande, les vaches n'auront qu'à courir après moi. Peu importe, je cours plus vite qu'elles…

* * *

J'entre dans l'église au bras de M. Dufour. Nous marchons tranquillement jusqu'à l'avant. Des dizaines de têtes se retournent sur notre passage. Je sens dans le regard de M. Dufour qu'il est fier de m'avoir à son bras, moi, la Marie couche-toi là du village. Celle qui a profané l'église. En fait, le docteur est heureux de provoquer les mauvaises langues du village en s'affichant avec moi à l'église. Il a toujours été un homme un peu marginal, respectant les conventions dans le seul but de garder la confiance de ses patients. Mais aujourd'hui, alors que Charles devient officiellement le nouveau docteur de l'Anse, il a envie de dire à tout le village ce qu'il en pense, de leurs convenances. Il fait donc des sourires à tous et chacun, espérant presque apercevoir un malaise dans leurs yeux. Et moi, je relève la tête et souris aussi. Je suis Marie la salope qui revient à l'église.

Mme Boivin entame, à l'orgue, la marche nuptiale. Tous mes soucis s'envolent ainsi qu'une nuée d'oiseaux montant vers le ciel. Mon ami Charles se marie. Charles qui nous surveillait lorsque nous allions jouer dans la forêt. Le beau Charles Boileau qui m'a toujours aimée comme sa petite sœur. Charles qui a même frappé son cousin insolent pour moi. Je suis heureuse pour lui en cette belle journée de septembre. Heureuse qu'il ait trouvé l'amour.

Charles s'installe debout à quelques mètres de nous pour attendre sa future épouse. Paul est son garçon d'honneur. Il me fait un sourire timide. Un beau sourire qui me fait du bien. Depuis que les villageois lèvent le nez à mon passage, je recueillerais des milliers de sourires comme celui-là. Charles aussi me sourit. Il semble nerveux. Je lui fais un signe de tête pour lui dire que tout ira bien. Je peux voir ses mains qui tremblent. Pauvre Charles! J'ai bien hâte de rencontrer la femme qui le bouleverse ainsi…

Joséphine entre dans l'église au bras de son père. On devine tout de suite qu'elle vient de la grande ville. Elle a l'air d'une princesse dans sa robe blanche. Une robe faite sur mesure chez un tailleur, bien sûr. Les femmes du village ne peuvent se retenir de chuchoter. J'entends des murmures d'admiration, mais aussi de jalousie. Ici, à l'Anse, nous fabriquons nos propres robes et nous avons rarement la chance d'en admirer d'aussi belles. Mais les femmes peuvent bien jalouser sa robe, aucune d'entre elles ne pourrait la porter aussi bien que cette Joséphine. Je comprends Charles d'être tombé amoureux. Elle est grande, mince, et a un teint de pêche. On voit tout de suite qu'elle n'a jamais travaillé aux champs des journées entières sous le soleil qui brûle la peau. Ses cheveux roux descendent dans son dos, semblables aux coulées de lave d'un volcan. Elle est magnifique!

Le curé fait un émouvant discours sur l'amour. Tout en l'écoutant, je me demande s'il sait de quoi il parle. Je l'observe attentivement. Sous ses allures d'homme froid et réservé se cache peut-être un cœur qui bouillonne de passion… Sous sa longue soutane noire se cache peut-être un corps avide de frémir sous les caresses d'une femme… Peut-être aime-t-il en secret… Dans ce cas, vers qui irait son cœur? J'observe Mme Boivin, assise sur son petit tabouret, ses mains fines attendant de créer de douces mélodies. Des mélodies divines pour monsieur le curé, peut-être. Elle qu'il côtoie si souvent… Mme Boivin si discrète, si polie, si attentionnée, toujours prête à aider les gens dans le besoin. Un ange envoyé du ciel. Et monsieur le curé aime bien les anges… Mon Dieu! Que suis-je en train de m'imaginer? Je devrai me confesser de ces pensées. Mais j'ai tellement de péchés à confesser…

Les deux époux acceptent de se chérir et échangent les anneaux; les voilà unis jusqu'à ce que la mort les sépare…

Nous sortons sur le perron de l'église où on se fait tirer le portrait par un photographe, venu exprès de Percé pour ce mariage. Ensuite, nous sommes invités à continuer la fête chez les Boileau. Je monte dans la charrette d'Émile et de Rosalie. Celle-ci en profite aussitôt pour me poser la question qui lui brûle les lèvres depuis deux semaines.

— Marie, qu'est-ce qui est arrivé dans l'église, avec mon cousin Antoine, pour que Mme Arsenault dise que…

– Quoi? Qu'est-ce qu'elle a dit?

– Bien… que tu es une petite vicieuse.

– C'est elle, la vicieuse! Elle voit du vice et des péchés partout! Il n'est rien arrivé, Rosie. Ton cousin Antoine m'aimait bien et il a voulu me donner un baiser d'adieu. C'est tout.

– Si c'est tout, ce n'est pas grave, Marie. Moi, je ne vois pas de mal à ça, dit Émile.

– C'est vrai, dit Rosalie. Ne les écoute pas, les vieux du village, ils ne comprennent rien.

La maison des Boileau est pleine à craquer. Avec tous les amis de la famille Boileau et la famille de la mariée en plus, on se croirait sur le perron de l'église un beau dimanche de Pâques. Même mon Carol est ici; Pierre, Paul et Fernand sont allés le chercher en revenant de l'église. Il ne voulait pas assister au mariage, mais il a toujours eu un faible pour les soirées de noces, sachant qu'il y trouve toujours un public attentif à ses captivantes histoires. Je crois que le Carol n'aime pas les mariages car ils lui rappellent que le sien fut de courte durée, le destin ayant décidé que la mort le séparerait de sa Madeleine avant l'heure.

Charles me présente sa nouvelle femme, qui est aussi belle que devant l'autel, mais qui semble avoir le sourire difficile. Peut-être n'est-elle pas habituée à la campagne et à ses habitants. Joséphine continue sa tournée des invités et je reste à bavarder quelque temps avec Charles. En tant que nouveau docteur, il me demande des nouvelles de la santé du Carol. Il insiste aussi pour que je passe le voir cette semaine, moi qui n'ai jamais subi d'examen général. Avant d'aller rejoindre sa femme, il me glisse à l'oreille :

– Ne t'en fais pas, Marie, ils vont l'oublier, ton histoire. Les commérages vont disparaître avec l'arrivée des premières neiges.

– Merci, Charles, dis-je en lui souriant.

Charles a toujours su trouver les mots pour me remonter le moral. Je l'observe se mêler aux invités. De dos, il me rappelle tout à coup Antoine : les mêmes fesses, rondes comme des miches de pain sortant du four; les mêmes cuisses musclées et le même dos large. Charles n'a pas du tout le gabarit d'un docteur, mais plutôt celui d'un cultivateur : des membres forts et virils, des muscles faits pour travailler aux champs. C'est un homme né pour cultiver la terre, comme son père et son grand-père avant lui. Je l'imagine dans les champs, en train de récolter les fruits de son dur labeur. Des gouttes coulent de son front, le long de son visage, jusque dans son cou. Il descend ses bretelles et enlève sa chemise, avec laquelle il s'éponge le cou et le front. Le soleil fait briller son torse couvert de sueur. Des gouttes descendent jusque sur son ventre bien dur. Un ventre tout chaud que l'on a envie de caresser...

Je reviens soudain à la réalité et rougis, honteuse. Penser à un homme de cette façon le jour de son mariage, quelle indécence! J'observe Charles qui caresse le dos de sa femme. Cette grande Joséphine a bien de la chance d'avoir trouvé son homme. Je pense au Carol qui me dit toujours que le mien m'attend aussi, quelque part, et que je dois me fier au destin.

Justement, à ce moment, l'homme qui aimerait bien que je sois son destin vient me retrouver. Il me dit qu'il a entendu parler de moi plusieurs fois depuis deux semaines. Au magasin, les femmes lui ont raconté en détail mon aventure avec Antoine dans l'église. Je lui dis que, pour qu'elles appellent cela une aventure et qu'elles aient des détails à raconter, les commères se sont réinventé une histoire à partir d'un fait plutôt banal. Il me répond que si c'était lui qui m'embrassait, ce ne serait sûrement pas banal. Sans me laisser le temps de répliquer, il me prend par la main et m'entraîne dans la cuisine où l'on a tassé la table et les chaises contre les murs pour y danser un rigodon au rythme du violon de Fernand. La veillée s'annonce des plus réjouissantes. Nous entrons dans la danse, nous jurant de n'en ressortir que lorsque le violon expirera son dernier souffle.

Voici arrivée l'époque de la moisson. En cette magnifique journée de la fin septembre, tout le monde s'est mis au travail. Durant la matinée, j'ai aidé les Boileau à faucher et à engranger le grain. Dans l'après-midi, avec l'aide de Rosalie, de Camille et de Catherine, j'ai arraché mes patates et mes navets pour les mettre en cave.

Je suis en train de préparer les conserves, que j'entrepose dans le caveau pour l'hiver, lorsque Isidore arrive à la maison. Il est tout beau avec ses cheveux blonds peignés sur le côté. Je laisse ma corvée de côté et vais m'asseoir avec lui sur les chaises berçantes de la galerie. Il semble plus mal à l'aise qu'à l'accoutumée, se tordant les mains et fixant le plancher. Je redoute ce qu'il est venu me dire.

– J'ai une proposition à te faire, Marie… Prends le temps d'y penser avant de me répondre.

Il se met à genoux et prend ma main dans la sienne.

– Épouse-moi, Marie! Ça ne me dérange pas que tu aies embrassé Antoine Boileau. Il est parti maintenant, et nous deux, on est ici, ensemble. Épouse-moi! Tu vas voir, les gens du village vont vite oublier tes histoires avec Antoine. Ce sera moi, ton mari, et ils vont te respecter!

– Comprends donc que je n'ai pas besoin de leur respect, Isidore, et que je me fous du qu'en-dira-t-on. Si je me mariais avec toi pour qu'ils oublient, c'est moi qui ne te respecterais pas, tu comprends? Et je ne me respecterais pas non plus.

– Je t'ai demandé d'attendre avant de me répondre, me dit-il les yeux encore pleins d'espoir.

– C'est tout réfléchi, Isidore. Je ne me marierai pas avec toi. Il faut que tu te fasses à l'idée. Mais pourquoi ne considères-tu pas Agnès? Je pense qu'elle serait bien heureuse que tu la courtises.

– Ce n'est pas Agnès que je veux, c'est toi!

Il se relève et descend tranquillement les marches de la galerie.

– Attends, lui dis-je. Tu viens juste d'arriver…
– Tu vas finir toute seule, Marie. Tu vas finir dans la solitude et tu vas regretter de ne pas avoir réfléchi.
– Isidore…

Il remonte dans sa charrette et repart sur le chemin, l'âme en peine. Je suis un peu triste de la façon dont s'est terminée cette discussion. Je ne voulais pas le blesser, lui qui a toujours été si gentil avec moi. Et je comprends sa déception : cette idée lui trottait dans la tête depuis si longtemps. Déjà sur les bancs d'école, il tentait toujours de me faire plaisir. Lorsque nous apprenions à lire, il volait en cachette des livres dans la bibliothèque de son père, qu'il me prêtait par la suite. Les Boucher étaient une des seules familles du village à avoir les moyens de s'acheter des livres. Les moyens et le goût aussi, parce que la majorité des villageois trouvait, et trouve encore, que la lecture est une perte de temps et d'énergie. Mais pas M. Boucher, qui adore les histoires et qui doit bien avoir lu toutes celles que l'on peut trouver à Québec. Je repense à tous ces livres subtilisés dans la bibliothèque familiale, et aux après-midi que nous avons passés, cachés dans les champs, à tourner ensemble les pages qui nous transportaient dans d'autres univers ; je repense à tout ce qu'Isidore pouvait faire pour le bonheur de sa Marie. Son amitié est très chère à mes yeux et j'en ai encore besoin. J'irai bientôt au magasin pour lui parler, pour lui dire qu'il est un homme merveilleux, mais qu'il doit garder pour une autre ce bel amour qui lui remplit le cœur.

* * *

Les jours de septembre passent, lentement, et je dois de nouveau me rendre au village pour les médicaments du Carol, qui commencent à manquer. Je marche rapidement, espérant ne rencontrer aucun villageois prêt à me rappeler mes écarts de conduite. Mais voilà que, justement, j'aperçois Mmes Arsenault, Richard et Giguère qui s'engagent dans la rue Principale. Je baisse la tête, fixant mes pas. Et puis, je la relève presque aussitôt. Je ne suis pas une femme qui baisse la tête, ni devant les hommes ni devant de telles pies. Je ne suis pas honteuse et je ne suis pas mauvaise. Pourquoi marcherais-je la tête basse comme une condamnée? En les croisant, je les entends jacasser.

— Si c'est pas la Marie couche-toi là du village!

— Bien oui! C'est Marie la salope qui a profané notre belle église.

Je n'en reviens pas! Elles pensent encore à ça! C'est à croire qu'elles n'ont vraiment rien d'intéressant dans leurs vies pour s'intéresser ainsi à la mienne. Je leur souris hypocritement et accélère le pas sans me retourner. J'aurais donc dû rester chez moi, loin de ce village de commères!

En marchant jusque chez le docteur, je respire plus librement. Je n'ai pas baissé les yeux et je n'ai pas répondu à leurs provocations. J'ai gardé la tête froide, réussissant même à leur faire un sourire, qui les a complètement décontenancées. Je suis plus forte qu'elles.

Je cogne et entre chez le docteur Boileau. Il m'accueille avec une vigoureuse poignée de main et m'invite à passer dans son cabinet.

— En tout cas, Charles, tu m'impressionnes! Docteur Charles Boileau…

— C'est vrai que ça m'a demandé plusieurs sacrifices, mais regarde où j'en suis maintenant. J'ai mon propre cabinet, et toute une paroisse à soigner…

— Tu as de quoi être fier. Pour ça, et aussi pour la belle femme que tu as épousée.

Charles ne répond pas, il semble nerveux. Je lui parle de la raison de ma visite. Depuis une semaine, le Carol tousse beaucoup et crache parfois du sang. Charles dit que j'ai bien fait de venir lui en parler et qu'il viendra le voir à la maison dès demain. Il me donne ensuite ses médicaments contre la douleur. Je lui tends de l'argent, mais il refuse de l'accepter. Me sentant mal à l'aise, je lui dis que je comprendrais que je doive payer. Il n'a pas à se sentir mal de me demander de l'argent, même si le docteur Dufour me faisait toujours des faveurs. Il insiste en me disant que je n'ai pas à payer pour les douleurs de mon père et qu'il tient à me fournir les médicaments gratuitement.

— Veux-tu toujours que je t'examine? me dit-il alors que je m'apprête à sortir de son cabinet. Tu sais, c'est juste pour être certain que tout va bien… Je ne te demanderai rien pour ça non plus. On appelle ça de la prévention.

— Eh bien, si c'est de la prévention, je veux bien, lui dis-je en me moquant un peu de ses grands mots.

Il me demande d'enlever ma robe et de ne garder que mes sous-vêtements et mon jupon. De dénuder ainsi mon corps devant Charles, même s'il est médecin, me procure une étrange sensation. Il m'examine de haut en bas, longuement, me palpant parfois du bout des doigts. Il mesure ensuite ma tension avec ce qu'il appelle un sphygmomètre. J'apprécie le contact de ses mains chaudes sur la peau nue de mon bras. Avec un stéthoscope, il ausculte ensuite mon cœur. Il est tout près de moi; je le sens nerveux. Il abaisse le haut de ma camisole avec ses doigts et appose le bout du stéthoscope au-dessus de mon sein gauche. Je me surprends à être excitée par cet examen.

Ma poitrine monte et descend au rythme de ma respiration. Mes seins se durcissent et je regarde les yeux de Charles pour voir s'il les observe. Il les fixe intensément, mais se reprend en me disant que mon cœur semble en très bonne forme. Il met ensuite l'instrument dans mon dos. Je respire profondément. Durant quelques longs et doux instants, ses mains caressent mon dos. Je me demande s'il fait souvent ce genre d'examen. S'il a examiné ainsi d'autres femmes du village. Je l'imagine avec son instrument sur le sein de Mme Arsenault. Je souris.

Je lui demande si je peux essayer son stéthoscope. Je le place dans mes oreilles. Il me dit que celui-ci est très vieux et qu'il s'en procurera un nouveau modèle dès qu'il aura amassé un peu d'argent. Je le place au-dessus de mon sein gauche et écoute mon propre cœur. Je n'avais jamais douté de sa présence mais, pour la première fois, j'entends sa cadence. Il bat tel un tambour qui annonce la guerre...

Je redonne le stéthoscope à Charles, puis celui-ci s'assoit sur une chaise face à moi et me dit qu'il va maintenant examiner le fond de mes oreilles. Avec un autre drôle d'instrument placé devant son œil, il approche son visage très près du mien. Je sens son souffle dans mon cou. Une bouffée de chaleur m'envahit. Il repose son instrument et prend une mince languette de bois avec laquelle il abaisse ma langue. Tout en examinant le fond de ma gorge, il pose sa main libre sur ma cuisse. Je fixe mon regard dans le sien. Il semble mal à l'aise. Cela m'amuse.

– Est-ce que tout va bien, docteur?

– Oui, oui. Tout va très bien. Tu es en parfaite santé, Marie. Tu es très bien...

Il semble troublé. Il soutient mon regard en laissant toujours sa main sur ma cuisse. Le rythme de mon cœur s'accélère et je commence aussi à être un peu mal à l'aise. Je lui demande si je peux me rhabiller. Je dois patienter un peu, dit-il, car il lui reste à tâter mes ganglions. Il pose ses mains de chaque côté de mon cou. Elles sont douces, comme celles d'un docteur. Elles ne sont pas calleuses comme celles des pêcheurs et des cultivateurs, elles sont fines et propres. Il tâte mon cou, tout doucement, comme s'il le caressait. Je crois en fait que c'est ce qu'il fait; il me caresse. Il ne peut arrêter de me caresser.

– Marie... Ma belle Marie...

Je vois soudain la tempête qui se lève au fond de son regard. Le vent souffle en rafales et les flots se déchaînent. Et lui, il est apeuré comme un enfant perdu. Il ne se comprend plus. Marié depuis seulement une semaine à une femme magnifique, pourquoi ressent-il le besoin de me caresser ainsi? Est-ce la seule vue de mon corps dénudé qui le trouble, de mes bouts de seins durcis sous ma camisole qui me colle à la peau? Ou est-ce que son attirance envers moi date de plus longtemps?

135

Sans réfléchir, je pose mes mains sur ses cuisses et le caresse aussi. Je suis attirée par le corps de cultivateur qui se cache sous ce sarrau de docteur, par cet instrument pour le cœur qu'il a autour du cou. Cet instrument qu'il pose contre le sein des femmes pour entendre leurs battements. Pour entendre les vagues qui se fracassent contre les falaises escarpées de leur cœur…

Caressant toujours mon cou, il approche tranquillement sa tête vers la mienne. Je fixe mon regard dans ses yeux terrifiés. Il m'attire. Il m'attire et je lui donne ma bouche. Il tremble alors qu'il m'embrasse de ses lèvres fiévreuses. Je sens que je le trouble profondément. Je sens qu'il veut me posséder. Il cesse de m'embrasser soudainement.

– Ah, Marie! Tu es tellement belle! À neuf ans, à treize ans, à dix-sept ans, quand tu venais voir Rosalie, je te trouvais tellement belle! J'enviais ma sœur à qui tu racontais tes petits secrets. Je l'enviais quand vous éclatiez de rire et que vous vous preniez la main pour marcher sur le chemin en face de la maison. Je ne pouvais pas arrêter de te regarder. Tu m'envoûtes, Marie! Et encore plus depuis que tu es devenue une femme. Tu envoûtes tous les hommes : les pêcheurs, les cultivateurs et tous les autres. Tu envoûtes tout le village. C'est pour ça qu'ils te regardent de travers.

– Non, ce n'est pas pour ça, Charles. C'est pour quelque chose qui est arrivé dans l'église.

– J'en ai entendu parler, Marie. Mais moi, je te dis que ce n'est pas juste pour ça qu'on te crie des noms. C'est parce que les hommes repensent à ce que tu as fait dans l'église et que ça les dérange. Ça les dérange parce qu'ils ont tous envie de toi. Tu leur fais perdre la tête. Et ça, toutes les femmes du village le sentent. Tout le monde a peur de toi. Tout le monde se méfie de la Marie de la mer qui est devenue une bien belle femme.

– Arrête, Charles! Tu ne sais pas ce que tu dis!

– Tu penses? C'est toi qui ne se rends compte de rien. Tout le village t'en veut parce que tu réveilles en eux des instincts qui les effraient. Ah! Marie… j'ai envie de te toucher, moi aussi. J'ai envie de te prendre comme mon cousin Antoine qui t'a embrassée dans l'église, qui t'a serrée fort dans ses bras, tes seins ronds et fermes contre sa poitrine…

– Arrête! Tu t'es marié dans la semaine, Charles. Je ne peux pas croire que tu parles comme ça!

– Marié… Ouais, c'est vrai. Mais tu sais, Marie, des fois on ne marie pas la fille qu'on a envie de serrer contre soi, qu'on a envie d'embrasser depuis qu'on est tout jeune… Des fois, on se marie pour d'autres raisons.

– Raison ou pas, tu as choisi ta femme. Il faut que j'y aille, maintenant. Merci pour l'examen, dis-je en me rhabillant.

– Je serai chez toi demain pour examiner ton père, d'accord?

– D'accord.

En sortant de chez Charles, je marche face à trois hommes sur le trottoir. Ils me dévisagent de leurs regards sévères. Une fois près d'eux, je les fixe à mon tour, intensément. Je peux aussitôt lire le malaise dans leurs yeux. Enfin, ce sont eux qui finissent par détourner la tête. Je repense aux paroles de Charles. Ce qu'il a dit sur les gens du village me semble incroyable. Je les dérange, moi, leur petite Marie qui est devenue une femme. Je les trouble avec mes seins bien fermes, mes hanches qui se balancent au rythme de mes pas et mon regard qui provoque…

S'ils me rejettent parce que je les trouble, alors, je vais les troubler! Je vais continuer de faire mes courses chez M. Boucher. Je vais balancer mes hanches rondes sous leur nez et pointer mes beaux seins vers le ciel. Mes seins tels deux rochers qui sortent de l'eau pour être caressés par les vagues qui les recouvrent et se retirent ensuite doucement de leur surface. Je vais continuer à venir au village pour qu'ils me voient. Pour qu'ils voient la belle femme qu'est devenue la Marie de la mer, la Marie la salope qui a profané leur église avec le gars de la grande ville… Je ne me cacherai jamais plus pour eux.

* * *

Pendant que Charles examine le Carol, je prépare mon levain, écoutant ce qui se dit d'une oreille. Une fois l'examen terminé, Charles vient jusqu'à moi.

– Je n'ai pas d'autres gens à voir aujourd'hui. Aurais-tu envie de faire une petite promenade?

– D'accord, lui dis-je en enlevant mon tablier.

Nous empruntons le sentier sur le bord de la falaise. Charles me parle de sa femme. C'est pendant ses études à Québec qu'il a commencé à courtiser Joséphine, la sœur d'un de ses collègues de classe. Ils allaient ensemble dans des soirées ou faisaient de longues promenades sur la Grande Allée. Il la trouvait belle et distinguée, mais n'était pas amoureux d'elle. Un soir de novembre, elle l'a invité à la maison, toute sa famille étant sortie pour la soirée. Ils se sont embrassés sur le divan et, emportés par leurs pulsions, ils ont fait l'amour. Malheureusement, Joséphine s'est confiée à sa sœur, qui n'a pu se retenir d'en parler à ses parents. Ceux-ci sont des gens très catholiques et ne pouvaient pas supporter l'idée que leur fille ait fait l'amour avec un autre homme que son mari. Ils ont alors demandé à Charles de l'épouser, pour sauver son honneur et son âme, comme ils disaient. Voilà donc pourquoi la pauvre Joséphine vit maintenant à l'Anse avec Charles qui en est presque malheureux.

Quand je pense que deux personnes peuvent s'aimer comme le Carol et la Madeleine, qui se caressent encore en rêve, malgré le temps et malgré la mort, je trouve l'histoire de Charles bien triste. Et je pense à Antoine qui aurait dû m'épouser, pour sauver mon honneur et mon âme. Antoine qui a quitté l'Anse sans que je lui aie dit combien j'ai aimé sentir ses mains parcourir mon corps. Sentir son corps musclé contre le mien dans la chaleur de cet été 1899…

Charles me dit enfin qu'il m'a emmenée en promenade pour me parler du Carol. À soixante-cinq ans, mon père n'est plus en bonne santé. En fait, il est même gravement malade. Mon cœur arrête de battre pour une seconde. Après avoir emporté la Madeleine à la fleur de l'âge, je croyais que la Faucheuse s'était assez rassasiée pour un bon bout de temps. Et voilà qu'elle voudrait m'enlever aussi mon Carol. Charles me dit qu'il est atteint d'un cancer de la prostate et qu'il ne lui reste que quelques semaines à vivre, huit tout au plus. Je suis si démolie que je sens mes jambes qui faiblissent. Je m'assois par terre. Je ne croyais pas que mon père puisse mourir un jour. Je croyais qu'il serait toujours là, étendu sur sa paillasse, prêt à m'écouter quand j'en ai besoin. Je ne peux m'imaginer vivre seule dans cette grande maison.

Charles tente de me rassurer en me disant qu'il va venir lui rendre visite deux fois par semaine et lui apportera les médicaments nécessaires. Mais à quoi bon, puisqu'il est condamné? À quoi bon des visites et des médicaments puisqu'Elle a décidé qu'il ne passerait pas l'hiver, qu'il ne verrait peut-être jamais le nouveau siècle? Charles me prend dans ses bras et me berce, en silence, jusqu'à ce que j'aie vidé mon corps de toutes ses larmes.

De retour à la maison, il me demande si j'aimerais retourner me promener avec lui dimanche après-midi. Sa femme jouera aux cartes après la messe et il sera seul. Nous pourrions retourner à la clairière de notre enfance. Charles est bien comme sa sœur Rosalie : tendre mais fort. Tendre parce qu'il écoute toujours son cœur, et fort parce qu'il n'écoute pas les commères du village et se fout du qu'en-dira-t-on. Que dira justement Joséphine quand Charles lui apprendra qu'il va pique-niquer avec Marie la salope, celle qui habite sur la dernière terre avec son père infirme? Je parie qu'il n'y a même pas songé...

* * *

Dimanche après-midi, on cogne à la porte. Je sursaute. Le Carol se moque de moi, qui ai l'air d'une jeune fille à son premier rendez-vous galant. Je sens cependant dans son regard qu'il est inquiet pour moi. Il m'a sentie nerveuse tout l'avant-midi, devinant que l'amitié d'enfance entre Charles et moi était peut-être en train de se transformer. Charles est marié, et le Carol peut déjà sentir la tempête qui se pointe à l'horizon...

Je replace mes cheveux et ouvre la porte. Charles tient une couverture et un sac dans lequel il a placé un pain frais et un pot de mélasse pour nous sucrer le bec dans la clairière. La journée est parfaite pour une promenade. En cette deuxième semaine d'octobre, les arbres se sont revêtus de leur plus belle parure, égayant la forêt de leurs merveilleux jaunes, de leurs rouges flamboyants et de leurs tendres orangés. Le ciel, lui, est d'un bleu magnifique, sans aucun nuage, comme s'il voulait nous encourager à sortir de nos maisons avant que l'hiver ne s'abatte sur nous. Et on dirait que le soleil, qui connaissait nos plans, a aussi voulu faire de cette journée la plus belle et la plus douce de l'automne. Il fait si chaud que nous pourrions encore nous baigner et nous faire sécher au soleil.

Nous empruntons un sentier qui pénètre dans la forêt entre la terre des Boileau et celle de M. Giguère et qui nous mènera jusqu'à la clairière. Le sentier est déjà recouvert de quelques feuilles mortes dans lesquelles nous nous amusons à traîner les pieds. Après une quinzaine de minutes de marche, Charles me demande s'il peut me tenir la main, comme sa sœur Rosalie le faisait quand nous étions petites. Je la lui donne. Il croise ses doigts entre les miens. Rosalie ne me prenait jamais la main ainsi. Je peux sentir ses doigts bien calés entre les miens. Il serre ma main un peu plus fort. C'est la main de Joséphine qu'il devrait serrer ainsi, pas la mienne. Sa Joséphine qui joue aux cartes avec les femmes du village, se demandant sûrement ce qu'elle fait si loin de chez elle, avec cet homme qui ne lui fait presque jamais l'amour...

Nous apercevons déjà la clairière, lumineuse au bout du sentier sombre. C'est drôle, je l'aurais cru beaucoup plus loin. Immédiatement, cet endroit me rappelle de nombreux souvenirs. J'y venais souvent jouer avec Rosalie, et avec Charles aussi, que sa mère envoyait nous surveiller. Il nous taquinait toujours en disant que les jeux que nous inventions étaient ridicules. Il nous écoutait attentivement et trouvait toujours la faille qui rendait nos histoires, nos lieux et nos personnages irréalistes. À vrai dire, je crois qu'il aurait bien aimé rêver avec nous, s'évader de la réalité pour quelques heures, lui qui était aussi rêveur que nous. Mais de quoi aurait-il eu l'air de s'intéresser à des jeux de filles?

– Te rappelles-tu? me demande-t-il.

– Bien sûr, que je me rappelle! Je me rappelle surtout que tu n'arrêtais pas de nous déranger!

– C'est vrai que je n'étais pas bien fin avec vous.

– Mais oui, tu étais fin. Je pense que tu aimais nous étriver, c'est tout. Et il paraît qu'on taquine toujours ceux qu'on aime…

Charles me regarde sans répondre, respirant profondément, comme s'il voulait se calmer. Calmer, peut-être, son cœur qui bat trop vite. Nous marchons jusqu'au fond de la clairière, en suivant le petit ruisseau. Si l'on se tait, on peut entendre l'eau qui caresse doucement les pierres sur son passage. Charles dépose la couverture sur l'herbe et je m'y étends sur le dos. Il ouvre son sac et en sort les victuailles. Il me tend un morceau de pain recouvert de mélasse. J'adore la mélasse. C'est la chose la plus douce du monde. Elle glisse sur ma langue et caresse mon palais, toute sucrée et collante. Une cuillerée de mélasse peut me faire oublier toutes mes peines. C'est réconfortant comme un homme qui serre ma main dans la sienne; comme une mère qui me colle contre son sein.

Charles sourit en me regardant manger. Je lui donne une bouchée de mon pain et, quand il y mord, une goutte de mélasse lui tombe sur le menton. Je l'essuie avec mon index que je porte ensuite lentement à ma bouche. Charles se prend aussi un morceau de pain sur lequel il étend une épaisse couche de mélasse. Il se jette ensuite sur moi et tente de me le faire manger, mais je résiste, et tombe sur le dos. Je contemple un instant le soleil de midi qui m'aveugle.

La mélasse tombe sur le bord de ma bouche et sur ma joue.

– Oh! Excuse-moi! fait Charles en riant.

Il en essuie un peu avec son index, qu'il lèche ensuite en imitant mon geste. J'éclate de rire. Il essuie de nouveau le coin de ma bouche en me regardant intensément. Mon cœur bat de plus en plus vite. Charles ne rit plus et j'arrête aussi de rire. Il approche son visage du mien et lèche doucement la mélasse sucrée sur le bord de mes lèvres. Sa langue est chaude et mouillée. Elle glisse sur le contour de ma bouche. Il lèche la mélasse jusqu'à ce qu'il n'y en ait plus. Il prend alors le pot et fait tomber encore quelques gouttes sur mes lèvres. Je crois qu'il va enfin m'embrasser, mais il préfère encore lécher mes lèvres. Un grand frisson me parcourt tout le corps…

Charles s'étend sur moi; je sens son sexe dur contre ma cuisse.

– Marie, je pense que je suis amoureux de toi. Qu'est-ce que je vais faire?

– Fais comme tu as envie, Charles. Pour aujourd'hui, du moins, fais ce dont tu as envie.

Il pose quelques baisers sur mes lèvres. Des baisers qui deviennent de plus en plus pressants. Des baisers qui goûtent la mélasse. Je fais tourner ma langue autour de la sienne pour bien la goûter, c'est réconfortant…

Il m'embrasse maintenant passionnément. Je sens qu'il veut me consommer tout entière. Qu'il veut m'avoir toute à lui, sa Marie la douce qu'il épie depuis qu'elle est toute petite et qui, tout à coup, est devenue une femme. Je repense à ce que nous faisions dans cette même clairière lorsque j'avais onze ans et qu'il en avait quinze. Lorsqu'il commençait à ressentir des désirs pour moi qui n'étais encore qu'une enfant. Je jouais avec Rosalie en l'observant du coin de l'œil, ce grand dadais assis sous son arbre à rire de nous. C'est bien que nous soyons revenus ici. Maintenant, il ne rit plus de mes jeux.

Pendant qu'il m'embrasse avec fougue, mon cœur me dit que j'ai dû venir bien souvent marcher dans ses rêves. Qu'il a dû en passer, des heures, à penser à moi, assis sous son arbre, ne trouvant rien de mieux à faire que de se moquer. L'amour nous pousse parfois à agir de façon étrange…

Pour la première fois depuis qu'il n'est plus un enfant, je vois Charles nu. Il est musclé comme un homme fait pour cultiver la terre et aimer les femmes. Sous le soleil de l'après-midi, il admire la peau blanche de mes seins qui pointent vers le ciel, de mes bras, de mon ventre et de mes cuisses qui ne sont presque jamais exposés au soleil.

Je m'étends sur le dos. Il prend le pot de mélasse et en fait couler sur mon ventre et sur ma poitrine. Il lèche ma peau, remontant tranquillement sa langue chaude vers ma poitrine. De la pointe de sa langue, il caresse le bout de mon sein qui se durcit. Il le met dans sa bouche et le mordille avec ses dents. Je suis au comble de l'excitation. D'un mouvement des hanches, il fait pénétrer son sexe entre mes cuisses, au plus profond de mon ventre. Nos corps brûlants glissent l'un contre l'autre. Ma bouche est insatiable, avide du goût de ses lèvres. Il accélère sa cadence et me pénètre avec toujours plus de puissance et de ferveur, tel le cultivateur qui creuse le sol, qui pioche dans la terre franche… Il est très vite excité, à un point tel qu'il ne peut se retenir. Dans un dernier gémissement, il laisse exploser tout le désir qu'il ressent pour moi depuis notre enfance, me remplissant de sa chaude semence. Il me garde tout contre lui quelques instants, me serrant comme pour me retenir à jamais.

Il retire doucement son sexe d'entre mes jambes et s'étend à mes côtés, me serrant la main. Nous restons ainsi étendus sur le dos durant de longues minutes, sans dire un mot, savourant la chaleur du soleil sur notre peau. Malgré mon sentiment de culpabilité d'avoir poussé Charles à commettre l'adultère, je sens qu'il fallait que nous revenions ici, dans la clairière, pour confronter nos désirs. Que cela devait arriver un jour ou l'autre, peu importe Joséphine, ou Antoine, ou ce qu'en dirait monsieur le curé. Cela *devait* arriver…

Charles rompt le silence; il est temps de rentrer, sa Joséphine l'attend pour quatre heures. Il a la voix d'un homme qui ne comprend plus ni ses actions ni ses sentiments. Mais cela est son fardeau, et je ne peux que lui prendre la main pour tenter d'apaiser ses remords. Sur le chemin du retour, je brise le silence.

— Tu sais, Charles, je n'en parlerai jamais à personne… Même pas à Rosalie.

— J'aimerais ça qu'on se revoie, Marie.

— Qu'on se revoie! Es-tu certain que c'est une bonne idée?

— Bien… je ne suis pas encore parti que j'ai déjà le goût de te revoir.

— Tu ferais mieux de m'oublier, Charles. On a fait une erreur, mais ça n'arrivera plus jamais. Tu es marié…

— On peut se revoir juste pour jaser, Marie. On ne ferait rien de mal. Tous les jeudis après-midi, Joséphine travaille à une courtepointe avec d'autres femmes du village. J'aimerais ça si tu passais me voir.

— Juste pour jaser… C'est d'accord, je serai chez toi jeudi prochain.

— Je vais t'attendre avec impatience.

Charles repart en direction du village et j'entre retrouver mon Carol et lui préparer un bon pot-au-feu.

— Je ne me suis jamais mêlé de ta vie, mais là, je pense que tu vas trop loin, ma fille, me dit-il durant le repas.

— Qu'est-ce que tu veux dire?

— Je te parle de ce que tu fais avec Charles. Tu pouvais faire ce que tu voulais avec son cousin, ça ne faisait pas de mal à personne, mais lui, c'est un homme marié.

Je rougis de honte devant mon père. Parfois, j'aimerais bien qu'il ne comprenne pas tout ce qui se passe dans ma vie, qu'il ne me lise pas comme un livre ouvert.

– Ça n'arrivera plus jamais, dis-je au Carol pour me défendre.

Il continue de manger en silence, bien peu convaincu par mes paroles. «Ça n'arrivera plus jamais.» Je me répète cette phrase dans ma tête pour tenter de me convaincre à mon tour.

Après avoir fait la vaisselle, avant que le soleil ne se couche, je sors sur la galerie. Je m'assois sur la chaise berçante pour profiter de la nature avant qu'elle ne soit recouverte de neige. Je respire pour que l'air doux de l'automne pénètre profondément dans mes poumons, cet air aux senteurs de foin fraîchement coupé. Je me berce doucement sur la chaise de la Madeleine…

La Madeleine aimait passer de longues soirées sur cette chaise à attendre que le soleil se couche. Elle voulait profiter le plus possible de la lumière du soleil avant qu'il ne disparaisse à l'horizon, derrière la mer. Elle disait que le soleil était ce qui nous apportait le bonheur et que, tout comme les plantes, nous avions besoin de sa lumière pour pousser, pour grandir et pour devenir chaque jour nous-mêmes plus lumineux.

Le soleil descend rapidement et, après quelque temps, il ne reste plus qu'une mince bande orangée où il a pénétré dans la mer. Pour elle, ce doit être le moment le plus agréable de la journée : lorsque le soleil redescend enfin pour s'abandonner en elle l'espace d'une nuit. Lorsqu'il l'effleure doucement, et s'enfonce ensuite de plus en plus creux en elle. Lorsqu'elle l'enveloppe et qu'il la réchauffe jusqu'à la faire bouillonner à l'horizon. Et enfin, lorsqu'elle le possède complètement, lorsqu'elle peut le sentir en elle tout chaud et vivant. Lorsqu'il n'éclaire plus aucun arbre, aucun champ, aucun être vivant, et qu'il n'est plus qu'à elle, entièrement, en son ventre où il se love pour se refaire des forces jusqu'au matin…

* * *

Charles m'avait dit qu'il m'attendrait avec impatience jeudi, et c'est ce qu'il a fait. Mais moi, je n'y suis pas allée, ne sachant ce qu'il voulait de moi. Le jeudi suivant, j'étais prête à partir lorsque j'y ai renoncé de nouveau. Je ne pouvais me résoudre à lui rendre visite, alors que je savais pertinemment que sa femme était sortie. Charles, quant à lui, est venu à la maison au moins cinq fois depuis notre aventure dans la clairière, afin de s'assurer que l'état du Carol n'empirait pas. Ses visites étaient courtes et il semblait ne s'intéresser qu'à mon père. Mais, après l'avoir examiné, il me demandait de l'accompagner jusqu'à sa charrette, ne m'adressant la parole que pour me rappeler qu'il m'attendait toujours.

En ce premier novembre, je me rends au village. Le temps a changé radicalement depuis trois semaines. Il y a un mois, nous n'avions besoin d'aucun vêtement chaud. Aujourd'hui, le grand nordet m'a forcée à sortir mon manteau d'hiver. Traversant les rues, désertes comme celles d'un village fantôme, je ne rencontre âme qui vive. Les villageois auraient-ils tous disparus, emportés par la Faucheuse, pour avoir trop médit de moi? Où se cachent-ils déjà du froid dans leurs maisons, regardant discrètement par la fenêtre celle qui passe?

En montant les marches de la galerie, je regrette d'être venue jusqu'ici. Connaissant maintenant les désirs secrets de Charles, je tente le diable en osant venir chez lui en l'absence de sa femme. Je songe à faire demi-tour, mais une force me pousse à faire résonner le heurtoir. Maintenant, je ne peux plus reculer.

Il ouvre lentement la porte. Charles... Mon doux Charles... La seule vue de son visage me fait oublier mes regrets. Il me prie d'entrer, les yeux brillants et le sourire radieux. Je retire mes bottes, couvertes de la boue du chemin, et lui donne mon manteau qu'il suspend à un crochet du vestibule. Pour briser le silence, il me demande si l'état du Carol s'est aggravé, si sa toux sonne plus creux. Je lui dis que son état est toujours stable et que les médicaments contre la douleur semblent faire effet; il m'a dit souffrir beaucoup moins qu'auparavant.

Au lieu de me faire passer dans son cabinet, Charles m'emmène au salon. Je suis surprise par la beauté de cette pièce. Du temps du docteur Dufour, ce salon était beaucoup plus sobre. Je sens derrière chaque dentelle et chaque bibelot la touche personnelle de la belle Joséphine, qui a voulu apporter un peu de la grande ville dans cette maison de campagne. Je me dis que je dois maintenant paraître bien roturière aux yeux de Charles, dans ma cabane du bout de l'Anse, sans décorations ni belles couleurs comme ici.

— C'est Joséphine qui a choisi la décoration. Moi, je trouve que tous ces bibelots-là, ça fait un peu trop encombré. Je préfère les maisons plus simples, me dit-il comme s'il venait de lire dans mes pensées.

— Tu ne devrais pas te plaindre, Charles. Tu as une des plus belles maisons du village.

— Ouais… C'est vrai qu'elle est belle. Mais, d'ici, on ne peut pas regarder la mer assis sur la galerie.

— Ça, c'est bien vrai. C'est pour ça que je suis heureuse de ne pas vivre au village. Même si ça me fait un peu loin pour mes commissions, je ne déménagerais pas de la dernière terre pour venir ici. Quand j'ai besoin d'entendre la mer, de la voir ou de la sentir, je n'ai qu'à sortir de la maison et elle est là, couchée devant moi, prête à m'écouter. Au village, je me sentirais bien seule.

— À moins que tu te trouves un mari.

— Un mari, ce n'est pas si facile à trouver. Tous ceux qui me plaisent s'en retournent chez eux… ou bien ils sont déjà le mari d'une autre.

— Ça veut dire que je te plais? me demande Charles, de l'espoir dans les yeux.

Je ne lui réponds pas, examinant attentivement un vase à fleurs posé sur la table.

– Ce qu'on a fait dans la clairière, ça t'a plu? me demande-t-il encore.

– Ça m'a plu, et même un peu trop.

– Ah, Marie! Si je pouvais revenir en arrière, je ne commencerais jamais à courtiser Joséphine, et ce serait toi, ma femme. Après trois ans à Québec, je pensais que j'étais guéri de toi. Que tu n'étais plus qu'un beau souvenir d'enfance… Si j'avais su qu'en revenant ici je te trouverais encore plus fascinante qu'avant, belle comme une vraie femme, je n'aurais jamais touché à une autre que toi, et tu aurais été à moi.

– Je ne serai jamais à personne, Charles. Ni à toi ni à personne. Mais en attendant que je me trouve un homme, si tu veux, je peux être un peu à toi…

J'ai l'impression de n'être que le témoin de cette scène, comme si je n'y participais pas réellement. Ces paroles sont sorties toutes seules de ma bouche. Elles ne peuvent provenir de ma pensée, moi qui m'étais juré de ne plus jamais toucher à cet homme.

Charles me prend dans ses bras et me serre fort. Il me fait reculer de quelques pas et nous nous étendons sur le divan. Ses baisers sont encore plus passionnés que dans la clairière. Je le sens qui frissonne à chacune de mes caresses. Il agrippe mon sein qu'il serre au creux de sa main et passe son autre main dans mes cheveux qu'il tire par en arrière. Il embrasse mon cou et mon visage. Après avoir remonté ma jupe et retiré ma culotte, il baisse son pantalon et me prend violemment, comme s'il voulait se libérer de toute la frustration qu'il cache en lui.

Vas-y, Charles! Donne-moi toute ta haine! Donne-moi tes remords et ta frustration! Je suis une mer infinie et profonde qui peut envelopper tous tes regrets et te faire oublier. Je suis la mer de l'oubli. Viens, Charles! Perds-toi en moi! Je suis un puits que tu peux emplir de tous tes maux. Allez! Allez, Charles! Emplis-moi! Laisse s'échapper toute ta violence et prends-moi pour me guider dans l'étendue bleue… Prends-moi comme un homme et fais-moi sentir le remous de la mer déchaînée! Bois-moi, Charles! Je suis une source intarissable. Tu ne m'épuiseras jamais. Bois à ma source qui coule vers la mer! Vas-y, Charles! Lacère ma peau comme la terre fertile au printemps! Déchiquette-moi, perce-moi, trouble-moi! Je suis capable d'en prendre! Déchire-moi, fends-moi, arrache-moi! Je suis ta dernière terre, la dernière terre avant la mer. Celle que tu dois cultiver avec tes bras faits pour bêcher et tes mains faites pour cueillir. Viens épancher ton ressentiment contre mes falaises! Viens étancher ta soif de moi sur mon rivage! Je suis ta terre, ton puits, ta source!

Cette fois-là, lorsque Charles me prit, il me fit presque mal. Ses yeux brillaient d'un éclat inhabituel; je ne le reconnaissais plus. Mais ce fut aussi bon que la première fois, et je lui promis que l'on se reverrait avant la fin du mois.

* * *

Étendue sur ma paillasse, j'attends le sommeil comme un ancien amant qui ne reviendra jamais. Au plus profond du silence, j'imagine le son de sa voix et mes mains le cherchent sous les couvertures. Je sens ses doigts qui glissent sur ma peau et son sexe chaud dans mon ventre. J'ai encore le goût salé de son corps sur les lèvres. Je revois le feu dans ses yeux quand il fixe mes seins. J'entends la musique de nos deux cœurs battant en cadence. Même les pluies de l'automne n'ont pas su laver ma mémoire de son image…

Je m'habille rapidement et sors à l'extérieur. Je cours jusqu'à la falaise. La mer est calme et l'air est doux. Moi, j'ai de la fièvre dans tout le corps et je tremble. Je cours le long de la falaise. Je cours pendant un instant qui me semble interminable. Je cours jusqu'à ce que la falaise s'adoucisse et se transforme en un rivage. Je dépose mon châle, ma robe et mes bottes sur la grève.

Je suis nue et j'avance vers la mer. Mon corps est bouillant. Sur la surface de l'eau, les étoiles se reflètent par milliers, autour de la lune qui éclaire mes pas. La lune qui se reflète aussi dans la mer, comme un gros ventre bombé. Ce soir, la mer me montre son gros ventre rempli d'enfants à naître. Je pénètre doucement dans l'eau. Je sais qu'elle est glacée à cette époque de l'année, mais mon corps s'en trouve soulagé. J'entre au complet sous la surface de l'eau. Les étoiles deviennent floues et je me laisse flotter dans le grand silence de la mer. Je ressors la tête de l'eau et commence à nager. Je nage vers ce ventre lumineux au bout de l'horizon. Je nage vers ce ventre qui m'a portée. Ce ventre qui m'a abandonnée et que je veux retrouver.

Je veux retourner dans ton ventre, mère! Dans ton ventre où j'étais si bien, bercée par les vagues et par le vent. Dans ton ventre où je n'étais ni Marie la fière ni Marie la salope, mais la Marie de la mer! Dans ton ventre où j'avais toujours sur la langue ce goût de sel. Dans ton ventre où je n'étais pas obligée de me battre avec la terre pour qu'elle me nourrisse. Reprends-moi, mère! Je viens vers toi!

Soudain, le vent se lève et de fortes vagues se dressent sur la mer. Secouée de tous les côtés, je nage jusqu'au rivage. La mer ne veut pas de moi. Enfin, pas ce soir. Je remets ma robe, mon châle et mes bottes. Ma fièvre est complètement tombée. Je me sens bien. Je tente de revoir le reflet de la lune sur la surface de l'eau, mais elle est trop agitée : le ventre lumineux a disparu. Je repars vers la maison.

* * *

Un matin de la mi-novembre, alors que le soleil vient tout juste de poindre à l'horizon, j'aperçois la charrette de Charles qui s'en vient sur le chemin. Cela fait deux semaines que Charles n'est pas venu rendre visite au Carol, comme si ses précédentes visites n'avaient été que des prétextes pour me revoir. Il cogne trois coups et entre dans la maison, le sourire aux lèvres.

– Bonjour, Carol! Bonjour, Marie!

– Charles! dit le Carol. Qu'est-ce qui t'amène ici? Tu veux encore m'examiner?

150

– Non, pas du tout. Je partais pour Gaspé quand j'ai eu l'idée de demander à Marie si elle aimerait ça m'accompagner. Je vais rendre visite à mon cousin Alphonse, qui vient de quitter Québec pour s'y installer. Ils avaient besoin d'un nouveau croque-mort là-bas : les fils de l'ancien se sont tous exilés. Moi, je trouve ça bien : ça fait un Boileau de plus en Gaspésie! Comme je le lui avais demandé dans ma dernière lettre, il m'a acheté un nouveau stéthoscope avant de partir et il ne me reste plus qu'à aller le chercher chez lui.

– Un stéthoscope?

– Tu te souviens? C'est l'instrument qui écoute le cœur.

– Oui, oui! Je m'en souviens! Mais ta Joséphine ne voulait pas y aller avec toi?

– Non… Elle couve une grippe. Le grand air est donc à déconseiller pour elle. Mais toi, Marie, si ça te tente…

– Je comprends que ça me tente! Ça va me changer les idées. Si le Carol n'y voit pas d'inconvénients…

– Bien voyons, ma fille! Tu sais très bien que ce qui te fait plaisir me fait plaisir à moi aussi.

Afin de ne pas laisser le Carol trop longtemps seul à la maison, Charles arrête chez ses parents pour demander à ses frères et sœurs si l'un d'entre eux aimerait lui rendre visite et lui préparer son dîner et son souper. Nous sommes samedi et tous les enfants sont à la maison, excepté Pierre et Paul qui sont déjà montés dans les chantiers. Fernand se propose immédiatement, heureux de pouvoir s'occuper du Carol qui lui racontera de belles histoires. Heureux aussi de pouvoir se reposer de ses quatre cadets plutôt bruyants. Camille demande à sa mère si elle peut accompagner Fernand, mais celle-ci refuse, ayant besoin de son aide pour s'occuper de la marmaille et de l'ordinaire. Je dis à Camille qu'elle n'aura qu'à venir à la maison un autre jour, avec Rosalie, pour que l'on puisse jaser entre filles. Charles embrasse sa mère, puis nous repartons.

Traversant une nappe de brouillard, nous ne voyons pas à trois mètres devant nous. J'ai l'impression de ne m'être jamais levée. J'aimerais me réveiller sous un rayon de soleil et que ce soit encore l'été. Que les fleurs sauvages recouvrent les champs, que les oiseaux chantent de nouveau et que la mer soit assez chaude pour s'y tremper le bout des orteils. Déjà, la nature semble s'être endormie, engourdie par la fraîcheur de ce mois de novembre.

Nous traversons le village silencieux et nous engageons sur la route qui mène à Gaspé. Charles pose sa main sur ma cuisse ; il veut me sentir tout près de lui. Je me rapproche jusqu'à ce que nos cuisses se touchent et je nous enveloppe dans une grande couverture de laine. L'air frais me caresse le visage. Je sens qu'une autre bordée de neige va bientôt venir recouvrir la petite couche qui est déjà au sol. Cette année, l'hiver est arrivé bien vite. Personne ne croyait que la première neige allait rester, mais elle est toujours là. Elle s'accroche à la terre, bien décidée à ne la quitter que sous le soleil du printemps. Les grandes langues avaient peut-être raison : ce sera un hiver long et rigoureux. En attendant, je me réchauffe contre Charles qui tient les rênes d'une seule main.

Je me sens engourdie. Mon corps se laisse porter par les mouvements de la charrette. Je remercie Charles de m'emmener avec lui. L'espace d'un instant, j'imagine que nous quittons l'Anse pour toujours et partons vivre ailleurs, loin des mauvaises langues et des regards accusateurs. Nous embarquons, en ce matin brumeux, sur un immense navire qui transpercera le brouillard recouvrant la mer. Le brouillard qui recouvre l'Anse et ses habitants. Dans quelques semaines, nous foulerons de notre jeunesse pleine d'espoir la terre de l'Europe où une vie nouvelle nous attend…

En route, Charles me raconte des histoires de docteur. De temps en temps, il tourne la tête vers moi et me sourit. Il me dit qu'il a demandé à son cousin Alphonse d'acheter le meilleur stéthoscope. Le cœur est l'organe le plus important du corps humain et il se doit d'avoir ce qui se fait de mieux pour l'écouter. Je me dis que le cœur doit en effet être bien important pour qu'il aille parfois jusqu'à faire taire notre raison.

J'écoute mon beau docteur en regardant le paysage défiler. Parfois, je parviens à apercevoir un petit bout de la mer entre les arbres qui longent le chemin. Un infime morceau azuré qui brille au loin. Nous entrons à Gaspé vers une heure de l'après-midi. Nous arrêtons la charrette devant un petit commerce de la rue Principale. Sur la façade est écrit, en belles lettres rouges : APOTHICAIRE. C'est un magasin bien étrange. Derrière le comptoir sont alignés de nombreux flacons de médicaments, de toutes les grandeurs et grosseurs. À l'Anse, c'est Charles qui vend des médicaments aux villageois, mais ici, comme c'est une plus grande ville, les gens qui en ont besoin peuvent venir les chercher eux-mêmes. Sur le mur sont exposés trois instruments diffé-rents : un pour explorer le fond des oreilles, un pour examiner les yeux et un autre pour écouter le cœur. Ce doit être bien amusant de travailler avec ces drôles d'instruments pour lesquels j'échangerais volontiers ma charrue.

Charles se présente à l'apothicaire comme étant le nouveau médecin d'Anse-aux-Rosiers et lui donne ensuite la liste des médicaments dont il a besoin pour renouveler sa pharmacie. «C'est donc d'ici que viennent les médi-caments du Carol», me dis-je. Et je les reconnais lorsque l'apothicaire les remet à Charles, avec des dizaines d'autres bouteilles de produits qui doivent soigner les maux des autres villageois. Je me demande bien ce qu'ils ont tous pour avoir besoin d'autant de pilules.

Charles paye l'homme et le salue. En sortant du magasin, il me dit qu'on va maintenant rendre visite à son cousin Alphonse. Quelques minutes plus tard, nous nous re-trouvons à prendre le thé avec le croque-mort et sa femme, dans leur splendide maison sur le bord du fleuve. Je me demande comment ces gens font pour avoir le temps de prendre le thé l'après-midi. Lorsqu'on s'occupe de la terre, on ne peut pas souvent se permettre de passer des journées à bavarder en bonne compagnie; la terre ne peut pas attendre. Mais je dois avouer que je préfère jaser avec ma terre que d'écouter une bourgeoise me raconter comment elle a décoré chaque pièce de sa nouvelle maison. Charles remarque que je ne porte aucun intérêt à la conversation et me caresse la cuisse sous la table. Je lui souris.

Après le thé, Alphonse et Bérangère nous invitent à souper. Charles accepte leur proposition. Je le regarde, surprise. Sa Joséphine l'attend probablement à la maison et nous devrions repartir bientôt si nous voulons être à l'Anse avant la nuit. On cogne à la porte. Alphonse s'excuse et va ouvrir pendant que Bérangère nous quitte pour aller préparer le souper. Charles profite de l'absence de nos hôtes pour m'expliquer son plan.

— J'ai dit à Joséphine que, comme je venais à Gaspé, je rendrais visite à Alphonse, et passerais probablement la journée et la nuit chez lui pour l'aider à s'installer un peu.

— Tu veux dire que tu n'es pas attendu à l'Anse?

— Non.

— Mais moi, oui. Je ne peux pas laisser mon père passer la nuit tout seul.

— J'ai dit à Fernand de dormir chez toi si on ne revenait pas avant la nuit. Lui aussi, il pense qu'Alphonse a besoin d'aide.

— Te rends-tu compte que tu as menti à toute ta famille juste pour dormir ici?

— Pour dormir avec toi, tu veux dire.

— Mais Alphonse et Bérangère n'accepteront jamais que deux jeunes gens pas mariés couchent ensemble sous leur toit.

— Mais je suis marié, moi. Et Alphonse croit que c'est à une Marie, pas à une Joséphine. Tu comprends?

— Je comprends que tu iras en enfer pour des mensonges comme ceux-là, Charles Boileau!

— L'enfer, ce n'est rien si je peux passer ne serait-ce qu'une nuit avec toi... m'endormir à tes côtés...

Alphonse revient accompagné d'un jeune homme, son voisin Théophile, qu'il a aussi invité à souper. Les trois hommes se mettent à discuter de politique et je vais aider Bérangère à la cuisine. Durant le repas, Alphonse propose à Charles de rester à coucher, puisqu'il est déjà trop tard pour reprendre la route ce soir. Charles me regarde avec un sourire complice; son plan fonctionne. Je me sens rougir. Que diraient ces bourgeois s'ils savaient que nous ne sommes pas mariés, et qu'en plus Charles commet l'adultère? Je parie que Bérangère serait traumatisée, mais que son tendre époux ne serait pas affecté. Il a le regard d'un homme qui aime séduire les femmes, toutes les femmes. À mon arrivée, cet après-midi, il m'a déshabillée du regard. Ses yeux sont remplis de désir pour moi, à un point tel qu'il ne regardait même plus sa femme à l'heure du thé. Il a le regard d'un homme infidèle. Je sens presque la bête en lui, prête à me sauter dessus. Je plains sa pauvre femme qu'il ne doit plus jamais regarder ainsi.

À l'heure du coucher, Bérangère nous montre notre chambre. Elle est à l'étage alors que celle de nos hôtes est au rez-de-chaussée. Je vois dans le visage de Charles qu'il est heureux de cette distance. Il a envie de moi, tout comme Alphonse qui devra cependant se contenter de celle qu'il a choisie. Je n'ai bien sûr pas emporté de chemise de nuit, mais je me déshabille sans pudeur et me glisse dans la chemise de Charles, beaucoup trop grande pour moi. Je pense au curé et aux vieilles du village. Ils seraient si révoltés de nous voir ainsi que nous serions bannis à jamais d'Anse-aux-Rosiers. Mais ils sont tous bien loin d'ici.

Charles enfile un pyjama prêté par Alphonse et vient me rejoindre sur le lit.

– C'est peut-être la seule chance que j'aurai jamais de dormir avec toi, Marie.

– Tu veux dormir?

– Euh… non. Pas tout de suite.

– Moi, je veux écouter ton cœur, lui dis-je en allant chercher son nouveau stéthoscope.

J'ouvre les pans de son pyjama et je place le stéthoscope dans mes oreilles, posant l'autre bout sur sa poitrine. Bou-boum. Bou-boum. Bou-boum. Son cœur est bien vivant, et chacun de ses battements est pour moi. Il est débordant de passion, ce qui le rend aussi gravement malade. Il suffoque dans sa poitrine et je ne pourrai jamais le guérir…

Je donne le stéthoscope à Charles, qui écoute mon cœur. Celui-ci bat aussi à toute vitesse, mais pour d'autres raisons. Perdu dans le temps, il oublie ce qui le fait souffrir et tous ceux qui le condamnent. Perdu dans l'espace, il prend de l'expansion jusqu'à ressentir les spasmes d'une liberté absolue. Perdu dans la nuit, il me porte vers les étoiles en un long frisson extatique.

Alors que Charles me prend, je sens le violent va-et-vient de la mer qui se déchaîne et s'abat sur la falaise. Je ferme les yeux et je vois le visage d'Antoine.

Un visage resurgi du passé, dans cette chambre isolée où le temps et l'espace se confondent avec la nuit.

Un corps resurgi du passé parce que je n'ai pas su l'oublier.

Je garde les yeux fermés pour sentir sa chaleur tout au fond de mon ventre. Pour sentir son fantôme qui me recouvre tout entière. Mon sexe est inondé par des vagues de plaisir. Après quelques instants, je pense que cette sensation va diminuer, mais elle ne fait que s'amplifier, envahissant tout mon corps. Je donne des poussées avec mes hanches pour qu'il me pénètre avec encore plus de vigueur. Je m'abandonne tout entière au grand frisson, me donnant à un fantôme qui n'a fait que traverser ma vie…

Cette nuit-là, Charles a senti que je n'étais pas toute à lui. Que j'avais quelqu'un d'autre au fond des yeux. Mais cela ne l'a pas empêché de me prendre plusieurs fois, insatiable; de me prendre tout ce que j'ai pour que je n'aie plus rien à offrir à personne; de me prendre jusqu'à m'épuiser. Je le laisse faire. À quoi bon me garder pour un autre, pour celui qui est parti, puisqu'on ne sera jamais ensemble? Antoine… Mon Antoine qui sait prendre les femmes… Qui me fait ressentir le mouvement des vagues avec son sexe dressé qui s'acharne en moi, dur comme un rocher et puissant comme une charrue qui laboure les champs. Antoine, mon faux pêcheur arrogant. Antoine qui a déjà traversé l'océan. Antoine, mon bel avocat, qui épousera probablement une fille de la grande ville.

L'homme qui a volé mon cœur est reparti comme il est venu, comme l'été qui passe…

* * *

Aujourd'hui, nous avons eu droit à une autre belle bordée de neige. Comme une enfant, je suis sortie à l'extérieur, et, les yeux tournés vers le ciel, j'essayais d'attraper des flocons avec ma langue. Comme une enfant, je ne me soucie pas des longs mois qui s'en viennent, chargés de noirceur et de froid.

Avec le mois de décembre qui arrive, j'ai beaucoup moins de travaux à faire. Je tricote pour passer le temps : des mitaines, un foulard, un chandail, des nouveaux sous-vêtements pour le Carol ainsi qu'une grosse paire de chaussons de laine brute pour être au chaud jusqu'au printemps. Et le reste du temps, je joue aux cartes avec le Carol ou travaille à mon trousseau de noces, enjolivant la literie ou les nappes de quelques broderies.

Charles est venu examiner mon père deux fois depuis notre escapade à Gaspé. Son état s'aggrave de jour en jour, mais le Carol ne paraît même pas inquiet. Il dit qu'il a hâte d'aller retrouver sa Madeleine. Moi, j'ai le cœur serré en pensant qu'il pourrait me quitter un jour, même si je sais qu'il sera mieux au ciel, avec ses deux jambes pour courir et sa Madeleine à aimer.

Ces deux visites au Carol m'ont permis de passer encore un peu de temps avec Charles. Nous avons discuté longuement sur la galerie, bien emmitouflés dans nos manteaux d'hiver. Je sentais qu'il avait encore envie de moi.

Chaque fois, il a pris mes mains dans les siennes et les a embrassées. Ses baisers me disent qu'il attend avec impatience que j'aille le visiter de nouveau. Mais il comprend que je ne veuille pas laisser le Carol seul à la maison. Je lui ai tout de même promis d'aller me faire examiner bientôt.

* * *

Tout essoufflée, je cogne à la porte de chez Charles. En m'apercevant, son visage s'illumine.

– Marie, enfin…

– Charles! Vite! Je suis allée quérir de l'eau, puis, lorsque je suis revenue, le Carol était inconscient. Il ne respirait presque plus! Vite!

Charles agrippe son manteau et nous sautons dans sa charrette. La route me semble interminable; j'ai l'impression que nous n'avançons pas. En entrant dans la maison, Charles ouvre sa trousse et sort son instrument pour écouter le cœur. L'instrument qui a écouté mon cœur qui battait si fort et qui, maintenant, écoute le pauvre cœur du Carol qui n'a pas tenu tête à la maladie…

Des larmes coulent le long de mes joues. Mon cœur s'est arrêté de battre un instant lorsque j'ai vu son visage blanc et sans vie. Son visage qui arbore un sourire de soulagement. Je le soupçonne d'avoir voulu partir. D'avoir voulu retrouver enfin son grand amour. Entre mes sanglots, je dis à Charles que l'amour peut être cruel. Cruel pour ceux qui restent. Il me prend dans ses bras.

Une fois calmée, je m'approche du Carol et lui donne un dernier baiser sur les lèvres. Un dernier baiser à cet homme qui aurait bien pu être un étranger pour moi, si sa belle Madeleine ne m'avait pas recueillie et ramenée à la maison. Cet homme qui, même après la mort de celle qu'il aimait, m'a toujours regardée grandir avec de l'amour dans les yeux. Je serre dans mes bras cet homme qui m'a élevée seul et a fait de moi la femme que je suis. Et je sens bien qu'il regrette de m'avoir quittée pour sa Madeleine, mais que c'était plus fort que lui.

Charles me prend par les épaules et me ramène chez lui. Il m'étend sur le divan et se charge de contacter ceux qui vont maintenant s'occuper de mon père. Joséphine vient me voir avec du thé. Elle est douce et chaleureuse. Elle s'assoit à mes côtés et me prend la main. Elle me dit que je peux rester ici aussi longtemps que je le voudrai, si je ne veux pas retourner seule à la maison. Elle va préparer la chambre d'amis pour moi. Je la remercie de son hospitalité et de sa gentillesse. Charles revient et me dit que le curé se charge d'annoncer la triste nouvelle au village cet après-midi et que, demain, nous irons à l'église pour rendre un dernier hommage au Carol.

Comme si une vie ne s'était pas éteinte aujourd'hui, nous continuons notre journée. Après le souper, je passe au salon avec Joséphine. Nous discutons toute la soirée, sous l'œil de Charles un peu surpris de nous voir ainsi bavarder comme de vieilles amies. Je découvre que Joséphine, malgré toutes ses connaissances, n'est pas une prétentieuse. Je me l'étais imaginée regardant de haut les femmes de la campagne mais, au contraire, elle m'écoute avec intérêt lorsque je lui parle de la terre que je cultive. C'est une femme bien douce, qui mériterait tout l'amour que Charles peut lui donner. Mais on n'aime pas les gens que l'on décide d'aimer, on aime ceux qui volent notre cœur...

Je discute jusqu'à minuit avec Joséphine qui réussit à me faire oublier ma peine. Charles monte se coucher et nous le suivons. Joséphine me montre la chambre d'amis. Elle dit qu'elle l'appelle ainsi maintenant, mais qu'elle a bien hâte de l'appeler «la chambre des enfants».

Je m'endors dans le lit du futur enfant de mon amant, et dors comme un bébé, comme si mon père, qui n'a jamais fait d'enfant à ma mère, n'était pas mort en cette première journée du dernier mois du siècle.

* * *

Après un copieux déjeuner préparé par Joséphine pour que j'aie la force d'affronter ce pénible avant-midi, nous partons rendre un dernier hommage à mon père. Dans la rue, de nombreux villageois marchent aussi vers l'église. Ils me regardent avec des yeux tristes. Ils ont déjà tous oublié ce que j'ai fait dans cette même église. Je ne suis plus Marie la salope.

À l'église, je m'assois dans le premier banc, avec Rosalie, Émile, Charles et Joséphine. Malgré tous ces amis, je me sens bien seule. Je n'ai aucun homme pour me réconforter, pour serrer bien fort ma petite main dans la sienne. Rosalie prend ma main. Une main de femme, c'est compréhensif et ça console facilement. Mais ça ne caresse jamais comme une main d'homme, et ça ne rassure pas, et ça ne nous protège pas du monde qui s'écroule sous nos pieds.

Le curé parle longuement du bon Carol, comme s'il l'avait bien connu. Mais personne ne connaissait réellement le Carol. S'il nous regarde en ce moment, il doit bien rire de «la soutane», comme il aimait tant l'appeler, la soutane qui ne se doutait pas que mon Carol était bien content de ne plus pouvoir se rendre à l'église depuis que ses jambes étaient paralysées.

Après la messe, nous suivons le cercueil jusqu'au cimetière. Je suis triste, mais je retiens mes larmes. J'ai pleuré mon père hier. Aujourd'hui, je lui dis que je suis contente qu'il aille retrouver sa femme, sa belle Madeleine. Moi, il me reste aussi à trouver mon homme avant d'aller les rejoindre.

On transporte le Carol dans le charnier. Il y sera bien au chaud pour cet hiver, et à l'été, lorsque le sol ne sera plus gelé, on ira le coucher dans cette terre de la Gaspésie qui ne l'a pas vu naître mais qui l'a vu mourir, et où je suis certaine qu'il sera fier d'être enterré. Je dépose une fleur sur son cercueil, pour qu'il n'arrive pas les mains vides devant son grand amour.

Tous les villageois viennent m'offrir leurs condoléances. Certains me disent un petit mot et repartent rapidement, tandis que d'autres me parlent longuement, en me disant des mots d'encouragement et en me serrant les mains, les yeux remplis de remords comme s'ils s'en voulaient de m'avoir injuriée, maintenant que je suis en deuil. À leurs yeux, je ne suis plus Marie la salope. Je suis Marie la solitaire. La pauvre Marie qui a perdu sa mère à dix ans et qui vient maintenant de perdre son père. Marie la solitaire qui cultivera encore sa terre au printemps, sans jamais se plaindre et sans jamais baisser la tête, mais sans son Carol pour lui raconter des histoires.

Après les funérailles, je vais chez Rosalie, qui a convaincu son grand frère que je serais mieux chez elle. Les yeux de Charles me disent qu'il aurait aimé que je dorme encore chez lui, pour sentir ma présence, mais qu'il n'a pas osé insister devant sa sœur, qui sait deviner ses pensées secrètes. Avant de m'endormir, j'égrène un chapelet pour mon Carol, bien plus heureux où il est. En rendant son âme à Dieu, il a choisi de rejoindre enfin sa Madeleine, mais il me laisse seule avec une grande maison bien vide.

«Marie… Marie…» On m'appelle dans les rues du village. Une voix de femme. La voix de la Madeleine. «Marie… Marie la solitaire… viens dans le cimetière.» Je cours dans les rues du village jusqu'à l'entrée du cimetière. Il fait froid et une neige fine tombe sur mes épaules. J'ouvre ma main pour voir les flocons qui s'y déposent. En quelques secondes, ma main se remplit de neige. «Marie… Marie… tu ne seras plus jamais aussi salope… Marie la solitaire…» J'avance dans l'allée du cimetière. Je sens des regards posés sur moi. J'entends des voix qui murmurent. Je marche jusqu'à la tombe du Carol. Sur la pierre est écrit mon nom. «Cache-toi, Marie… Cache-toi sous la neige… Cache-toi sous la terre… Viens hiberner. L'hiver sera dur et tu seras bien avec nous.» Je ne veux pas de l'hiver et du froid. Je ne veux pas de la nature fanée. Je veux danser pour le soleil et pour les pêcheurs. Je laisse tomber la neige de mes mains et elle percute le sol dans un bruit de vitre cassée : chaque flocon est devenu une larme de glace. Je sors du cimetière et cours jusqu'au quai. L'eau est gelée, mais elle est toujours aussi belle, et

je la sens qui bouge sous l'épaisse couche de glace. «Marie...
Marie la solitaire... tu es toute seule pour cultiver la terre.»
Je regarde à l'horizon. À l'endroit où le soleil se couche habituellement, la lune sort de la mer, comme un gros ventre bombé,
et monte doucement dans le ciel. Je touche mon ventre et mes
seins. J'ai hâte que la glace fonde et qu'il en sorte des milliers
d'enfants. Des gouttes d'eau salée commencent à couler le long
de mon visage. Elles coulent dans le creux de mon cou, roulent
sur le bout de mes seins, glissent le long de mon ventre et le
long de mes cuisses jusque sur le quai où elles disparaissent entre
les planches de bois. Chaque goutte retourne à la mer avec un
petit bruit différent; les uns après les autres, ces bruits amènent
un air de piano à mes oreilles. «Marie... tu ne seras plus jamais
aussi salope. Marie la solitaire...» Je sens son souffle derrière
moi. Je me retourne brusquement. Je suis seule au bout du quai.
Je retourne au village et écoute les villageois qui parlent de moi.
Marie la salope qui embrassait les garçons dans l'église. Marie
qui a couché avec le docteur, qui donne des envies à tous les
hommes, qui les détourne du droit chemin, et dont tout le
monde a pitié. Marie qui n'a plus son Carol ni les vagues de
la mer pour consoler son cœur. Je ne veux plus les entendre et
entre chez Charles. Je sens son souffle dans mon cou. Je tombe
par terre. Je vois son ombre qui s'approche de moi. Et toujours
ces voix qui murmurent. «Marie la solitaire... retourne à la
mer...» Je veux être seule, être seule jusqu'à ce que le soleil
revienne. Je ressors de chez Charles et rentre tranquillement à
la maison, sur la dernière terre avant la mer. «Tu ne seras plus
jamais aussi salope, Marie...»

Marie la solitaire

Je suis Marie. Pas celle qui a enfanté le Messie, mais la petite Marie de la Gaspésie. Marie la solitaire. La Faucheuse m'a enlevé mon père et l'hiver m'a repris ma terre. Alors j'attends le retour du printemps pour danser de nouveau sous le soleil et courir pieds nus dans l'herbe. Je suis Marie la solitaire, les mains gelées et les cheveux couverts de neige, qui s'en retourne vers la mer, loin du village et loin des hommes.

Le grand nordet souffle dans mon dos, me poussant sur le chemin de la maison. Émile a insisté pour venir me reconduire en Gaspésleigh, mais j'ai refusé. Je tenais à marcher. J'avais envie de voir les flocons tourbillonner autour de moi, de les sentir fondre sur mon visage et d'entendre le bruit du vent caressant les arbres et la clôture le long du chemin. J'avance en contemplant le paysage féerique de la nature recouverte de neige telle une jeune fille en robe blanche. Je traîne lentement mes pieds sur le sol pour sentir la neige qui tente de me retenir. Elle s'accroche à mes pieds pour m'empêcher de marcher, pour me garder avec elle, comme ma Rosalie qui ne voulait pas que je parte, que je retourne à la maison, seule avec mes souvenirs. Ma belle Rosie qui voulait me retenir, pour m'avoir toute à elle encore quelque temps, pour bavarder comme lorsque nous étions petites, étendues sur son grand lit, nous imaginant des histoires impossibles. Mais j'avais besoin de me retrouver seule, chez moi où le silence n'est rompu que par le bruit des vagues caressant la falaise. Alors je relève la tête et j'accélère le pas.

En ouvrant lentement la porte de la maison, j'ai, l'espace d'un instant, l'impression que le Carol va être là, étendu sur son lit, souriant. En suspendant mon manteau enneigé à un des crochets du vestibule, j'entends presque sa chaude voix qui me salue, me priant de venir m'asseoir à ses côtés pour lui raconter ma journée. Mais la maison est silencieuse. Et le lit est vide. Les hommes qui sont venus le chercher pour le coucher dans son nouveau lit ont bien replacé les couvertures. Si bien que l'on ne pourrait pas dire qu'un homme y a passé dix ans de sa vie.

Ayant un peu négligé mon ménage depuis quelques semaines, je remarque que la poussière s'est accumulée, formant des moutons grisâtres dans tous les recoins. Pour me changer les idées, je décide d'effectuer un grand nettoyage. Je remplis une chaudière d'eau, sors mon savon brut et ma brosse, et frotte toute la place : les murs, les meubles, les vitres. Je n'arrêterai pas avant d'avoir débarrassé la maison de toute sa crasse.

C'est une eau presque noire que je jette par-dessus la galerie, salissant la neige immaculée. Le soleil est couché depuis quelque temps déjà lorsque je dépose enfin ma guenille en lambeaux au fond de ma chaudière. Les muscles endoloris et les mains gercées par l'eau froide, je vais m'asseoir dans ma chaise berçante, sous mon épaisse couverture de laine. Le sifflement du vent qui frôle la maison, telle une symphonie hivernale, empêche le grand silence de s'installer entre mes quatre murs.

Assise dans la lumière de la fenêtre, je savoure un des quelques livres qu'Isidore m'a prêtés pour l'hiver. Ayant prévu que je viendrais acheter quelques provisions chez lui avant de rentrer, il m'avait préparé un sac contenant quelques livres de son père et un petit paquet de bonbons variés, me démontrant ainsi que notre amitié lui tenait encore à cœur et qu'il m'avait pardonné de ne pas l'aimer comme il m'aime. Des bonbons pour sucrer mes après-midi amers, et des livres pour combler ce vide qui m'envahit peu à peu.

Le soleil disparaît lentement dans la mer; c'est déjà l'heure du souper. Je n'ai aucune envie de faire la cuisine. Le repas a toujours constitué pour moi une célébration, un moment privilégié me permettant de passer du temps avec ceux que j'aime. À quoi bon préparer des bouillis de légumes, des ragoûts de pattes ou des soupes à l'orge si je n'ai personne avec qui les partager? Je me contente alors d'une assiettée de soupane… avec une grosse cuillerée de mélasse pour me réconforter. Exténuée d'avoir tant frotté, je vais m'étendre sur mon lit. Bien vite, je sombre dans le sommeil, les yeux bouffis d'avoir une dernière fois pleuré mon père disparu.

Le lendemain à la première heure, je retourne au village annoncer que le grand lit en chêne du Carol est à vendre, à laisser au plus offrant. On pourrait croire que les gens ne voudraient pas du lit d'un mort, mais au contraire. M. Leblanc, qui vient immédiatement chercher le lit, me dit que ce sera comme la présence d'un ange pour son fils à naître. Les gens du village devaient bien aimer le Carol pour le voir maintenant pareil à un ange veillant sur leurs enfants. Avec l'argent du lit, j'achète quelques présents en prévision de Noël.

Et les journées passent. Je laisse s'égrener le temps tel un chapelet entre mes doigts. Ma porte est close et mon cœur est gelé. Mais malgré moi, lorsque le jeudi après-midi arrive, je suis incapable de me concentrer sur ma lecture. Je ferme mon livre tous les quarts d'heure et me demande si Charles m'attend. J'imagine son visage radieux lorsqu'il ouvre la porte et m'aperçoit. Sur cette pensée, je plie ma couverture et enfile mes bottes. Mais je revois alors sa belle et charmante Joséphine qui m'apporte un thé bien chaud et prend ma main dans la sienne pour me consoler. Me résignant à ne plus revoir Charles, je me déchausse et reprends place dans ma chaise berçante. Quinze minutes plus tard, les mêmes pensées me reviennent à l'esprit et je me surprends à refaire les mêmes gestes. Et je termine cette journée en me demandant si je vais passer l'hiver à me chausser et à me déchausser pour un homme qui en a épousé une autre…

Par un bel après-midi ensoleillé, alors que je m'apprête à sortir pour aller chercher de l'eau, une Gaspésleigh s'immobilise devant la maison. Émile en descend.

– Salut, Marie! Rosalie m'envoie te quérir. C'est Noël dans six jours et elle veut que tu viennes passer le temps des fêtes à la maison. Toi, tu es toute seule ici comme un ermite, et elle, elle est toute seule à la maison parce que j'ai beaucoup d'ouvrage au magasin. Ça fait que, si tu veux, tu peux venir vivre chez nous jusqu'en janvier.

– C'est vraiment gentil à vous deux d'avoir pensé à moi, mais je ne suis pas certaine que c'est une bonne idée.

– Ne t'imagine pas des affaires, Marie. Ce n'est pas par pitié que je t'invite, c'est pour distraire ma belle Rosalie, tu comprends?

– Bon… si tu dis que Rosalie s'ennuie, je peux bien aller vivre chez vous pour un petit bout de temps.

Émile entre dans la maison pour chauffer ses briques dans le poêle. Pendant ce temps, je fais ma valise, emmenant mes cadeaux de Noël pour la famille Boileau ainsi que ma plus belle robe en prévision du réveillon. Avant de quitter la maison, je m'assure que toutes les fenêtres sont bien fermées, pour que le vent ne soit pas tenté de s'y engouffrer en rafales, tourbillonnant gaiement comme des enfants qui jouent.

Émile replace les briques chauffées au fond de la Gaspésleigh et nous nous recouvrons les cuisses de chaudes peaux de mouton. Au claquement du fouet, Dolly hennit et se met en route. Je me sens immédiatement le cœur plus léger : pour la première fois depuis plusieurs jours, je pourrai partager mon repas du soir avec des êtres chers. En route, Émile me dit que Rosalie et moi allons pouvoir être ensemble tous les jours, excepté jeudi; accompagnés de la famille Boucher, ils iront rendre visite à son oncle qui habite Paspébiac.

– Si tu ne veux pas rester seule à la maison, le frère de Rosalie pourra toujours te tenir compagnie; sa femme pique une courtepointe avec les femmes du village tout l'après-midi, me dit-il, ignorant l'étrange relation que j'entretiens avec son beau-frère.

– Non, non. Ce n'est pas nécessaire. J'aime bien un peu de solitude de temps en temps; et ça me permettra de lire un peu.

Émile se contente de mon explication, ne se doutant pas un instant qu'il tenterait le diable en demandant à Charles de venir me distraire. Pour le reste du voyage, il m'entretient des affaires du magasin et des plans qu'il a faits avec Rosalie. Il aimerait bien qu'elle soit grosse le plus vite possible, pour qu'elle accouche à l'automne, juste après les récoltes et juste avant les grands froids de l'hiver.

Alors qu'Émile me débarrasse de mon manteau, j'entends Rosalie qui dégringole l'escalier pour venir m'accueillir chaleureusement. Belle Rosalie aux cheveux comme les blés bien mûrs... Douce Rosie, ma tendre amie qui m'embrasse sur les lèvres... Radieuse Rosalie, fille du Soleil, qui aime sa Marie de la mer autant que son mari...

Émile monte ma valise dans la chambre d'amis et s'excuse de nous quitter si vite; le travail l'appelle au magasin. Rosalie l'embrasse rapidement sur la joue et me prend par la main pour m'entraîner au salon. Elle a une surprise pour moi, dit-elle. M'attendant à savourer des galettes ou un bon thé bien chaud, je reste éberluée devant Charles et Joséphine assis sur le divan. Ils se lèvent pour venir m'embrasser. Sachant qu'Émile était allé me chercher, ils sont venus jouer quelques parties de cartes avec nous.

Nous nous installons autour de la table du salon. Rosalie, prévoyante comme à l'accoutumée, nous sert des galettes à la mélasse, mon dessert préféré. Je fais équipe avec Charles, qui s'assoit en face de moi. Ainsi, je peux admirer ses grands yeux verts aussi souvent que je le désire, sans même avoir à tourner la tête. Je sens son pied qui touche le mien sous la table et je lis dans son regard qu'il ne pense pas vraiment quelle carte il va jouer. Il songe à ce terrible secret que nous partageons et que personne ici ne connaît. Un précieux secret que j'ai enfoui profondément en moi et que je repasse parfois dans ma tête, assise sur la galerie, lorsque le soleil disparaît dans la mer.

Nous jouons quatre parties que Charles et moi perdons toutes. Joséphine et Rosalie sont fières de leur victoire sur Charles qui, d'ordinaire, est un très bon joueur de cartes. Malgré ces défaites humiliantes, Charles rit de bon cœur. Il a d'autres raisons d'être joyeux.

L'horloge grand-père sonne cinq coups. Emportés par le plaisir du jeu, nous n'avons pas vu le temps passer. Alors que Charles et Joséphine songent à rentrer chez eux, Rosalie leur propose de rester à souper. Charles semble bien heureux de pouvoir s'attarder chez sa sœur plus longtemps. Joséphine et moi offrons en même temps à Rosalie notre aide pour la préparation du repas. Celle-ci accepte l'aide de Joséphine, mais me dit de rester au salon pour tenir compagnie à son frère. Je la soupçonne de vouloir s'entretenir avec sa nouvelle belle-sœur seule à seule, question de pouvoir ensuite potiner avec le reste de la famille.

Seuls au salon, Charles et moi entreprenons une autre partie de cartes, un duel qui m'apparaît plutôt excitant. Dès les premières brassées, je me surprends à me délecter de chaque point que j'amasse. Plus les points s'accumulent et plus je sens la tension qui monte. Nous jetons nos cartes sur la table avec enthousiasme et chaque point gagné nous donne l'impression d'acquérir du pouvoir sur l'autre. Notre inoffensive partie de cartes devient bien vite un machia-vélique jeu de pouvoir. Je sens que Charles prend plaisir à m'affronter; il veut me battre. Il espère jouer mieux que moi pour pouvoir enfin me dominer. Je vois dans ses yeux qu'il veut me soumettre, me surpasser, me maîtriser, me posséder. Il veut être le plus fort, comme tous les hommes, de tous les pays, de toutes les époques, depuis le début des temps. Le plus fort. Il veut se rendre maître du jeu et de la femme qu'il désire. Une victoire serait pour lui la preuve de sa suprématie.

Mon excitation est à son comble. C'est avec les mains moites et la gorge sèche que je dépose ma dernière carte sur la table. Charles s'esclaffe en déposant la sienne. Il gagne.

Nous restons là, sans bouger, à nous regarder dans les yeux. Lui, fier de sa victoire, et moi, émue par ce nouveau sentiment qui m'envahit. Après ma défaite, même si cela est contraire à tout ce que je suis, à tout ce que j'aspire être, j'ai envie que cet homme me soumette. Pour la première fois de ma vie, je désire qu'un homme me domine et me possède. Je reste immobile, figée de stupeur devant cet étrange désir. Je reste muette, ne sachant comment lui exprimer cet élan. J'ai envie d'être à lui…

Nous sursautons en entendant la voix perçante de Rosalie qui nous annonce que le souper est servi.

* * *

Le surlendemain, Rosalie et Émile partent pour Paspébiac aux premières lueurs du soleil. Je suis heureuse de pouvoir entreprendre ma lecture du magnifique récit de Jules Verne qu'Antoine m'a donné. Après avoir fait la grasse matinée, je mets une grosse bûche dans le poêle et m'installe confortablement dans le fauteuil, une tasse de thé à portée de la main. Je n'ai pas lu vingt lignes que l'on cogne à la porte. Je dépose mon livre sur le fauteuil et vais ouvrir.

Charles entre précipitamment, secoué par une bourrasque de vent qui fait pénétrer de la neige dans le vestibule. Je referme rapidement la porte et débarrasse Charles de son long manteau.

– Salut, Marie. Rosalie m'a dit que tu serais seule aujourd'hui. Veux-tu que je te tienne compagnie?

– Tu es fin, Charles, mais ce n'est pas nécessaire. Je venais juste de plonger dans un bon livre.

– Eh bien, si tu n'as pas besoin de compagnie, moi, j'en ai besoin! Joséphine travaille encore à sa courtepointe et je n'ai aucune visite à faire aujourd'hui.

Avant que je n'aie le temps de trouver d'autres arguments pour le renvoyer chez lui illico, Charles propose que nous jouions de nouveau aux cartes. Je songe à protester, mais notre dernière partie me revient à l'esprit. Sa victoire l'avait rendu bien trop fier. Je dois prendre ma revanche.

Je fouille dans le premier tiroir de la commode et en ressors un jeu. Charles distribue les cartes, le regard pétillant comme celui d'un enfant devant l'arbre de Noël. Malgré mes efforts pour ne pas prendre cette partie au sérieux, je sens encore une fois la tension qui monte. Mes joues prennent de la couleur, mon cœur cogne fort dans ma poitrine. Devant les cartes qui tombent, je tente désespérément de garder mon sang-froid. Charles sourit de toutes ses dents et semble prendre un malin plaisir à faire tous les points. Tous les points, les uns après les autres. Lorsque ma dernière carte touche la table, il me regarde d'un air arrogant.

— Je t'ai battue encore une fois, dit-il avec un air victorieux, l'orgueil lui sortant par les oreilles. Qu'est-ce que je gagne?

— Tu ne gagnes rien du tout, Charles Boileau! dis-je en croisant les bras. Ne te pense pas le meilleur simplement parce que tu as remporté une partie.

— Moi, je pense que ma victoire me donne le droit de te faire… ce que je veux!

— C'est ce que tu penses? Pour ça, il va falloir m'attraper!

Je me lève d'un bond et sors du salon à toute vitesse. Charles se lance à ma poursuite. Je traverse le corridor à vive allure et monte l'escalier. Charles grimpe les marches quatre à quatre et réussit presque à me rattraper, mais je me faufile dans la chambre d'amis. Je ferme la porte et m'accote contre elle. Charles pousse de toutes ses forces.

— Non! Arrête! Tu n'as pas le droit! C'était juste une partie de cartes! dis-je en riant.

— Attends que je t'attrape! Tu vas voir si c'était juste une partie de cartes!

Je ne peux plus supporter la pression de Charles sur la porte; je me tasse rapidement contre le mur. La porte s'ouvre brusquement et Charles s'affaisse sur le plancher de la chambre. Il se relève et ferme la porte derrière lui.

Ses yeux brillent d'une lueur étrange, presque effrayante. Je me demande quelles pensées peuvent bien illuminer son regard ainsi.

– Tu as voulu me faire courir… Tu vas payer pour ça! dit-il en m'agrippant.

– Non! Arrête! dis-je en riant encore et en tentant de me libérer.

Il me jette sur la paillasse, s'assoit sur moi et m'immobilise. Dans une seule de ses mains, il réussit à tenir mes deux poignets bien serrés. Mes rires cessent. Avec sa main libre, il détache sa ceinture, qu'il passe autour de mes poignets et attache à la tête de lit. Il fait tout cela si rapidement qu'il est trop tard lorsque je prends conscience que je suis maintenant à la merci de ses fantasmes.

– Tu ris moins, maintenant! Hein, Marie? Maintenant que je peux vraiment te faire ce que je veux!

Je reste muette, ne sachant que lui répondre. Je tente de dégager mes poignets et constate que je suis solidement attachée. Je me surprends à craindre ce qu'il pourrait me faire. J'ai bien connu l'enfant, mais l'homme qu'il est devenu reste un mystère pour moi. Et s'il était plus fou que je ne le pensais?

Il détache brusquement les boutons de mon chemisier. Pendant qu'il glisse ses doigts sur le bout de mes seins, je souhaite que tout cela ne soit qu'un jeu, un jeu comme lorsqu'il prenait plaisir à nous effrayer, Rosie et moi, dans la clairière. Un jeu pour nous faire battre le cœur un peu plus vite, un peu plus fort. Il remonte ma jupe et enlève ma culotte. Je sens mon cœur battre jusque dans mon sexe qu'il caresse avec fougue.

– Si tu ne cries pas, je ne te ferai pas mal, me dit-il.

Ses paroles m'excitent au plus haut point. Pourrait-il me faire du mal? Pourrait-il se laisser prendre à son propre jeu et dépasser les limites? Pourrait-il oublier qui je suis? Oublier qui nous sommes? Il enlève sa chemise et baisse son pantalon. J'observe son sexe fièrement dressé devant moi. Il pose ses mains sur mes genoux qu'il tente de séparer. Je serre bien fort mes cuisses l'une contre l'autre.

– Ça ne sert à rien de résister, je suis plus fort que toi, dit-il tout bas.

Je suis tout à fait consciente de son avantage sur moi, mais je ne peux tout de même pas m'abandonner à lui si facilement. J'ai compris ce qu'il désire. Alors, je lui résiste. Il doit finalement user de sa force pour écarter mes cuisses entre lesquelles il avance ses hanches. Je ne crie pas. Je ne fais que gémir un peu pour me faire désirer. D'un mouvement rapide, tout en posant sa main sur ma bouche, il fait pénétrer son sexe entre mes cuisses. Il a gagné, encore une fois.

Alors que je sens la chaleur de son sexe qui remplit mon ventre, j'ai envie de toucher son torse nu et les muscles tendus de ses bras. J'ai envie de caresser ses fesses qui se contractent chaque fois qu'il entre en moi. Mais je ne peux pas. Alors j'en profite et me laisse aller.

Il enfonce son sexe en moi et ressort. Il l'enfonce et ressort et l'enfonce encore plus profondément chaque fois, comme s'il tentait d'atteindre quelque chose. Il s'enfonce et s'enfonce et, à chacun de ses coups, un frémissement s'étend dans mon bas-ventre. Il s'enfonce et s'enfonce avec de plus en plus d'ardeur. Comme s'il voulait s'enliser dans mon sexe semblable à une terre humide. Comme s'il voulait s'abîmer dans mon corps, s'engloutir dans les abysses de mon ventre et sombrer en moi comme un navire au fond de la mer.

Je sens mon sexe qui se contracte, comme cet automne dans la clairière. Les contractions s'amplifient durant quelques merveilleuses secondes. Il me pénètre à un rythme effréné jusqu'à ce que je ne puisse plus contenir mes cris. Je gémis comme le vent dans les arbres, comme les ailes du grand goéland qui pique vers la mer dans la tempête, frôlant la mort à chaque instant. Il pose sa grande main de cultivateur sur ma bouche et je gémis comme une femme battue qui retient ses cris. Seulement mes cris à moi ne connaissent pas la douleur, mais transportent plutôt le plaisir et la volupté. Mon dernier soupir s'éteint dans le creux de sa main, en un long sanglot de délivrance.

Je tremble et Charles s'enfonce toujours en moi avec la même fougue, sans faiblir. Je suis sa chose, je suis à lui. Il fait ce qu'il veut de mon corps. Et ce qu'il veut, c'est aller jusqu'au fond de moi. Je veux lui dire que, même par la force, il n'arrivera jamais au bout de moi, comme on arrive au bout d'une terre avant de tomber dans les flots, mais aucun son ne sort de ma gorge. Il n'atteindra jamais la fin car je suis infinie, telle l'immensité où brillent les étoiles et la lune. Tel l'espace insondable…

À vouloir pénétrer l'impénétrable, dans sa quête d'infini, Charles finit aussi par ressentir le grand frisson. Il s'écroule sur mon corps immobile et reste là sans bouger, haletant. Il passe ses bras sous mon corps et me serre contre lui. Il pose sa tête sur mon sein gauche et écoute mon cœur. Ce cœur qu'il n'aura jamais.

L'homme qui a volé mon cœur est reparti comme il est venu, comme l'été qui passe…

– Tu es bien vivante, Marie! Ça, je peux te le dire, tu es bien vivante! Tu es la vie même, Marie! Ton corps, c'est la plus belle manifestation de la vie que je connaisse, murmure-t-il.

Je le laisse se reposer sur moi. Après quelque temps, il détache mes mains et les prend dans les siennes.

– J'espère que je ne t'ai pas fait mal, me dit-il, les yeux emplis de culpabilité.

– Ce n'est pas à moi que tu fais du mal, Charles, c'est à toi, dis-je en remettant ma culotte.

Charles se rhabille lentement. Il a les yeux tristes. Il a compris qu'il se faisait du mal en écoutant ses désirs. Tout ce qu'il souhaite est d'unir son cœur au mien, mais tout ce qu'il parvient à faire est d'unir nos corps. Et il ne sera jamais rassasié.

Je sors de la chambre et retourne au salon. Assise dans le fauteuil, j'entends Charles qui descend tranquillement l'escalier. Il y a un instant de silence, puis la porte se referme. Un courant d'air froid traverse le salon.

Je reprends ma lecture où je l'avais laissée. *Vingt mille lieues sous les mers...*

* * *

Accompagnée d'Émile et de Rosalie, j'emprunte l'allée centrale de l'église jusqu'à l'avant-premier banc où sont déjà assis les membres de la famille Boileau, ainsi que Charles et Joséphine. Je salue Paul et Pierre, redescendus des chantiers ce matin afin de passer le temps des fêtes à l'Anse. La famille Boileau est nombreuse et l'argent commençait à manquer cet automne. Une fois la moisson terminée, pour éviter que leur père n'ait à quitter la maison, ses deux fils se sont offerts pour aller amasser un peu d'argent dans les chantiers. Ils sont fiers de me dire qu'ils gagnent trente sous par jour avec le bûcheronnage. Le Carol m'a déjà parlé des chantiers et je sais que ce sont trente sous bien mérités, gagnés à travailler dans les pires conditions. M. Boileau aussi est fier de ses fils, qui n'ont pas hésité à devenir bûcherons pour aider les leurs.

Comme dans un rêve, je me laisse transporter par l'odeur de l'encens et les chants de la chorale qui réchauffent mon cœur endolori par ce premier mois d'hiver. L'église est calme; tous semblent se recueillir avant la veillée qui se prépare. Monsieur le curé commence la messe. J'écoute attentivement ses paroles qui montent jusqu'à la coupole pour ensuite résonner dans toute l'église. Un frisson me parcourt l'échine.

Je pose mon regard sur le Christ en croix derrière l'autel. J'ai l'impression qu'il respire. En cette messe de minuit, il veut que je lui ouvre mon cœur pour qu'il me purifie de mes péchés, lui qui est mort pour moi. Je baisse les yeux vers mes mains, jointes autour du vieux chapelet de coquillages de la Madeleine. Et si je n'avais pas vraiment péché?... Et si Ève n'était pas réellement responsable du péché originel?... Et si tout le mal était en fait dans le regard de ceux qui me jugent?... Je relève lentement les yeux vers le Christ qui, du haut de sa croix, semble me sourire discrètement. *Je vous salue, Marie...*

La messe terminée, la fête peut enfin commencer chez les Boileau. Au début de la semaine, M. Boileau, Charles et ses trois cadets ont fait boucherie en préparation du festin de Noël. Ils ont tué le veau gras et le cochon et ont immolé la volaille. Moi, j'ai aidé les filles à fricoter. Nous avons gratté et lavé les tripes pour faire du boudin avec le sang et la panne. Nous avons aussi préparé des cretons, de la tête fromagée, des pâtés à la viande, des tourtières et plusieurs pâtisseries. Tous s'attablent pour se régaler du festin.

Après le repas, M. et Mme Boileau distribuent les cadeaux. Ce n'est pas grand-chose, des oranges, des bonbons, de nouvelles chaussettes, mais c'est de bon cœur. Mme Boileau me tend un bas de Noël. Alors que j'hésite à le prendre, elle me dit qu'elle me considère comme sa fille. Je l'ouvre et en ressors une magnifique paire de gants. Rosalie et Camille ont la même dans leurs bas. Mme Boileau dit qu'il est temps que ses filles deviennent des femmes. Je l'embrasse, reconnaissante encore une fois pour tout cet amour qu'elle me donne. J'offre à mon tour mes cadeaux aux Boileau : une grande théière toute neuve pour remplacer l'ancienne, qu'ils devaient remplir plusieurs fois afin que tout le monde soit servi, ainsi que quelques nouvelles tasses pour remplacer celles qui sont ébréchées. Les Boileau me remercient en me disant que je n'aurais pas dû faire cette folle dépense. Je leur réponds qu'aucun cadeau n'équivaudra jamais à tout ce qu'ils ont fait pour moi.

Durant la soirée, je me rends compte que Charles agit de façon distante avec moi. Je ne l'en blâme pas, mais notre complicité me manque. Lorsque je lui souris discrètement, espérant qu'il me sourie à son tour, il détourne la tête.

Heureusement, ses frères et sœurs sont là pour me faire passer un bon réveillon. Après quelques verres de fort, bus en cachette sur la galerie d'en arrière avec Rosalie, j'en arrive à ne même plus me préoccuper de lui. Je suis euphorique et mon rire résonne dans toute la maison.

Aux petites heures du matin, je m'endors dans la chambre des filles en pensant à la Madeleine et au Carol qui ont aussi passé un merveilleux réveillon de Noël, là-haut, entre les étoiles du ciel et la lumière du paradis.

* * *

Je ne me suis pas encore remise du réveillon de Noël que déjà nous nous retrouvons tous chez Charles pour fêter l'arrivée de la nouvelle année. Devant la cheminée, je jase avec Mme Boileau. Elle est mélancolique; le nouvel an lui fait prendre conscience que le temps s'écoule bien vite. Je lui explique que, pour moi, la veille du jour de l'An est synonyme d'espérance bien plus que de regret. Aux douze coups de minuit, une année où tous les espoirs sont permis s'offre à nous, peu importent les malheurs et les peines que l'année précédente nous a apportés. À cet instant précis, je formule toujours quatre souhaits, un pour chacune des saisons qui s'en viennent : que l'amour fleurisse sous le soleil du printemps, que mes récoltes abondent durant tout l'été, que le vent de l'automne apporte du changement et que le dur hiver n'affecte pas ma santé.

Ce 31 décembre est encore plus spécial que tous les autres puisqu'à minuit, nous serons à l'aube d'un siècle nouveau. Depuis quelque temps, dans les rues du village, j'entends les gens parler de ce moment avec de la peur dans la voix. Certains anticipent le XXe siècle avec leurs vieilles craintes et leurs vieilles angoisses alors que ce sera, je le sais, un siècle de découvertes et de progrès.

Moi, avec mes vingt ans d'expérience de vie en ce début du XXe siècle, j'ai envie de tout bouleverser. Je veux me laisser porter par le vent du changement, grimper au sommet de l'église pour que tous les villageois m'entendent, et leur dire que leurs mœurs sont démodées, que les femmes devraient pouvoir se mêler de politique, que faire l'amour ne devrait pas être un sujet tabou, que chacun devrait laisser l'autre vivre sa vie sans le juger, et que ce sont nous, les jeunes, qui allons faire bouger les choses. Mais tout cela, ils ne sont pas prêts à l'entendre. Ils ne veulent pas que les choses changent; ils veulent que leurs vieilles habitudes demeurent, parce qu'elles sont confortables. Ils ne souhaitent qu'une chose : finir leur vie tranquillement, comme ils l'ont commencée.

Parfois, même si je suis très attachée à ma terre, je me dis que c'est à Québec que je devrais aller vivre. C'est là-bas, contre les remparts qui entourent la ville, que souffle le vent du changement. Mais, dans la capitale, la mer se rétrécit jusqu'à devenir un fleuve et les étoiles ne brilleront jamais autant qu'ici.

Nous nous rassemblons tous au salon, devant l'horloge grand-père, attendant avec impatience que le premier coup retentisse. Les coups résonnent dans la pièce silencieuse, semblables aux premiers battements du tambour qui guide les pas des combattants de l'avenir. Au douzième coup de minuit, mon cœur aussi résonne d'espoir et je suis prête à m'engager, à partir au front...

Bonne année! Bonne année à tous!

Charles me prend dans ses bras et me murmure à l'oreille :

— Viens dans mon bureau quand tu auras fini d'embrasser tout le monde.

Je n'ai pas le temps de protester qu'il embrasse déjà quelqu'un d'autre. Je termine ma tournée et l'aperçois qui quitte le salon. Je le suis discrètement jusque dans son bureau et referme la porte.

— Je voulais qu'on se souhaite une bonne année seul à seule, dit-il.

— Charles... on pourrait nous surprendre.

— Mais on ne fait rien de mal! Écoute... je voulais te dire... Je vais toujours penser à toi, Marie, mais ça ne peut plus durer. Je sais que tu ne m'aimes pas comme je t'aime et que ton cœur est pris ailleurs.

– Charles…

– Non, laisse-moi finir. Maintenant, je vais faire les efforts nécessaires pour réussir mon mariage avec Joséphine, puisque c'est elle que j'ai choisie. Je me suis rendu compte que j'étais capable d'être heureux avec elle, Marie. Ça ne me sert à rien de courir après… après une fille qui est comme un pétale de fleur que le vent emporte, toujours plus loin, au fur et à mesure qu'on s'en approche.

– Je suis contente que tu penses à ton bonheur.

– Toi aussi, Marie, il serait peut-être temps que tu penses à ton bonheur. Si le tien est parti, tu devrais peut-être courir après… Qu'est-ce que tu en penses?

– Mon bonheur est ici, Charles. Et si je suis le bonheur de quelqu'un, ce quelqu'un n'a qu'à venir me chercher, lui!

– Ah, Marie la fière! Tu ne changeras jamais!

Il me prend dans ses bras et je pose ma tête fatiguée contre sa poitrine. Des larmes coulent le long de mes joues. Des larmes pour ce bonheur qui me semble inaccessible. Des larmes pour cet amour qui me glisse entre les doigts. Charles, mon amant. Charles, mon frère. Même dans ses bras, je me sens seule. J'aimerais aller rejoindre le Carol et la Madeleine. J'aimerais retourner à la maison dans la tempête qui fait rage et me perdre dans la neige, disparaître au détour du chemin. Dans cent ans, on raconterait encore la légende de la Marie qui s'est dissipée dans un tourbillon de neige au premier jour de l'an 1900. La légende dirait qu'elle était bien seule et qu'elle avait le cœur rempli de peine. Elle voulait danser derrière le brouillard… Et maintenant, ajouterait-on, lorsqu'une tempête fait rage aux douze coups de minuit de la nouvelle année la Marie revient hanter le village de sa jeunesse…

* * *

Les fêtes sont déjà terminées. Le village semble plongé dans une sorte de léthargie. Tous les villageois se sont terrés dans leurs maisons et attendent que le printemps revienne et les sorte de cette grande torpeur. Je m'apprête à retourner chez moi, dans ma maison sans vie comme ce village endormi par le froid. Charles et Joséphine sont venus chez Rosalie pour me dire au revoir.

— Ce n'est pas une vie, ça, me dit Rosalie. Tu vas bien trop t'ennuyer avec personne à qui parler. Pourquoi ne viens-tu pas vivre au village?

— Je n'ai pas envie de vivre au village, Rosalie. Mais ne t'en fais pas, ça va juste me faire du bien, de passer un peu de temps avec moi-même.

Au même moment, Émile entre dans la maison avec, dans les bras, un magnifique chiot.

— C'est un bouvier des Flandres, me dit-il. Il n'a que quatre mois.

— C'est pour toi, Marie. On a pensé qu'il pourrait te tenir compagnie, dit Rosalie.

— Mais voyons! Ce n'est pas ma fête!

— On n'a pas toujours besoin d'une raison pour faire des cadeaux, dit Charles en me souriant.

À cet instant, j'ai besoin que Charles me prenne dans ses bras et me serre contre lui comme la dernière fois. Je veux poser ma tête sur sa poitrine pour écouter son cœur. Il me sourit discrètement. Je prends le chiot dans mes bras et le serre contre ma poitrine.

— Comment vas-tu l'appeler? me demande Joséphine.

— Je vais l'appeler «Loup»!

— Pourquoi «Loup»?

— Je ne sais pas, ça m'est venu comme ça.

Émile sort en portant ma valise. Je mets mon manteau, ma tuque et mes mitaines, puis j'embrasse tout le monde, restant un peu plus longtemps dans les bras de Rosalie, ma douce Rosalie. Je les remercie une dernière fois et rejoins Émile dans la Gaspésleigh. Pendant le trajet, je caresse la douce fourrure de mon nouveau compagnon. Confortablement couché sur mes cuisses, il semble m'avoir déjà adoptée.

Arrivés à la maison, nous transportons chacun une brassée de bûches dans la boîte à bois. Je dis à Émile de ne pas s'inquiéter pour moi, que je vais être très bien ici, en compagnie de Loup, qui a déjà pris possession de ma chaise berçante. Émile m'embrasse et repart en direction du village.

Je fais le tour de mes tiroirs pour réussir à dénicher une couverture, un peu mitée, pour mon nouveau compagnon. Je l'installe dans le coin du salon, à côté de ma chaise berçante. Pour qu'il s'habitue tout de suite à la place qui lui est assignée, je le déloge de sur ma chaise et le couche sur la couverture. Je m'étends tout près de lui et passe ma main dans son poil.

— Je m'appelle Marie, lui dis-je. Marie la solitaire, parce que je vis seule sur la dernière terre avant la mer. J'espère que tu es content que je t'appelle Loup. Dès que je t'ai vu, j'ai senti que tu avais l'âme d'un loup qui aime hurler à la lune. Je t'ai aussi appelé comme ça parce que j'aurais bien besoin d'un loup dans ma vie, d'un jeune loup ou d'un loup de mer, peu importe, pourvu qu'il sache me prendre comme un homme. Mais toi, tu ne peux pas m'aider à trouver ce loup-là…

Reposé par mes caresses, Loup s'endort. Je reste long-temps immobile, couchée tout contre lui afin de profiter de sa chaleur en attendant que le poêle ait réchauffé la place. J'apprécie déjà sa présence, qui redonne un peu d'âme à cette maison trop vide et trop silencieuse…

* * *

Je suis Marie la solitaire, celle qui vit en ermite sur sa terre de la pointe gaspésienne. Depuis hier, la nature est violente. Une tempête s'acharne sur nous et tout est recouvert de verglas. Je suis confortablement installée dans mon fauteuil, Loup sur mes genoux, et j'entends le grand nordet souffler entre les branches des arbres qui sont derrière la maison. Toute la nuit, les branches alourdies par le poids de la glace sont tombées sur le sol, les unes après les autres, dans un fracas épouvantable. J'étais effrayée. J'avais peur qu'un tronc fatigué de toute cette glace ne cède et vienne s'écraser sur la maison. Mais ils ont tous tenu le coup. Ils ont été plus forts que la tempête. Ils savent que le printemps s'en vient et que, s'ils survivent, ils pourront de nouveau sentir la chaleur du soleil et la fraîcheur de la pluie.

Maintenant qu'il fait jour, je peux voir des dizaines de branches qui jonchent le sol. À travers les cristaux de givre de la fenêtre, je contemple cette nature blessée. Je suis triste pour tous ces arbres qui étaient si fiers. Et ce n'est pas fini, le verglas continue de se fixer aux arbres et à la maison. Il fait si mauvais que même Loup ne veut pas mettre le nez dehors. De toute façon, je n'oserais jamais ouvrir la porte qui est, elle aussi, couverte de glace.

Je suis Marie la solitaire, emprisonnée par l'hiver au fond de sa maison. Je dois sans cesse chauffer le poêle pour garder une température convenable dans la cuisine. Heureusement, j'ai Loup pour me garder au chaud. Il n'est pas très jasant mais, l'autre jour, en un doux jappement, il m'a confié qu'il était aussi plein d'espoir pour ce siècle qui commence…

Je regarde par la fenêtre et rien n'a changé. Le chemin n'a pas changé, la falaise n'a pas changé, la nature n'a pas changé, mais il est bien là. Je le sens; il arrive. Il est invisible, mais il est bel et bien présent et personne ne pourra le renvoyer en arrière. Personne n'aura la force de le freiner ou de le repousser. Le progrès va s'infiltrer tranquillement dans nos vies, peu à peu, pour ne pas nous effrayer, et va totalement bouleverser notre façon de vivre. C'est inévitable!

Je me dis que si, depuis le début de l'humanité, les hommes ont fait, disons, trois pas en avant en matière de découvertes et d'inventions, et que, dans le seul siècle qui vient de se terminer, ils en ont fait au moins cent autres, il est normal de penser que nous parcourrons au moins un kilomètre dans ce siècle nouveau. C'est un processus d'évolution irréversible et incontournable. Et nous ne ferons plus jamais que de simples pas, nous allons courir. Courir vers la lune, vers les étoiles, conquérir le ciel et la mer et voyager autour du globe, maîtriser l'énergie, prédire le temps qu'il fera, nous déplacer cent fois plus vite que maintenant, communiquer entre nous plus facilement aussi, et relier tous les peuples de cette planète pour en faire une grande race, la race humaine.

Si j'allais crier cela au village, on me traiterait de folle, mais je sais ce que je dis. C'est dans l'air, ça se sent. Et ceux qui ont peur sont ceux qui n'ont pas fait le saut dans ce nouveau siècle, ceux qui vont rester en arrière, dans leurs petites habitudes. Ceux qui n'entendent pas le tambour qui résonne... Je ne resterai sûrement pas en arrière. Je suis à l'aurore d'une ère nouvelle. Je suis l'aurore...

Mais avant de faire quoi que ce soit, je dois attendre la fin de cette tempête, de ce verglas. Demain, si c'est fini, j'irai casser délicatement la glace sur chaque branche de chaque arbre, même si cela doit me prendre la journée. Ainsi, les uns après les autres, je les sauverai. Ils se relèveront et pointeront de nouveau leurs rameaux vers le ciel, rêvant comme moi au retour du soleil qui guérira leurs plaies.

* * *

Je suis dans ce qui me semble être le cabinet de Charles, étendue, nue, sur le grand lit du Carol, attachée à la tête de lit par une ceinture. J'ai de la difficulté à respirer et j'essaie en vain de me libérer. La porte s'ouvre et monsieur le curé entre, suivi de Charles, de Rosalie et d'autres villageois. Ils sont heureux : les femmes rient et sourient, et les hommes parlent fort et se flattent la bedaine. Ils m'aperçoivent et viennent autour de moi. Ils parlent de moi comme si je n'étais pas là. Ils disent que Charles doit m'examiner pour voir si je suis toujours vivante. Il s'assoit sur le bord du lit et prend son instrument pour écouter mon cœur. Il le pose sur mon sexe et leur dit qu'il n'entend absolument rien : je suis morte. J'essaie de leur parler, je crie après eux, mais ils ne m'entendent pas. Monsieur le curé dit que je suis morte pour avoir profané son église. Je suis morte parce que j'ai péché.

Je me débats de toutes mes forces et la ceinture se défait. Je crie que ce sont eux qui sont morts. Ils entendent ces paroles qui résonnent dans toute la pièce comme sous la coupole de l'église. Je me sauve en courant. Charles court derrière moi. J'arrive à la porte d'entrée, qui est verrouillée. Je me retourne. Ce n'est plus Charles qui est là, c'est Antoine. Il me dit : «Reviens, Marie. Reviens... Moi, je peux te faire renaître...»

Je me réveille en sursaut. Il est déjà huit heures du matin ; le soleil brille dans le ciel. Je ressens soudain l'irrépressible besoin d'aller sentir la mer. Je m'habille rapidement et sors de la maison, accompagnée de mon fidèle Loup. La neige est recouverte d'une couche de glace si épaisse qu'elle soutient mes pas. Je m'arrête un instant et observe la nature autour de moi. Tout est glacé. De la maison jusqu'à la falaise, et même jusqu'au chemin, s'étend une magnifique, une immense mer blanche. Le soleil fait briller sa surface en un millier de points lumineux. J'ai envie de me baigner dans cette mer.

Je cours sur la glace. Je flotte. Je glisse. Je me laisse glisser sur une mer scintillante comme une galaxie d'étoiles et je reprends ma course. Je vais de plus en plus vite et je me jette à plat ventre, les bras tendus vers l'avant. Je vole, je plane, je me propulse à travers les étoiles. Je suis celle qui avance vers le futur, celle qui traverse les siècles, celle qui se jette dans l'avenir.

Je m'immobilise. Une masse me percute les jambes. C'est Loup qui a glissé jusqu'à moi. Je le prends dans mes bras et nous restons immobiles un moment, étendus sur la mer étincelante, respirant l'air frais de l'hiver. Le froid ne pénètre pas sous mon chaud manteau ; je me sens extrêmement bien. Je ne suis pas morte. Non ! Je ne suis pas morte et je ne mourrai pas pour ce que j'ai fait. Je suis bien vivante et je n'attends que le retour du printemps, comme les arbres blessés qui veulent guérir leurs blessures. J'attends que le soleil fasse fondre la glace.

De retour à la maison, je nous prépare un bon petit-déjeuner. Nous avons besoin de forces car je dois aller faire des commissions au village aujourd'hui; je n'ai presque plus rien à manger. Je jette un coup d'œil au calendrier : nous sommes le deuxième jeudi de février. Cela fait déjà cinq semaines que je ne suis pas retournée au village. Le temps a passé bien vite.

Dans les rues du village, c'est la désolation. Il ne reste debout que des cadavres d'arbres, des chicots. Pour me rendre au magasin général, je dois enjamber de nombreuses branches qui jonchent le sol. J'entre tout de même le sourire aux lèvres.

– Ah bien! Marie la solitaire qui vient nous rendre visite au village! dit Émile.

– Bonjour, Émile! Bonjour, monsieur Boucher! dis-je, heureuse d'entendre des voix familières après un mois dans le silence.

– As-tu vu ce que le verglas a fait aux arbres? me demande M. Boucher.

– Oui. C'est comme ça aussi sur ma terre. Mais il ne faut pas s'en faire, monsieur Boucher, la nature est forte. Elle va les guérir et les faire pousser encore plus haut, nos arbres. Même que je vous parie qu'on va avoir encore plus de soleil cet été, pour nos pauvres arbres qui en ont bien besoin.

– Ça fait du bien de t'entendre, Marie. Toi, au moins, tu apportes de l'espoir! Depuis la tempête, tout le monde ne pense qu'à dire combien c'est désastreux. S'ils pensaient plus comme toi… Bon, assez bavardé! Depuis le temps que tu n'es pas venue me voir, il ne doit pas te rester grand-chose à manger.

– C'est pour ça que je suis ici.

M. Boucher prend ma liste et charge Émile de rassembler la moitié des aliments que j'y ai notés. Ils reviennent avec les bras chargés de provisions. M. Boucher laisse son fils rédiger ma facture et va servir une autre cliente.

– Tu as beaucoup trop de choses à transporter… C'est tranquille ici, veux-tu que j'aille te reconduire?

– Pour cette fois, ce sera bien apprécié, Émile. Mais avant, j'aimerais rendre visite à Rosalie.

– C'est une bonne idée! Va faire ta visite, puis reviens ici quand tu seras prête à partir.

Je cogne à la porte chez Rosalie. Elle m'ouvre et me prend aussitôt dans ses bras.

– Marie! Je suis contente de te voir!

– Moi aussi, Rosie. Ça fait longtemps!

– Longtemps? Je comprends! On commençait à s'inquiéter de toi, toute seule là-bas, avec la tempête qu'il y a eu. Mais tu m'as l'air en grande forme.

– Et toi, tu as donc bien l'air heureuse! Tu as les yeux tout brillants.

– Tu trouves? Bien… c'est parce que… ça y est! Je suis grosse! Je vais avoir une famille!

– Tu es grosse? C'est vrai? Ah, Rosie, je suis contente pour toi! Félicitations! lui dis-je en la prenant tout contre moi.

Nous passons au salon et je lui demande si je peux toucher son ventre. Il n'est pas encore très gros, mais je remarque qu'elle a perdu sa taille de guêpe.

– Le bébé est attendu pour le mois d'octobre, me dit-elle.

Cela me rappelle que je ne connais pas ma véritable date de naissance. Le Carol et la Madeleine m'ont toujours fêtée le 18 juin, date à laquelle ils m'ont trouvée sur le rivage, mais ce n'est pas le jour où je suis née. La mer m'a peut-être mise au monde bien avant que je n'échoue sur la côte. Qui sait combien de temps elle m'a gardée près d'elle, avant de me rejeter pour que je fasse ma vie sur la terre? Qui sait combien elle m'a aimée?

Rosalie semble vraiment heureuse et je l'envie d'avoir déjà tout ce bonheur à son âge. Moi, je n'ai toujours pas de bébé dans mon ventre, ni d'homme pour me faire l'amour; je n'ai même pas de prétendants. Je n'ai qu'un Loup, une vieille maison près de la falaise et un cœur qui soupire d'avoir quitté la mer…

Je sors de chez Rosalie un peu triste. Bien sûr que je suis heureuse pour elle, mais ma solitude commence à me peser. J'aime cette maison qu'a bâtie mon père de ses propres

185

mains, et la terre qui s'étend du chemin jusqu'à la falaise. J'aime cette falaise fière sur laquelle viennent s'abattre les vagues éternelles qui caressent notre péninsule. Mais à quoi bon tant de beautés si mes seuls yeux peuvent les voir…

Accompagnée de mon fidèle compagnon, je traverse la rue Principale en direction du magasin général. Tout en marchant, je me rappelle que nous sommes jeudi après-midi et que Joséphine travaille probablement encore à sa courte-pointe collective. Sachant ce que cette idée présuppose, je la chasse rapidement de mon esprit et commence à fredonner l'air de la Madeleine. Je veux retourner au magasin, mais mes pas me portent dans la direction opposée… jusque chez Charles.

Je demeure immobile quelque temps au pied des marches, devant cette maison qui me rappelle les après-midi magiques passés en compagnie du docteur Dufour. Comme il était toujours attentif à ce que je lui racontais, j'osais lui confier mes soucis et mes espoirs de jeune femme. Soucis qu'il semblait comprendre malgré le profond fossé des années qui nous séparaient. Je n'ai jamais su si ce n'était que par pure tendresse qu'il me prenait la main pour partager mes rêves et se perdait dans les profondeurs de mes yeux, mais cela nous faisait du bien à tous les deux. Nous étions deux âmes perdues au milieu d'une époque qu'elles n'arrivaient pas à s'approprier, comme si ses coutumes leur étaient étrangères. Deux âmes sans âge pour qui la liberté était un flambeau porté bien haut. Flambeau qu'il ne restait plus qu'à allumer… Les années auront eu raison de cet homme qui a refoulé toute sa vie son envie de nager contre le courant, mais je prendrai la relève dans notre quête de la flamme éternelle.

Maintenant que le docteur Dufour habite avec sa fille, je n'ose plus aller lui rendre visite aussi souvent. Dans l'intimité de sa maison, je n'y voyais aucun inconvénient, mais je crains dorénavant d'être jugée par sa famille, qui ne comprendrait pas qu'une jeune femme préfère la compagnie d'un homme dans la soixantaine à celle de jeunes prétendants.

J'oublie le docteur Dufour et Charles revient dans mes pensées. Il y a déjà plus d'un mois que nous ne nous sommes pas vus. Un mois qui m'a paru bien long, comme si j'étais consciente de chaque seconde qui passait et que chaque journée avait plus de vingt-quatre heures. Un mois durant lequel je me suis surprise à imaginer ses mains parcourant mon corps nu, ses doigts caressant mes seins et mon sexe gonflés de désir. Un mois sans son sourire moqueur et sa voix qui me chatouille par en dedans. Combattant mon inclination au plaisir, je tente de me convaincre de rebrousser chemin. Au moment même où je décide de retourner au magasin, Charles sort sur la galerie.

– Marie! Qu'est-ce que tu fais là? Entre!

– Salut, Charles! Merci, mais Émile m'attend pour me reconduire à la maison.

– Bien voyons! Ça fait un mois que je ne t'ai pas vue. J'irai te reconduire, moi, si Émile ne peut plus.

Je n'ai aucune objection à formuler contre cet argument. Comment pourrais-je refuser une visite à un si bon ami? J'entre et lui donne mon manteau.

– Es-tu venue ici en sachant que c'est l'après-midi où Joséphine travaille à sa courtepointe? me demande-t-il, gêné.

– Ah, Joséphine n'est pas ici? dis-je avec un air innocent. Non, je ne le savais pas.

Il me sourit et je vois dans ses yeux qu'il sait très bien que je lui mens. Mais pouvais-je lui avouer que je savais que sa femme était sortie et que j'avais énormément envie de le voir seul? Pouvais-je lui dire cela après lui avoir fait comprendre que notre relation devait cesser et qu'il ne devait d'aucune façon s'attacher à moi?

Alors que nous passons au salon, je suis prise de remords d'avoir encore une fois écouté mon cœur et fait taire ma raison. Pour me tirer de cette situation, je demande à Charles des nouvelles du village.

– Arrête, Marie. Si tu veux des nouvelles du village, va voir Rosalie, elle va tout te raconter.

– J'en viens, de chez Rosalie... et je connais toutes les dernières nouvelles...

Il me prend dans ses bras et nous nous étendons sur le divan. Je pose ma tête sur sa poitrine et ferme les yeux. Je suis bien. Ma tête peut enfin fléchir un peu pour se reposer sur l'épaule d'un homme.

Nous restons ainsi étendus un long moment, sans dire un mot.

Je caresse le ventre de l'homme étendu à mes côtés. Autour de moi, les blés fléchissent sous le vent qui les fait chanter. Je suis bien. Ma tête peut enfin fléchir un peu pour se reposer sur l'épaule d'un homme... Antoine... Antoine qui est venu me rejoindre alors que je cueillais des fraises... Étendue contre son corps, je caresse sa poitrine. Il me sourit...

J'ouvre les yeux et relève la tête. Charles me contemple avec des yeux amoureux.

– Il faut que tu m'oublies, Charles. Ça ne sert à rien.

– T'oublier? Je peux oublier le jour qu'on est, je peux oublier où j'habite, je peux même oublier mon nom, si tu veux. Mais t'oublier, toi, c'est impossible! Depuis des mois, je ne pense qu'à toi. Je suis malheureux, Marie. J'ai épousé la mauvaise femme. Et j'ai peur. J'ai peur quand je fais l'amour avec Joséphine parce que l'enfant que je vais lui faire, je vais le faire en pensant à toi. C'est horrible, Marie!

– Oui, c'est horrible ce que tu dis là!

La porte d'entrée s'ouvre. C'est Joséphine qui rentre plus tôt que prévu. Nous nous relevons rapidement et sourions en allant à sa rencontre. Elle est très contente de me voir et m'invite à souper. Je refuse en disant qu'Émile m'attend et je décroche mon manteau. Pendant que je l'enfile, Charles flatte Loup. Soudain, il arrête net son mouvement et ses yeux s'agrandissent. Il se relève et, alors que je m'apprête à partir, il me dit qu'il viendra me rendre visite dimanche prochain pour vérifier que Loup est en bonne santé. Il dit que, s'il est de son devoir de veiller à la santé des villageois, il doit aussi veiller à celle des chiots. Ne pouvant pas refuser cette visite devant Joséphine, j'invite Charles pour le dîner, après la messe.

* * *

Je me suis levée de bonne heure pour être prête lorsque Charles arrivera. Mon absence à la messe a dû être remarquée au village, mais ils ne doivent pas être très étonnés que la fille du Carol ait pris les mauvaises habitudes de son père.

Sur le feu, je dépose ma marmite dans laquelle je mets du bœuf, des carottes, des poireaux et des navets pour cuisiner un bon pot-au-feu. Rapidement, l'arôme emplit la maison et la faim me surprend. Je prépare aussi du sucre à la crème que je coupe et dispose dans une assiette. Ensuite, je me lave et enfile une robe propre. Je coiffe mes cheveux en deux longues tresses au bout desquelles je noue deux rubans rouges.

J'admire mon reflet dans le miroir. Je suis fraîche comme la rosée du matin et belle comme l'aurore. Je suis l'aurore. Je suis l'aurore et le soleil va bientôt se lever. Je le vois qui pointe à l'horizon…

Rosalie cogne à la porte pour m'emmener jouer dans le champ. Émile, Isidore, Pierre, Paul et Charles sont derrière elle, impatients d'aller jouer à la cachette. Je promets à la Madeleine de ne pas rentrer trop tard.

Isidore compte jusqu'à cent et je cours entre les blés, la tête pleine de soleil. Rosalie et les garçons courent tous vers l'orée de la forêt, mais je m'en tiens à ma première idée de me cacher dans le champ. Après avoir moi-même compté jusqu'à cent, je m'étends sur le dos et contemple le soleil en priant pour qu'Isidore se dirige vers la forêt. Le Carol dit qu'il ne faut jamais fixer le soleil, mais je suis fascinée par sa puissance. Il est si loin… et je peux tout de même sentir sa chaleur. Je me demande jusqu'où je pourrais m'en approcher sans être brûlée vive.

Charles me tombe dessus; il ne m'avait pas vue. Je lui dis de se taire et de s'étendre à mes côtés. Immobiles, nous tendons l'oreille : tout est silencieux. Isidore doit marcher vers la forêt. Sans réfléchir, je pose ma tête sur la poitrine de Charles et ferme les yeux. Je suis bien. Ma tête peut enfin fléchir un peu pour se reposer sur l'épaule d'un garçon. Charles pose sa main sur la mienne et me donne un timide baiser sur les lèvres. C'est chaud comme un rayon de soleil. Au même moment, la tête d'Isidore apparaît au-dessus de nous, cachant l'astre du jour dont on n'aperçoit plus que le halo. La jalousie brille au fond de ses yeux.

— Je vous ai trouvés, dit-il avant de repartir, l'air triste, vers la forêt.

Charles était certain qu'Isidore allait raconter à tout le monde ce qu'il avait vu ce jour-là dans le champ, mais Isidore a gardé le secret...

On cogne à la porte. Je sors de mes rêves et vais ouvrir à Charles. Le dîner est prêt et nous nous attablons avant qu'il examine Loup.

— C'est délicieux, Marie! me dit-il en goûtant à mon pot-au-feu.

— C'est la recette de la Madeleine.

Il dévore toute son assiettée et en reprend. Je l'observe manger et souris. Il mange comme il aime : avec appétit. Il n'a pas beaucoup de conversation. Je sens que quelque chose ne va pas.

— Charles, est-ce qu'il y a quelque chose que tu veux me dire?

— Euh... non.

— D'accord. Je trouvais que tu avais l'air préoccupé.

Après avoir terminé sa deuxième assiettée, il examine mon chien. Il écoute son cœur et scrute attentivement le fond de ses oreilles comme si c'était un homme. Je trouve cela bien amusant. Une fois l'examen terminé, il continue à jouer avec lui, assis par terre.

— C'est la dernière fois qu'on se voit, Marie, me dit-il à brûle-pourpoint en flattant Loup. Je ne peux plus vivre comme ça!

— Ah! c'est ça...

– Comme tu ne veux pas de moi, j'ai décidé d'être un bon mari pour Joséphine.

– Je suis fière de toi, Charles. Là, tu agis comme un homme.

Il range ses instruments dans sa trousse et se relève. Il reste debout, à deux pas de moi, sans bouger. Il aimerait que je lui dise que j'ai envie de lui, que je veux qu'il me prenne, maintenant, ici, pour que le temps s'arrête et qu'on oublie les autres. Il aimerait que je lui dise que je suis à lui, entièrement et pour toujours. Mais je reste muette, alors qu'il livre un combat contre lui-même pour partir d'ici, pour sortir de ma vie une fois pour toutes, sans se retourner. Il avance d'un pas décidé vers la porte, mais revient vers moi.

– Tu aimerais ça que je t'embrasse, n'est-ce pas? dit-il avec assurance.

– Non, dis-je promptement.

– Non! Pourquoi?

– Parce que tu as choisi Joséphine et que c'est bien comme ça.

– Bon, eh bien… je m'en vais d'abord. Je m'en retourne chez moi.

– C'est mieux comme ça.

Malgré ses paroles, il reste immobile, incapable de partir. Il se rapproche de moi jusqu'à ce que nos deux visages ne soient plus qu'à un centimètre l'un de l'autre. Je peux sentir son souffle sur mes lèvres, la chaleur de son corps.

– Marie…

– Charles…

Je fixe mon regard dans ses yeux clairs comme la mer qui caresse la grève le matin. Des vagues de désir parcourent mon corps. Soudain, un bruit venant de l'extérieur se fait entendre. Isidore est à la fenêtre et nous observe. Il disparaît. Charles se rue vers la porte.

– Je vais lui expliquer qu'il n'est rien arrivé, dit Charles en ouvrant la porte.

– Je venais juste pour jaser un peu, Marie, mais je vois que tu es occupée, dit Isidore en marchant vers son traîneau.

– Voyons, Isidore, ce n'est pas ce que tu penses, dit Charles.

– Bien non! Moi aussi je parle toujours aux filles le nez collé au leur, dit-il, sarcastique.

– Isidore, tu te fais des idées, dit Charles.

– Ne t'en fais pas, Charles. Je ne le dirai pas à Joséphine.

– On ne s'en fait pas, Isidore Boucher, on te dit qu'il n'est rien arrivé, dis-je d'un ton sec.

– Écoutez! Ce n'est pas de mes affaires! dit-il avant de faire claquer les rênes.

Bouche bée, nous le regardons repartir sur le chemin.

– Bon… il vaudrait mieux que j'y aille, moi, dit Charles après quelques instants.

– Ça vaut mieux, oui.

Il descend les marches de la galerie et fait quelques pas dans la neige. Soudain, il s'arrête net et revient vers moi, l'air décidé. Il saisit mon visage entre ses mains et me vole un long baiser. Je n'ai pas le temps de me remettre de ma surprise qu'il est déjà reparti.

Je le regarde disparaître au bout du chemin, avec la sensation de ses lèvres encore sur les miennes. Et je regrette déjà que notre histoire se termine ainsi. Pour la première fois, je ressens la grandeur de son amour et comprends qu'il aurait tout laissé pour moi. Si je l'avais retenu, tout à l'heure, il aurait abandonné Joséphine et fait de moi sa femme. Mais je ne l'ai pas retenu…

* * *

Durant la deuxième semaine de mars, l'air se réchauffe et j'en profite pour retourner faire des courses au village. Cela fait plus d'un mois que je n'ai vu âme qui vive. Dans la rue Principale, je croise trois villageois qui arrêtent leur conversation à mon approche et me dévisagent avec des airs dégoûtés. Sur le moment, je m'interroge sur le pourquoi de leur attitude. En entrant au magasin général, je vois Isidore et comprends immédiatement ce qui est arrivé. Le magasin est bondé en ce beau vendredi après-midi, et j'ai failli ressortir avant qu'on m'aperçoive. Mais je devrai bien affronter tous ces gens un jour.

– Tiens, si c'est pas Marie la solitaire qui revient au village! dit M. Arsenault en haussant le ton, mais en faisant semblant de ne parler qu'à sa femme, la pire commère du village. Elle doit venir émoustiller son beau docteur.

– Tu n'as pas pu tenir longtemps sans homme, hein, Marie la solitaire? Il a fallu que tu prennes celui d'une autre! dit Mme Richard en marchant vers moi.

– Je vous dis qu'il y en a qui n'ont pas de principes! dit Mme Arsenault.

Ils sont tous si agressifs envers moi que mon cœur se noue comme un nœud de cabestan. Dans leurs paroles, je ressens la haine qui ronge leurs cœurs. Et je ne comprends pas que je puisse être l'objet de cette haine, moi, Marie la douce, la petite Marie qu'ils ont trouvée sur le rivage. Ils continuent de me harceler et je n'ai d'autre choix que de partir. Derrière son comptoir, Isidore a la mine basse. Il s'en veut de leur avoir tout raconté. Il ne voulait pas me blesser, mais seulement faire une mauvaise réputation à cet hypocrite de Charles Boileau, qu'il déteste depuis l'enfance.

Après cette scène, je ressens l'irrépressible besoin de voir Charles. Je me rends chez lui, mais personne ne répond. Je cours alors jusque chez Rosalie. Elle est avec d'autres femmes du village et ne veut pas me laisser entrer.

– Rosalie, laisse-moi t'expliquer…

– Pourquoi as-tu fait ça, Marie? Charles était heureux ici, à l'Anse…

– Mais il est où, Charles, justement?

– Tu ne savais pas? Isidore a dit à tout le village qu'il vous avait vus en train de vous embrasser. Après ça, tout le village s'est mis à regarder Charles de travers. Il a perdu la confiance de tout le monde; les gens ont annulé leurs rendez-vous parce qu'ils ne voulaient plus de lui comme docteur. Et Joséphine ne pouvait pas supporter que tout le village parle des aventures de son mari, alors ils sont partis, hier, pour Québec. Ils sont retournés vivre chez les parents de Joséphine. Je ne verrai plus mon frère, et ça, c'est de ta faute, Marie! C'est de ta faute s'il est parti! dit-elle en étouffant ses sanglots.

– Mais je n'ai jamais voulu que ça se passe comme ça! Je n'ai jamais voulu que ça arrive. Je m'excuse, Rosalie. Je m'excuse! dis-je en tournant les talons.

J'aurais aimé prendre Rosalie dans mes bras, la serrer bien fort et lui dire que ce n'était qu'un malentendu, que son frère allait revenir, que les gens allaient oublier, mais je savais que c'était faux. Il n'allait pas revenir.

Je cours dans la rue Principale, les larmes aux yeux, ne sachant où aller. J'aperçois l'église au bout de la rue et me dirige vers elle. Je grimpe rapidement les marches et pénètre à l'intérieur. L'église est complètement déserte. Je vais m'asseoir dans le dernier banc et laisse les larmes couler le long de mes joues. L'odeur d'encens me calme. Je prends de grandes respirations et admire les vitraux en repensant aux épreuves du Christ sur cette terre. Je me demande s'il a versé beaucoup de larmes...

Monsieur le curé sort du confessionnal.

– Bonjour, Marie, dit-il. Est-ce que tu voulais me parler?

– Euh... oui, dis-je, hésitante.

– Je suis content de te voir. Ça fait longtemps que tu n'es pas venue à confesse. Mais je comprends, tu habites loin du village.

Le curé semble un peu hostile. J'imagine qu'il sait lui aussi que j'ai eu une aventure avec Charles. J'ai envie de partir en courant, mais il m'invite à entrer dans le confessionnal.

Ma liste de péchés véniels est rapidement épuisée et, lorsque le curé me demande si j'ai commis un péché mortel, le silence envahit l'isoloir. Je suis tourmentée. Comment me faire pardonner de Dieu pour avoir transgressé volontairement sa loi, sans avoir à tout raconter à monsieur le curé? Sans avoir à me confesser à cet homme qui a toujours semblé prendre un malin plaisir à entendre mes péchés? Je ne peux accepter que cet homme, avec ses vices humains, soit le seul intermédiaire entre le Seigneur et moi.

Je pourrais dire que je n'ai commis aucun péché mortel, mais ce serait encore pécher que de mentir à confesse. Une bouffée de chaleur m'envahit. J'ai le cœur comme une barque sur une mer houleuse. Ma vision s'embrouille; j'ai envie de vomir. Tout devient noir.

Je me réveille étendue sur le plancher. L'ecclésiastique et son bedeau me dévisagent, inquiets. Ce dernier dépose un linge humide sur mon front.

— Eh bien! Tu nous as fait toute une frousse, ma petite Marie! dit le curé.

— Qu'est-ce qui est arrivé? dis-je, encore étourdie.

— Tu t'es évanouie en pleine confesse.

— Je suis désolée…

— Ce n'est pas grave. Va te reposer, ma pauvre fille. Tu reviendras après la messe de dimanche prochain. Mon bedeau va aller te reconduire. Essaye de manger un peu de viande rouge pour souper, tu m'as l'air bien pâle.

En sortant de l'église avec le bedeau, je me dis que je n'irai sûrement pas à confesse dimanche prochain. Ni à confesse ni même à la messe. Je me confesserai au printemps, si le cœur m'en dit. De toute façon, ce qui est fait est fait, et je n'ai aucune envie de retourner au village. Je commence à y suffoquer.

Je repense aux paroles de Rosalie : «Isidore a dit à tout le village qu'il vous avait vus en train de vous embrasser.» Isidore nous a surpris, comme quand on était jeunes, et il en a été jaloux. Mais ce que Charles et moi avons fait est beaucoup plus grave que notre baiser dans le champ de blé et, cette fois-ci, Isidore n'a pas su tenir sa langue.

Encore une fois, je quitte le village en fuyant comme une fautive. Je suis coupable d'avoir désiré un homme marié, mais qui m'aimait, moi, Marie la solitaire, qui retourne sur la dernière terre attendre que la neige fonde et que les esprits oublient.

La nuit est claire et j'aperçois Orion qui brille dans le firmament, debout, majestueux, comme chaque hiver quand il veille sur moi du haut du ciel. Je le reconnais par sa ceinture, ainsi que le Carol me l'a montré. Mon père disait que chaque étoile dans le ciel est comme notre soleil et que chacun de ces milliers de soleils a peut-être une petite terre qui lui tourne autour. Je trouve cette idée merveilleuse, même si beaucoup de gens disent que c'est impossible. Je me demande si les habitants des planètes des trois étoiles de la ceinture d'Orion connaissent l'existence des planètes des deux autres étoiles. Peut-être qu'ils ont découvert un moyen de voyager entre les étoiles et qu'ils se rendent visite. Je me demande si, nous aussi, nous allons pouvoir un jour voyager dans les étoiles…

En ce début avril, l'hiver tarde à partir. Il s'accroche comme s'il savait que sa fin est proche. Dans l'épaisseur du silence, je suis le sentier qui mène à la falaise. Le grand nordet souffle inlassablement sur mes joues rendues insensibles par le froid intense. Mes doigts aussi sont gelés, mais je ne fais rien pour tenter de les réchauffer. Peu importe si je gèle, mon cœur est déjà glacé de toute façon, et mes pensées se promènent dans ma tête tel un vol noir de corbeaux. Et puis, personne ne me pleurera. Le Carol est mort. Charles est parti. Les villageois médisent de moi.

L'homme qui a volé mon cœur est reparti comme il est venu, comme l'été qui passe…

J'avance jusqu'au bord de la falaise. Je m'assois les pieds pendants dans le vide et fixe la mer tout en bas. Elle est toujours là, plus froide que durant l'été, mais toujours bien vivante. Elle ne s'endort pas sous la glace comme le lac de l'autre côté du village où les enfants vont glisser. Personne ne peut glisser sur elle. Ça prend des barques, mais elle peut les faire chavirer si elle le veut. Elle est puissante, ma mer. Elle est fière, orgueilleuse et impitoyable. Mais elle sait aussi être tendre, comme lorsque j'étais dans son ventre. Du haut de ma falaise, je l'écoute vivre. Je la sens impatiente de se laisser réchauffer par le vent du printemps, lorsque les blés et les fleurs sauvages recommenceront à pousser et que les oiseaux reviendront vers nos terres. Elle sera douce et chaude, comme la terre franche que je cultiverai de nouveau. J'aimerais que le temps s'accélère et que nous soyons déjà au printemps. Perdue sous les étoiles, je m'étends sur le côté et ferme les yeux. Je n'ai plus froid. Tous mes muscles se relaxent…

Je cours dans un champ. Le soleil est si puissant que mes yeux sont éblouis par sa lumière. Les blés sont si hauts que j'ai de la difficulté à avancer. J'entends des voix derrière moi : on me cherche. Des dizaines de voix d'enfants et d'adultes sont à ma poursuite. Je sens que ce n'est plus un simple jeu de cache-cache et que je dois me cacher pour sauver ma vie. J'avance toujours entre les blés qui deviennent de plus en plus denses. Des dizaines d'oiseaux qui étaient perchés sur un épouvantail géant s'envolent à mon approche. Les gens qui me poursuivent m'ont repérée et la peur me noue l'estomac. Je me cache au fond des blés, couchée sur le sol. Mon corps tremble, mais, lentement, il commence à s'engourdir. Il est de plus en plus engourdi et, après quelques longs instants de terreur, je ne peux plus bouger. Je ne sens plus mes jambes ni mes bras; tout mon corps est figé. Je suis bien. Maintenant, je n'ai plus peur de mes poursuivants. Je sais qu'ils ne me trouveront jamais, couchée ainsi tout contre la terre. Je voudrais rester dans cet état pour toujours. Soudain, j'entends les voix de la Madeleine et du Carol qui m'appellent : «Marie… Marie de la mer… Ne reste pas là, ma fille! Lève-toi, Marie! Ne reste pas là! Rentre à la maison…»

J'ouvre lentement les yeux. Je suis étendue sur la neige et ne sens presque plus mon corps. Je ne comprends pas pourquoi je suis si engourdie puisque je n'ai pas froid. Je me relève tranquillement. Mes jambes ont de la difficulté à me soutenir, mais elles arrivent tout de même à me porter et à me ramener au chaud dans la maison de mon père. Lorsque j'entre, Loup saute sur moi, visiblement heureux que je sois de retour. Je me couche dans mon lit et me recouvre de toutes les couvertures que je trouve. Mon corps tremble comme une feuille. Après quelques minutes, je commence à sentir mes pieds, mes mains, mes oreilles qui dégèlent. Ça chauffe, ça brûle, ça fait horriblement mal! J'ai peur que le sang ait arrêté de circuler dans ces parties de mon corps et qu'elles tombent. Je ris en me souvenant que c'est le genre de peur que Charles nous faisait lorsque nous sortions jouer dehors en oubliant nos mitaines ou nos tuques.

C'est à ce moment que je comprends : je me suis endormie et j'ai bien failli mourir gelée dans la neige. Je serais passée de l'autre côté si le Carol et la Madeleine ne m'avaient pas réveillée. Mais je ne voulais pas sortir de ce sommeil où j'étais si bien. Mon corps ne ressentait plus rien : ni froid, ni brûlure, ni crampe, ni malaise, ni peine. J'étais enfin insensible à la vie…

* * *

Avril tire déjà à sa fin : c'est le temps des grands labours. J'aimerais bien aller offrir mon aide aux Boileau, mais j'ai trop peur qu'ils la refusent. Cela m'attriste. Depuis mon enfance, j'ai toujours aidé les Boileau à semer le grain et à herser. En voyant leurs majestueux champs en été, j'aimais me dire qu'une partie de ces blés venait de ma main. Mais aujourd'hui, personne ne voudrait que je sème sur sa terre. Je risquerais d'empêcher les blés de pousser, moi qui suis si mauvaise.

Comme à chaque printemps, je prépare mon potager à accueillir mes graines, l'agrandissant encore un peu, pour passer le temps. Glissant lentement mes doigts dans la terre humide, dans sa chair fébrile, endormie si longtemps dans les bras du rigoureux hiver qui se termine, je revis. Je remplis mes poumons de l'air frais du printemps. Je bois les rayons du soleil pour réveiller doucement mes muscles endoloris par le froid et la paresse. Je peux presque sentir le sang qui circule dans mes veines. Tout mon corps respire de nouveau. Je renais.

J'aperçois Isidore qui arrive en charrette. Je dépose ma herse et me relève en secouant la terre de mes vêtements. Comme je connais mon vieil ami Isidore, il ne dort plus depuis le jour où il nous a surpris, Charles et moi, et il a besoin que je lui pardonne d'avoir tout raconté à ses clientes friandes de potins. Il veut m'entendre dire que je l'aime toujours et que notre amitié, qui a survécu à des croche-pieds, à des tresses tirées un peu trop fort et à des billes volées, survivra aussi à la jalousie, à la vengeance et à la peine qu'on a pu se faire. Alors, dès qu'il aborde le sujet, je lui dis ce qu'il veut entendre. J'ai l'impression d'enlever un énorme poids de sur ses épaules.

Je nous sers ensuite deux grands verres de thé froid et l'écoute me raconter qu'il fréquente depuis peu Agnès, qui l'aimait depuis longtemps déjà et qu'il n'avait jamais re-marquée, trop aveuglé qu'il était par ses sentiments pour moi. Je suis contente qu'il se soit enfin ouvert les yeux.

Je nous ressers du thé encore quelques fois, pendant que nous continuons à discuter sans voir les heures passer, jusqu'à ce qu'il me dise qu'il doit rentrer et que je lui fasse promettre de revenir me voir plus souvent. En échange, il me soutire la promesse que je retournerai au village bientôt.

* * *

En ce deuxième dimanche de mai, je me rends à la messe. Je n'en peux plus de vivre au fond de ma terre comme un ermite. J'ai besoin de voir des gens, de jaser, de voir les enfants rire et jouer, et d'entendre les pêcheurs parler de la mer et du temps qu'il fera demain. J'ai longtemps cru que je pouvais me passer de tout cela, que je n'avais pas besoin des autres, mais je me trompais. Je ne supporte plus la solitude.

Sur le perron de l'église, l'envie me prend de retourner chez moi. Mais je dois affronter les villageois. C'est pour cela que je suis venue. La tête bien haute et le regard droit, j'entre dans l'église et avance dans l'allée centrale. J'aurais pu m'asseoir dans l'un des derniers bancs, mais je marche jusqu'à l'avant. Les gens tournent la tête pour m'observer. Leurs chuchotements, semblables à un essaim d'abeilles, emplissent l'église. Je les ignore. Ils sont si pitoyables de se préoccuper de moi comme ils le font, comme si je jouais un rôle dans leur vie, comme si j'étais importante à leurs yeux. Eh! Ce n'est rien! Je ne suis que Marie la solitaire qui revient au village. Et je n'ai que faire de vos murmures.

Alors que je marche vers l'autel pour la communion, j'entends une voix derrière moi : «Comment ose-t-elle? On devrait lui refuser de communier.» Cette femme n'est pas une vraie chrétienne pour parler de moi ainsi. Dieu ne refuserait jamais à son enfant de célébrer l'Eucharistie. Il ne refuserait pas la communion à sa fille dont le seul péché est d'avoir aimé, ou, enfin, d'avoir tenté de se rapprocher de l'amour. Et Dieu est Amour. Dieu comprend mes actes. Il n'est pas comme vous. Dieu ne murmure pas, et il ne juge pas, et il ne condamne pas. Dieu pardonne, c'est tout. J'avale le corps de Jésus-Christ avec amour et je regarde ses fidèles. Je suis plus près de lui que vous ne le serez jamais, avec vos cœurs pleins de rancune inutile. Je retourne m'asseoir et souris au Christ en croix qui me retourne mon sourire...

Après la messe, tous les paroissiens sortent sur le perron de l'église. Pour la première fois cette année, il fait chaud et les gens ont envie de bavarder et de prendre leur temps. Tout le monde s'embrasse et se serre la main. Par la suite, ils forment des petits groupes pour discuter. Les femmes rient et sourient, les hommes parlent fort et se flattent la bedaine. Les cultivateurs discutent des labours et des semailles qui suivront; les autres villageois parlent du temps qu'il fait et de leurs enfants qui grandissent. Tous s'entendent pour dire que l'hiver qui s'achève fut le plus rude depuis au moins vingt ans. La famille Boileau, Rosalie et

Émile, les Arsenault, les Richard, les Leblanc : ils sont tous là. Mais ils m'ignorent; je suis invisible. Je suis morte à leurs yeux.

— Pourquoi? ne puis-je m'empêcher de leur crier. Pourquoi plus personne ne me parle? Pourquoi ne faites-vous que murmurer dans mon dos, hein? Eh bien, si vous pouvez murmurer, moi, je peux crier!

— C'est parce que vous avez péché, mon enfant, dit monsieur le curé doucement, du haut de l'escalier.

— Péché… C'est vrai, j'ai péché. J'ai péché avec le gars de la ville… et avec le docteur… et avec tous vos maris! Je suis une pécheresse! Oui, monsieur le curé, une pécheresse! C'est pour ça que je vis toute seule au fond de ma terre en regardant les jours passer. Mais je n'en peux plus d'attendre, monsieur le curé! Je n'en peux plus d'attendre qu'on me pardonne, et je n'en peux plus d'attendre que la terre soit prête pour que je la cultive! Si vous n'êtes pas prêts à me pardonner, tant pis… Et si ma terre n'est pas prête pour les semailles, je vais aller à la mer en attendant. Il n'y a qu'elle qui veut de moi!

Je me sauve en courant. Malgré le bruit de mes pas lourds sur le sol, j'arrive à entendre les murmures de consternation derrière moi. Je les ai tous ébranlés. Ils n'en reviennent pas. Marie la solitaire est toujours vivante. Elle a péché et elle est toujours vivante…

* * *

De retour à la maison, je monte au grenier à la recherche des vieux crocs et des vieilles lignes du Carol. Je les trouve avec un grand panier d'osier, que je prends aussi. Il me servira à transporter mon poisson. J'arme mes deux lignes de deux crocs chacune et les leste d'une cale de papier de plomb fondu que je récupère de mes emballages de thé.

Le lendemain, je me lève vers trois heures du matin et, bien avant le lever du soleil, bien avant que les pêcheurs n'arrivent, je me rends sur la grève. Hier, à l'église, j'ai entendu dire qu'Ovila s'absenterait cette semaine, pour aller au chevet de sa mère qui est mourante. En espérant ne rencontrer aucun pêcheur plus matinal que moi, je me dirige rapidement vers son *flat*, sur le côté duquel est écrit le nom de sa femme, et y dépose mon panier, mes lignes et ma cambuse.

Le soleil se lève tranquillement à l'horizon, faible lueur derrière le brouillard qui couvre la mer et caresse la côte encore endormie. Je prends la mer. Elle est fougueuse et impétueuse. Elle ne veut pas que ma coque la caresse, elle ne m'a pas reconnue. Je la prends. Je la prends comme un homme qui sait prendre une femme. Mes rames la pénètrent et creusent des sillons dans sa chair fébrile. Mes rames la pénètrent et lui donnent des frissons. Elle s'excite et devient encore plus violente. Je continue de ramer, plus loin, encore plus loin. Je me sens capable de la traverser. Ses vagues s'élèvent et me bousculent. Je serre bien fort mes doigts autour de mes rames et continue mon mouvement. Soudain, elle se calme. Elle s'apaise en un long soupir ainsi qu'une femme comblée.

Je jette ma ligne à l'eau et mets les vieux manigaux du Carol pour ne pas me blesser les mains lorsque je la tirerai de toutes mes forces. Je ferme les yeux pour mieux apprécier le doux murmure de la brise de mer qui caresse mon visage encore endormi. À peine ai-je émis un soupir que déjà un poisson mord à ma ligne. Je la tire tranquillement, sans à-coups. Cette première prise me paraît interminable à sortir de l'eau. Je n'ose pas tirer trop vite de peur qu'elle ne m'échappe. Enfin, elle sort de l'eau : une belle grosse morue d'au moins trois kilos, gigotant comme un ver devant un hameçon. Je réussis tant bien que mal à l'agripper. Je détache le croc de sa gueule, la dépose doucement au fond de mon panier d'osier et rejette ma ligne à l'eau.

Sur le quai, les pêcheurs commencent à arriver. Je sais qu'ils regardent dans ma direction, se demandant bien quel est cet intrus sur l'eau. Je ne me préoccupe pas d'eux et continue de pêcher. Vers onze heures, je compte une quinzaine de morues qui brillent au fond de mon panier. La mer m'aime bien. Elle se vide les entrailles pour moi, sa fille qui est venue la rejoindre. Elle me donne le fruit de ses entrailles pour combler mon vide à moi.

Vers deux heures, je reprends les rames et ramène le *flat* d'Ovila sur le rivage. La mer m'a assez donné pour aujourd'hui; je reviendrai demain. Je sors la chaloupe de l'eau et tente de soulever mon panier de poissons. Il est plus lourd que je ne le pensais et je passe proche de basculer avec toutes mes prises. Je sépare alors ma pêche en deux, laissant la moitié de mes morues au fond du bateau. Je traverse fièrement le rivage avec mon panier rempli de belles morues que je vais déposer plus loin sur la grève. Je vais chercher le reste des morues et installe ensuite, à quelques mètres de ceux des autres pêcheurs, le vieil étal de M. Boileau dont Antoine s'est servi l'été passé. Je tranche ma morue comme Antoine me l'a montré. Je la lave et l'empile pour la saler. Je dépose un rang de morue, la chair vers le ciel, j'ajoute un rang de gros sel, et je recommence.

Après une heure, j'ai presque fini ma besogne. Les pêcheurs commencent à revenir de la mer. Lorsqu'ils passent devant mon étal, je sens qu'ils me dévisagent. Je les ignore et continue de travailler en souriant.

— Tiens! La Marie de la mer qui a décidé de pêcher!

— Salut, Alfred! dis-je en lui jetant un bref coup d'œil.

— J'espère que tu ne penses pas faire de l'argent en pêchant, Marie, dit Victor, son compagnon.

— Pourquoi pas? Vous en faites bien, vous autres.

— Ouais, mais on est deux, et on travaille fort.

— Moi aussi, je travaille fort, Alfred. Regarde ce que j'ai pêché depuis ce matin, dis-je en lui montrant mes prises.

— C'est notre territoire ici, Marie. Et la pêche n'est pas pour une femme. Retourne chez toi!

Deux autres pêcheurs s'approchent de nous. Et encore deux autres. Ils sont bientôt six hommes à me dire de rentrer à la maison, que la mer, ce n'est pas pour moi.

– Et en plus, tu as volé le *flat* à Ovila.

– Je ne l'ai pas volé, je l'ai emprunté.

– Va-t'en d'ici, Marie! Laisse-nous travailler entre hommes, disent-ils en s'éloignant.

Je comprends pourquoi les hommes n'acceptent pas qu'une femme aille à la pêche. Les femmes ne doivent jamais être meilleures qu'eux, excepté avec les enfants et dans la maison. La mer, c'est leur territoire; et ils ont peur de moi. Ils savent que je suis la Marie de la mer et ils ont peur que je ramène plus de poissons qu'eux. Je vais leur faire peur, tiens!

* * *

Le lendemain, je me lève avec le soleil et pars vers le village d'un pas rapide, bien décidée à retourner en mer. Je vais voir M. Boucher à son magasin. Je sais qu'il possède une chaloupe dont il ne se sert jamais, lui qui déteste l'eau.

– J'ai besoin que vous me louiez votre *flat*, lui dis-je.

– Voyons, ma pauvre Marie! Tu ne feras jamais assez d'argent avec la pêche côtière, toute seule dans un *flat*. As-tu vraiment envie de t'endetter envers la Robin? D'être dépendante des Jersiais comme tous les pêcheurs? Non, tu ferais mieux de t'occuper de ta terre si tu ne veux pas manquer le temps des semailles.

– Pour cette saison, je m'occupe de la mer, monsieur Boucher. Louez-moi votre *flat* à crédit, et je vais vous le rembourser avec l'argent de mon poisson. Et ne vous en faites pas, je n'ai pas de famille à faire vivre, moi. Je ne m'endetterai pas. D'accord?

– C'est d'accord. Mais ne viens pas me demander de te faire crédit si tu n'as pas d'argent pour manger à l'automne!

– Ne vous inquiétez pas pour moi.

Émile et Isidore m'aident à transporter l'embarcation jusque sur la grève où de nombreux pêcheurs se préparent déjà à partir en mer. Ils me regardent passer en silence, comme si j'étais une sirène qui aurait échoué sur le rivage, sur leur rivage. Avant d'embarquer dans ma chaloupe, je me retourne et lève la tête bien haut, fière comme un pêcheur qui vient d'attraper la plus grosse morue de la saison.

– Ça, c'est mon *flat*, dis-je bien fort pour qu'ils m'entendent tous. Je ne l'ai pas volé. Et que je n'en entende pas un me dire que je suis sur son territoire, parce que la mer, c'est à tout le monde. Est-ce clair? Aujourd'hui, je vais pêcher, et demain aussi, et toute la saison si la mer veut bien de moi. Alors vous êtes mieux de vous habituer à moi tout de suite! Marie de la mer, c'est mon nom!

Ils me dévisagent tous comme si j'étais maintenant une apparition de la Sainte Vierge. Je les ai abasourdis. Avant qu'ils n'aient le temps de me répondre, je fais signe à Émile et à Isidore pour qu'ils m'aident à pousser ma chaloupe à l'eau et je commence à ramer. Je rame durant de longues minutes, au rythme de ma profonde respiration, me dirigeant dans un coin où il n'y a pas trop de pêcheurs. Curieuse de savoir si la mer sera aussi généreuse qu'hier, je jette ma ligne à l'eau.

Et la mer me répond par le doux murmure de la houle qui vient effleurer mon embarcation, me faisant don de ses plus belles morues.

* * *

Deux semaines après que j'ai commencé à pêcher, mes premières morues, maintenant salées et complètement déshydratées, sont prêtes pour la vente. Je me rends sur le quai pour voir les autres pêcheurs. Ils ont justement assez de poisson pour justifier un voyage de charrette jusqu'à Percé, où l'on achète notre morue pour la revendre à ceux qui n'ont pas la mer, à des Européens, paraît-il. Victor accepte de prendre mon poisson et tous se rapprochent pour voir combien j'ai de morues. Ils sont ébahis devant le nombre et la grosseur de mes prises. «Pas pire... pour une femme», disent certains. «Pas pire... pour de la pêche côtière en *flat*», disent d'autres, en murmurant pour que je ne les entende pas. Victor leur dit, en déposant mon poisson séché dans la charrette, que je vais certainement me fatiguer. À moi, il dit que j'aurai mon argent demain, si les hommes de Percé veulent bien de mes prises. Je ne tiens pas compte de ses remarques et je repars prendre la mer, les laissant avec leurs commérages de vieilles paroissiennes. Moi, je sais très bien que je ne me fatiguerai pas. Si seulement ils pouvaient mettre leur orgueil de côté et laisser pêcher une femme en paix.

Vers trois heures, je m'arrête, exténuée, et écoute la mer. Elle donne de petits coups sur les flancs du bateau comme pour me dire que j'en ai assez fait, qu'il est temps de rentrer à la maison. Je ne suis pas pressée de rentrer; personne ne m'attend, excepté Loup. Et je suis bien ici, au milieu de l'eau. J'ai envie de me laisser dériver vers l'horizon, vers la douce lumière du soleil, et de laisser le temps s'enfuir… mais j'ai tout ce poisson à trancher, à laver et à saler avant de rentrer. Je reprends donc mes rames et retourne à la terre.

* * *

Le lendemain, après ma journée en mer, je me rends sur le quai pour avoir mes sous. Les pêcheurs se moquent de moi car ma paye n'est que le dixième de la leur, mais pour moi qui n'ai ni famille ni animaux à nourrir, c'est beaucoup. Une fois à la maison, je range mes sous dans ma jarre en terre cuite. Le bruit de l'argent qui résonne au fond du pot me réconforte; la saison s'annonce fructueuse.

De la mi-mai à la mi-juin, je fais plus d'argent en vendant mon poisson qu'avec mes légumes durant tout l'été. Mais pour cela, je trime dur de l'aurore jusqu'au crépuscule. Chaque fois que je jette une morue au fond du panier, je calcule l'argent qu'elle me rapportera et cela m'encourage. Je n'abandonnerai pas. Non seulement j'ai fait assez d'argent pour payer la location de mon *flat*, mais je commence même à pouvoir en mettre de côté.

Assise sur la galerie pour profiter d'un autre coucher de soleil, je songe à tout ce que je pourrais me payer si je travaillais encore plus fort. J'aurais bien besoin d'une nouvelle robe, et j'ai justement vu un beau tissu au magasin, un tissu soyeux pour caresser ma peau et me faire sentir femme à nouveau. Je mériterais bien aussi quelques sucreries, de la nouvelle vaisselle, des bottines neuves et un nouveau manteau comme ceux que j'ai vus dans le catalogue qu'Isidore a rapporté de Québec. Et puis – pourquoi pas? –, maintenant que je n'ai plus à m'occuper du Carol, j'aimerais bien aller magasiner directement à Québec, une fois la saison terminée; les autres femmes en seraient folles de jalousie. Je m'imagine déambulant dans la Grande Allée, admirant toutes les belles choses à la dernière mode exposées dans les vitrines des magasins : chapeaux, robes, souliers. J'en reviendrais avec tous les nouveaux articles pour la maison dont on ne fait qu'entendre parler ici, comme un faible écho du progrès. Ou peut-être même, je ne reviendrais pas du tout…

Le soleil disparaît et je rentre afin de ne pas me perdre parmi ces songes et oublier que demain, avant son retour, je devrai repartir sur la mer et la séduire de nouveau.

* * *

Aux premières lueurs de l'aube, je prends un copieux déjeuner avant d'aller affronter la mer. Je songe à Rosalie et aux dernières paroles qu'elle m'a adressées : «C'est de ta faute s'il est parti!» Elle n'a pas voulu m'écouter. Ma tendre Rosie n'a pas voulu entendre mes explications. Cela m'attriste énormément. On peut dire que les Boileau m'en auront fait de la peine, en me rejetant les uns après les autres. Je me demande si elle m'attend. Si elle m'a pardonné de lui avoir ravi son frère… Voulant enlever ce poids de sur mes épaules, je prends congé de la pêche pour une journée et mets mon plus beau chapeau pour aller la visiter.

Il est sept heures lorsque je cogne chez Rosalie. La gorge sèche, je fixe la porte, espérant presque qu'elle ne s'ouvre pas. J'entends du bruit à l'intérieur, des pas lents qui se rapprochent. La porte s'ouvre finalement et la petite fri-mousse de Rosalie apparaît dans l'entrebâillement. Bien vite, un sourire se dessine sur son visage encore endormi, frais comme la rosée du matin. Elle me laisse entrer dans le vestibule et me prend dans ses bras.

– Marie! Je suis désolée, dit-elle.

– Moi aussi, je suis désolée, Rosie!

Nous restons ainsi entrelacées quelques instants, silencieu-ses, prêtant l'oreille au balancement du pendule de l'horloge grand-père qui nous rappelle que le temps passe et que nous devons prendre soin de cet amour qui nous unit.

– J'ai eu des nouvelles de Charles, dit-elle en me prenant par la main. Il m'a écrit une longue lettre.

– Est-ce qu'il parle de moi?

– Il dit que ce qu'Isidore a dit sur vous deux, ce n'était que des menteries, parce qu'Isidore était jaloux de tous les hommes qui tournaient autour de toi. Il dit aussi que s'il est parti, ce n'est pas à cause de toi, mais parce que sa Joséphine n'en pouvait plus de vivre à la campagne. Elle voulait retourner en ville, chez ses parents. Et lui, il ne pouvait plus endurer des gens comme Isidore qui jacassent devant tout le village et que tout le monde écoute… Pour-quoi ne m'as-tu pas dit, Marie, que c'était des mensonges?

– Bien… tu ne m'en as pas laissé le temps. Tu m'as fermé la porte au nez…

– Je suis tellement désolée, dit-elle en me reprenant dans ses bras. J'avais de la peine et j'avais besoin de trouver un coupable.

Nous passons à la cuisine où elle met de l'eau à bouillir pour nous préparer du thé. Ensuite, nous nous assoyons au salon. Le soleil se lève tranquillement, dégourdissant ses rayons les uns après les autres; il éclaire le salon d'une douce lumière qui me rappelle les matins où je déjeunais avec le Carol, qui partait aux champs de bonne heure. Le menton accoté sur le coin de la table, je le regardais engouffrer du pain et du lard afin d'avoir l'énergie nécessaire pour sarcler jusqu'à midi. Je voulais toujours le suivre, mais la Madeleine me poussait rapidement sur le chemin de l'école où, me disait-elle, m'attendait mon avenir. Je ne l'y ai jamais rencontré... Mais je rencontrais toujours Rosalie en chemin, avec ses cheveux qui brillaient sous le soleil et son rire qui s'envolait bien haut, comme les goélands en quête de nourriture.

Lorsque Rosalie vient s'asseoir près de moi, je lui demande :

— Savais-tu que j'allais pêcher tous les jours, maintenant?

— Bien sûr! Tout le village sait que tu as abandonné ta terre pour aller sur la mer.

Je lui raconte ce que je fais chaque jour depuis un mois. Elle me dit que je suis folle d'aller sur la mer toute seule, quand tout le monde sait que certains hommes n'en sont jamais revenus. Mais je lui rappelle qu'elle est Rosalie, la fille du Soleil, et que je suis Marie, la fille de la Mer.

— Je suis faite pour pêcher, lui dis-je.

— Et moi, je suis faite pour quoi?

— Toi? Toi, tu es faite pour avoir des enfants. Des dizaines d'enfants!

— Arrête, dit-elle en me poussant du coude. Je vais commencer par accoucher de celui-là!

— Moi aussi, je vais avoir des enfants, Rosie. J'attends juste de trouver mon homme, et ensuite je vais avoir des enfants.

— Penses-tu que c'est sur la mer que tu vas le trouver, ton homme? dit-elle d'un ton désespéré.

— Non, sûrement pas. Et sûrement pas au village non plus! C'est pour ça que c'est peut-être bien mon dernier été à l'Anse... Peut-être que je vais aller chercher ailleurs...

— C'est vrai? Tu songes à partir d'ici?

Je lui réponds par un haussement d'épaules.

— Marie, je peux te poser une question? Tu te souviens de mon cousin Antoine?

— Antoine?

– Oui, celui qui a passé l'été à te faire des yeux doux.

– Je me souviens…

– Bien… Tu ne penses pas… Tu ne penses pas que c'était peut-être lui, ton homme? Que peut-être vous vous aimiez?

– On s'aimait, tu dis? Tu penses qu'il m'aimait?

– Mais je ne sais pas, moi, Marie. C'est moi qui te pose la question! Je me souviens seulement que le cousin Antoine avait la mine bien basse quand il est venu nous voir avant de partir. Il avait les yeux tout humides, comme s'il avait passé trop de temps en mer. Mais peut-être que ce n'était pas juste la mer qu'il avait au fond des yeux…

Nous restons dans le silence durant de longs instants. Dans ma tête repassent les souvenirs du bel été que j'ai passé avec lui. Je nous revois galoper à vive allure dans le bois, vers la clairière, et je peux presque l'entendre crier derrière moi : «Ne va pas si vite, je ne pourrai jamais te rattraper!» Je ne l'ai jamais laissé me rattraper.

– Tu as peut-être raison, Rosie, peut-être qu'on s'aimait… C'est peut-être pour ça que je n'arrête pas de penser à lui, même après l'hiver, même après tant de temps…

– Tu sais, Marie, si tu penses tenir l'amour entre tes mains, il ne faut pas que tu le laisses s'échapper, parce que tu ne sais jamais s'il va revenir.

– C'est trop tard pour moi. Je l'ai déjà laissé s'échapper.

Rosalie comprend ce que je ressens. Elle me prend dans ses bras. Je m'étends de tout mon long sur le divan et pose ma tête sur ses cuisses, tout contre son ventre. Il y a un bébé là-dedans, me dis-je. Moi aussi, je veux des bébés! Plein de bébés tout roses et tout doux à caresser… Je veux des bébés d'Antoine. Antoine… Antoine qui me parlait de Paris et des cafés. Antoine aux beaux cheveux noirs, semblables à la mer les nuits sans étoiles. Antoine qui savait comment me prendre… Je pleure sur le gros ventre de Rosalie. Je pleure pour soulager mon cœur qui brûle malgré moi. Je suis cet oiseau blessé qui ne montera plus au ciel.

L'homme qui a volé mon cœur est reparti comme il est venu, comme l'été qui a passé...

Et j'irai sur la mer pêcher la morue pour oublier ma peine...

* * *

Un matin comme tous les autres, j'arrive sur la grève, les yeux encore pleins de sommeil. Tous les pêcheurs sont déjà là. Ils se tiennent tous près de mon *flat* et, lorsqu'ils m'aperçoivent, ils cessent de parler. Je sens qu'ils vont encore tenter de me dissuader de prendre la mer, mais je ne me laisserai pas faire. C'est mon gagne-pain à présent. Je marche d'un pas décidé vers eux, la tête haute, et m'arrête face à Alfred que je fixe dans les yeux. Le silence devient pesant.

– Marie... Les gars et moi, on voulait te dire... qu'on s'excuse de t'avoir fait de la misère.

– Quoi?

– Bien... on n'aime pas beaucoup ça que tu pêches, parce que ça pourrait donner des idées à nos femmes, mais on s'est dit que tu n'avais pas d'homme pour te faire vivre et qu'il fallait bien que tu te débrouilles... Alors, on voulait te dire que si jamais tu as besoin d'aide, tu as juste à nous appeler.

– C'est bien gentil à vous, les gars, dis-je sincèrement. Je m'en souviendrai.

Ils retournent tous à leurs barges et j'embarque dans ma chaloupe, qui ressemble à une embarcation d'enfant à côté des leurs. En ramant sur l'encre bleue du golfe, je me dis qu'ils ont bon cœur, ces pêcheurs. Ils ne comprennent pas que je n'attends pas qu'un homme me fasse vivre et que je pêche par pur plaisir, mais ils ont bon cœur quand même.

Je descends ma ligne à l'eau et m'assois pour attendre ma première morue de la journée. Elle arrive bien vite, comme la veille, comme l'avant-veille et comme tous les jours depuis que je pêche ici. La mer est comme une catin avec moi. Une catin qui tente de m'aguicher. Elle me comble pour que je l'aime. Elle veut que je l'aime plus que la terre et que je reste avec elle tout l'été. Maintenant que je suis revenue à elle, elle ne veut plus me laisser partir. Elle ne veut plus me laisser sur le rivage. Elle veut que je retourne dans ses entrailles pour qu'elle puisse de nouveau me bercer. Mais chaque soir, je retourne sur la terre et je la laisse avec ses sanglots qui se perdent dans le vent. Toute la nuit, je la laisse frapper la falaise de ses vagues déchaînées. À l'aurore, je retourne auprès d'elle pour la consoler, et elle me donne encore toute la morue que je veux.

Lorsque le soleil est à égale distance de la mer et du ciel, je reprends mes rames. Il est plus tard qu'à l'accoutumée; je n'ai pas vu le temps passer et je suis la dernière embarcation encore sur la mer. Je rame au rythme de ma lente respiration, me laissant bercer par la troublante odeur de la mer, cette odeur qu'elle dégage après que les hommes l'ont vidée de ses trésors, comme une femme exténuée par une nuit d'amour. Levant les yeux vers le rivage, j'aperçois la silhouette d'un homme au travers du brouillard qui se lève. Un autre qui ne voulait pas quitter la mer, me dis-je. Un autre qui est bien dans son silence immense et que son odeur enivre…

En me rapprochant encore plus de la rive, je remarque que ce n'est pas un pêcheur. Il n'a ni ligne ni morue et il fixe la mer dans ma direction, les deux mains dans les poches. Je rame encore quelques bons coups, jusqu'à ce que mon *flat* touche le fond. J'en débarque et l'homme vient m'aider à le tirer sur le rivage. Mes paroles résonnent comme dans les brumes d'un rêve.

— Antoine! Qu'est-ce que tu fais là? dis-je, ébranlée.

— Ça se voit; je t'aide à sortir ton *flat* de l'eau, pour que tu ne t'éreintes pas.

— Je veux dire, qu'est-ce que tu fais à l'Anse?

— Eh bien, c'est l'été. Je t'avais bien dit que j'allais revenir te chercher à la fin juin, quand j'aurais fini mes études. Voilà, ça y est! Je suis avocat!

– Félicitations… Bien, aide-moi donc à apprêter ma morue. À deux, ça va aller plus vite.

Nous nous installons sur mon étal et tranchons ma morue. Antoine me regarde avec un sourire malin. Mes pensées se bousculent dans mon esprit. Je ne me souviens pas du tout qu'Antoine m'ait dit qu'il allait revenir me chercher à la fin juin. Je suis même certaine qu'il ne m'a jamais promis son retour puisqu'il est parti sans même me dire au revoir, après que je l'ai repoussé, c'est vrai.

– Je suis revenu à l'Anse parce qu'on m'a dit qu'il y avait une maudite belle fille à marier.

– Une fille du village?

– Non, non. Une pêcheuse. Une pêcheuse qui ramène plus de poissons que tous les hommes, parce qu'elle est plus belle que la mer et que les poissons la quittent pour elle.

– Une belle pêcheuse, tu dis, dis-je en souriant.

– La plus belle, dit-il en me prenant dans ses bras.

– Je te veux, Marie la pêcheuse! Même si je sais que je ne pourrai jamais t'avoir réellement… Veux-tu être ma femme? Dis oui, Marie.

– Tu me quittes pour presque un an et tu crois que je pense encore à toi? Tu as du front tout le tour de la tête, Antoine Boileau!

– Ouais! Mais ça ne répond pas à ma question, ça.

– Tu vas trop vite, Antoine. Tu ne sais pas tout. Beaucoup de choses ont changé depuis que tu es parti.

– Je sais… Je sais, Marie. Mais moi, je suis revenu pour t'épouser, et c'est ce que je vais faire. Mon oncle Marcel a été bien surpris quand je lui ai dit ça, mais je l'ai convaincu qu'on s'aimait. Je lui ai dit que, dans l'église, quand je t'ai embrassée, c'était parce qu'on se fiançait.

– Antoine!

– Mais c'est vrai, Marie. Je voulais qu'on se fiance ce jour-là, mais tu n'as jamais voulu m'écouter. Tu m'as crié après, Marie. Je me suis dit que tu ne devais pas m'aimer vraiment et que, dans le fond, tu n'étais peut-être pas la fille pour moi. Ça fait que je suis reparti sans chercher à te dire au revoir et que j'ai essayé de t'oublier. Mais j'ai passé tout l'hiver à penser à toi. Tu m'obsédais, Marie. En mars, le pauvre Charles est arrivé à Québec et il m'a raconté toute votre histoire. Sur le coup, j'étais tellement en maudit que je lui ai mis mon poing dans la face.

— Antoine! Tu es fou!

— Non, Marie, laisse-moi finir. J'ai vite regretté mon geste et je lui ai demandé de continuer son histoire. Il m'a dit que si je t'aimais je devais aller te chercher parce que tu m'aimais aussi, et que j'étais le seul homme que tu épouserais jamais. Il m'a dit que tu as eu envie de lui à cause de moi, puis que tu n'as plus voulu de lui à cause de moi aussi. On s'est dit que les femmes étaient bien folles! Mais je lui ai juré que j'irais te chercher dès que j'aurais obtenu ma licence. Et c'est fait. Alors, me voilà!

— D'abord, tu me traites de folle, puis tu voudrais que je te saute dans les bras!

— Ah! Marie la fière… Tu n'as pas changé. Mais maintenant, tu vas me répondre. Veux-tu être ma femme, oui ou non?

— Tu vas trop vite, Antoine. Tu penses que tu peux m'abandonner tout un hiver, revenir me dire que je suis la plus belle, puis me demander en mariage. Tu penses que je t'ai attendu comme on attend le printemps, enfermée dans ma cabane en priant pour que tu reviennes. Eh bien, tu te trompes! Je ne t'attendais pas et je n'ai pas l'intention de t'épouser. Ça fait que débarrasse et laisse-moi travailler!

— Je ne te crois pas, Marie. Je te laisse, si c'est ce que tu veux, mais je le vois bien que tu m'aimes encore.

Antoine quitte le rivage et remonte la rue qui mène au village. En fixant sa silhouette qui s'éloigne, je m'en veux déjà de l'avoir rabroué ainsi. Mais je ne pouvais tout de même pas me jeter à son cou comme si j'avais passé l'hiver à rêver à son retour. Comme si je n'attendais que lui pour devenir une femme.

* * *

La soirée est déjà avancée lorsque je quitte enfin le rivage, laissant mes morues fraîchement salées et bien arrimées. En approchant de la maison, je remarque une silhouette qui se balance sur une chaise berçante. Mon cœur s'emplit de nostalgie. Je revois la Madeleine, les mains acharnées sur son tricot pendant que ses yeux se laissent éblouir par les couleurs du ciel printanier. J'entends presque l'apaisant cliquetis de ses aiguilles et sa chaude voix qui m'invite à m'asseoir à ses côtés. Je monte lentement les marches de la galerie.

— Salut, Marie, me dit Antoine en se levant de la chaise.

— Antoine, je m'excuse pour tout à l'heure mais… c'est que tu m'as surprise.

— Ne t'en fais pas, c'est déjà oublié.

— Mais qu'est-ce que tu fais ici?

— Je t'attendais pour prendre le souper. Je nous ai préparé un bouilli avec les légumes de mon oncle.

— Ton oncle sait que tu es ici?

— Bien sûr. C'est lui qui m'a dit de prendre quelques légumes. Il pense que tu dois manger plus souvent de la morue que d'autre chose.

— Pour ça, il a bien raison. Ça fait quelque temps que je n'ai pas mangé un bon bouilli.

— Et je n'ai pas mis que des légumes, j'ai mis des morceaux de lard salé aussi!

— Ça me met l'eau à la bouche, dis-je en entrant dans la maison. Sers-m'en une assiettée, je vais me mettre une robe plus propre et je te rejoins.

Une fois dans ma chambre, je me débarrasse de mes vêtements poisseux. Je soupire de soulagement en voyant qu'il me reste encore un peu d'eau dans mon pot à eau. Je vais pouvoir me laver sans avoir à aller quérir de l'eau au puits. Je ne veux surtout pas passer une soirée en compagnie d'Antoine en sentant la morue! Je me lave donc rapidement et enfile ma plus belle robe d'été. Comme l'air s'est déjà rafraîchi, je couvre aussi mes épaules avec le châle de la Madeleine.

Lorsque je retourne dans la cuisine, une assiettée fumante m'attend sur la table. Au centre de celle-ci trône un bouquet de marguerites.

— J'ai pris le premier pot que j'ai trouvé pour mettre les fleurs, dit Antoine, un peu gêné.

Je lui souris et m'assois à table, en face de lui. Antoine me rompt un généreux morceau d'une appétissante miche de pain, que je sais venir de chez les Boileau. Les miches de Mme Boileau ont un petit quelque chose de spécial : elles sont plus rondes que d'autres parce qu'elle les fait cuire dans des pots de terre cuite.

Je mange avec appétit toute mon assiettée. C'est la première chose consistante que j'avale de la journée. Antoine mange aussi avec beaucoup d'appétit, lui qui ne doit pas être habitué à souper si tard dans la soirée. Dans la cuisine, le silence règne, interrompu que par le cliquetis des ustensiles sur la céramique des assiettes. Je me surprends à cogner volontairement ma fourchette sur le bord de mon plat pour briser le silence qui me paraît plutôt lourd. Nos regards se croisent entre deux bouchées et se détournent aussi rapidement, replongeant dans nos assiettes pour chercher un quelconque morceau de légume ou de lard à piquer de la fourchette. Une fois le repas terminé, je romps un autre morceau de pain que j'imbibe du savoureux bouillon au goût de lard salé qui couvre le fond du plat. Alors que je déguste ma dernière bouchée, Antoine ramasse la vaisselle et la dépose sur le bord de l'évier. Sans un mot, il sort sur la galerie.

À cet instant, je me rappelle combien j'ai été dure avec lui cet après-midi, le rejetant comme on retourne à la mer un vieux poisson mort échoué dans nos filets. Et s'il était sincère ? Et s'il voulait vraiment qu'on se fiance au mois d'août dernier, avant que je ne le chasse de ma vie comme je tente encore de le faire ? Je le suis à l'extérieur.

Comme s'il nous attendait pour commencer son spectacle, le soleil amorce sa descente vers la mer au moment même où nous prenons place dans les chaises berçantes du Carol et de la Madeleine. Il est bien joyeux aujourd'hui, le soleil, puisqu'il est monté au plus haut du ciel, restant avec nous encore plus longtemps qu'à l'accoutumée. Il est fier comme un enfant à qui l'on permet de se coucher plus tard pour veiller avec les grands; et il s'est vêtu pour nous de ses plus belles parures.

— C'est déjà le solstice d'été, dit Antoine, brisant enfin le silence. Te rappelles-tu où on était l'année dernière à pareille date?

Devant mon silence, il poursuit :

— Ça fait déjà un an que je t'ai vue pour la première fois. J'avais pris ta main pour t'aider à descendre de la charrette de mon oncle. Tu m'avais répondu sec et tu avais repris ta main, comme si je te dérangeais.

— Tu me dérangeais, aussi. Et tu me déranges encore, dis-je en baissant le ton.

— Je me souviens que, pendant la fête, j'étais assis avec Charles et quelques vieux pêcheurs et qu'on ne pouvait pas s'empêcher de te regarder danser avec Isidore. Tu resplendissais comme le soleil. On aurait dit qu'il voulait te faire plaisir et qu'il avait déployé tous ses rayons juste pour toi. C'est à ce moment-là que j'ai eu envie de te serrer contre moi.

— Pauvre Isidore, tu l'avais rabroué vertement! dis-je en laissant s'échapper un petit rire.

— Ouais... mais si je ne t'avais pas prise, c'est peut-être lui qui t'aurait eue.

— Personne ne m'a eue! dis-je d'un ton sec, exaspérée devant un tel esprit de possession. La preuve : l'été a fait place à l'automne et je suis restée toute seule. Toute seule pour m'occuper de la terre, et encore plus seule lorsque le Carol est parti.

Je n'ai pas pensé au Carol depuis bien longtemps et le seul souvenir de sa mort me fait monter les larmes aux yeux.

— Tu sais, Marie, lorsque Charles, au mois de mars, m'a appris que ton père était décédé avant Noël, j'ai bien failli lâcher mes études pour venir te rejoindre. Je me doutais bien que tu devais vivre des moments difficiles.

— Ça n'aurait rien changé à ma peine, je n'avais envie de voir personne.

— Pas même moi? demande-t-il, de l'espoir au fond des yeux.

Je ne lui réponds pas, incapable de lui faire part de mes sentiments, comme si j'avais peur qu'il reprenne possession de mon cœur et me fasse mal encore une fois. Devant mon silence, Antoine comprend que ce n'est pas aujourd'hui que je lui ferai quelque aveu que ce soit.

— Marie, est-ce que je peux te poser une question qui m'intrigue depuis longtemps? Si tu ne veux pas me répondre, tu n'as qu'à le dire, je ne voudrais pas que ça te fasse de la peine d'en parler.

— Vas-y.

— Eh bien, je me suis toujours demandé ce qui était arrivé à ta mère pour qu'elle meure à quarante ans, et à ton père pour qu'il perde l'usage de ses deux jambes.

— Les gens du village aiment assez conter des histoires, j'aurais pensé qu'ils t'en auraient parlé depuis belle lurette.

— J'imagine que c'est parce que cette histoire est bien triste.

— Pour ça, tu as raison. Et les gens pensent que ça porte malheur d'en parler. Je vais te la raconter si tu veux. Mais avant d'en arriver à l'accident, je vais te raconter un peu l'histoire de la Madeleine et de son père. Comme le Carol te l'a déjà dit, le père de la Madeleine, le forgeron, ne lui a jamais pardonné d'avoir épousé un pauvre cultivateur comme mon père, avec une terre presque pas cultivable. Après le mariage, le forgeron a dit qu'il n'avait plus rien à faire à l'Anse et il a déménagé à Gaspé, en espérant ouvrir la plus grande forge de la ville. Malgré ça, la Madeleine a continué à écrire à sa mère qui, d'après elle, devait rédiger ses lettres en cachette de son mari. Grand-père était tellement orgueilleux qu'il aurait probablement interdit à sa femme de donner des nouvelles à sa plus jeune.

«La Madeleine a reçu une lettre par mois durant les dix-huit ans qu'elles ont été séparées. Elles étaient très proches l'une de l'autre, pourtant jamais sa mère ne lui a dit qu'elle était malade. Lorsque ma mère a reçu une lettre de grand-père, en juillet 1887, lui disant que grand-mère était décédée de la petite vérole, la Madeleine a pleuré toutes les larmes de son corps. Heureusement, son père lui a dit qu'il voulait qu'elle vienne à Gaspé pour l'enterrement. C'est triste à dire, mais c'est la mort de sa mère qui a permis à la Madeleine de se réconcilier avec son père.

«On a tous assisté à l'enterrement, et la Madeleine est même restée quelques semaines de plus à Gaspé pour s'occuper de son père, qui était complètement abattu par la mort de la femme qu'il aimait. Ça fait qu'après dix-huit ans de silence ils se sont remis à se parler, et ils en avaient des choses à se dire! Quand la Madeleine est revenue à la maison, ils ont même commencé à s'écrire. En fait, le forgeron, qui n'avait pas été à l'école très longtemps, demandait au curé d'écrire ce qu'il lui dictait, puis il terminait sa lettre par un gros X, puisqu'il ne savait même pas signer son nom.

«Deux ans plus tard, au début du mois de septembre 1889, la Madeleine a reçu une dernière lettre de son père. Il disait qu'il était très malade et qu'il aimerait qu'elle vienne le voir. On a donc fait nos valises et on est tous repartis pour Gaspé. La Madeleine disait qu'elle pouvait bien y aller toute seule, mais le Carol a insisté pour qu'on y aille tous, en lui disant que le travail sur la terre pouvait attendre. Lorsqu'on est arrivés à Gaspé, le forgeron était bien mal en point, couché dans son lit avec de la fièvre. Le docteur venait juste de lui faire une saignée pour tenter de la faire baisser. C'est comme ça que la Madeleine a retrouvé son père.

«On est restés à veiller grand-père toute la semaine, et c'est dans la nuit du 8 septembre que l'accident est arrivé. Je me souviens encore du visage apeuré du Carol lorsqu'il m'a réveillée en me secouant. On dormait tous les deux dans le lit de la chambre d'en bas, tandis que la Madeleine veillait au chevet de son père, dans la chambre à l'étage. Il m'a enveloppée dans une couverture et m'a prise dans ses bras, puis a traversé la maison en courant sans voir où il allait. La cuisine était remplie de fumée. Les flammes se répandaient partout, courant sur les tapis, grimpant dans les rideaux, montant du plancher jusqu'aux poutres qui crépitaient. Tous les murs étaient en feu.

«Comme la porte donnant sur la galerie était embrasée, le Carol a dû nous couvrir de ma couverture pour passer au travers. Une fois dehors, il m'a déposée sur l'herbe et est retourné rapidement à l'intérieur, en prenant soin de se recouvrir la tête. Je suis restée là un bon moment, assise dans l'herbe, incapable de bouger ou de crier. Je suis restée là à fixer la porte, espérant apercevoir le Carol sortir avec la Madeleine dans ses bras, comme le marié qui fait franchir le cadre de porte à sa belle. Je tendais l'oreille en espérant entendre une voix, mais c'était le silence complet, un silence de mort, excepté pour le crépitement du bois qui brûlait. Je ne sais combien de temps j'ai pu rester ainsi, immobile, à écouter le feu gruger la maison de grand-père.

«Puis trois hommes sont arrivés en courant, vêtus seulement de leur pyjama. Je leur ai dit que mes parents et mon grand-père étaient encore à l'intérieur. Ils sont tous entrés dans la maison par la porte en flammes. Après quelques instants, les gens ont commencé à arriver, certains avec des seaux d'eau, d'autres juste en curieux. J'ai entendu un homme dire que ça ne servait à rien d'essayer d'éteindre le feu, que la maison allait bientôt s'effondrer et qu'il valait mieux la laisser brûler. En entendant ça, je me suis précipitée vers la maison; je voulais qu'on sorte mes parents de là avant que la maison s'effondre. Un homme m'a attrapée par la taille et m'a prise dans ses bras. Pendant que je me débattais pour tenter d'aller rejoindre mes parents, les trois hommes sont ressortis avec le Carol. J'ai juste eu le temps de les apercevoir avant que l'homme qui me retenait m'emmène ailleurs. Il m'a portée dans ses bras jusque chez lui, où sa femme m'a couchée dans leur lit. Ils m'ont dit de ne pas m'en faire, que le docteur allait s'occuper de mes parents. Je me suis vite endormie, et j'ai rêvé à des flammes, à des flammes qui me brûlaient vive.

«Je me souviens vaguement que, durant la nuit, le docteur est venu me voir. Il m'a fait enlever ma chemise de nuit et il m'a examinée. Ensuite, il a parlé avec l'homme et la femme, puis est reparti. Le lendemain matin, on m'a emmenée chez le docteur. Il était pâle comme un fantôme, avec des énormes taches de sang sur sa blouse blanche, comme s'il venait de faire boucherie. Il m'a assise sur ses genoux et m'a regardée avec des yeux remplis de pitié. C'est là qu'il m'a dit que le Carol avait perdu ses deux jambes et que la Madeleine était morte, avec son père malade. Je me souviens d'en avoir voulu à grand-père de nous avoir fait venir dans sa maison. Lui, il serait mort de toute façon, mais la Madeleine avait seulement quarante ans…

«Pour tenter de me consoler, le docteur m'a emmenée voir mon père. Il était étendu sur le lit, le front en sueur, le visage tendu par la douleur. Je me suis précipitée dans ses bras et j'ai pleuré jusqu'à en mouiller sa chemise. Le pauvre Carol était bien trop fatigué pour me consoler, mais il m'a pris la main. Je me suis étendue à ses côtés. Je me souviens des couvertures du lit qui arrêtaient juste un peu après ses hanches. Il n'avait presque plus de cuisses, il n'avait plus de genoux et il n'avait plus de pieds! Je regardais les couvertures où il aurait dû y avoir deux bosses pour ses pieds, mais les couvertures étaient plates! J'avais juste dix ans à l'époque, mais je me souviendrai toujours des couvertures qui tombaient tout de suite après la moitié de ses cuisses.

«C'est seulement quelques mois plus tard que le Carol m'a raconté ce qui s'était passé dans la maison en feu.

Quand il est retourné pour sauver la Madeleine, la maison était tellement emboucanée qu'il ne voyait plus rien. Il se souvient de s'être assommé et d'être tombé par terre. Ensuite, il s'est réveillé dans le lit du docteur. Quand les hommes l'ont trouvé, il était étendu par terre, une poutre calcinée sur les jambes. Il délirait, disant qu'il fallait aller aider la Madeleine et son père à descendre. Mais les hommes savaient que la maison risquait de s'effondrer d'une minute à l'autre. De toute façon, l'escalier était déjà en feu, ils n'auraient jamais pu monter par là. Ils ont donc libéré mon père, puis sont ressortis. À ce moment-là, deux autres hommes arrivaient avec une échelle. Ils l'ont appuyée à la fenêtre de la chambre d'en haut, pour essayer de faire descendre la Madeleine et son père. C'est à ce moment que le haut de la maison s'est écroulé. La Madeleine et son père sont partis ensemble, eux qui ne s'étaient pas parlé pendant dix-huit ans. Ils sont morts en même temps pour être certains de pouvoir tout se raconter au ciel. C'est drôle, la vie, hein? On ne sait jamais ce qu'elle nous réserve…»

— Je pense, dit Antoine, que l'histoire de la Madeleine nous montre qu'il faut faire ce dont on a envie, parce qu'on ne sait jamais si la Faucheuse ne va pas venir nous chercher plus tôt que prévu.

— Moi, la Faucheuse, je n'en ai pas peur, parce qu'elle peut juste m'emmener où elle a emmené le Carol et la Madeleine. Mais maintenant, c'est à ton tour de me raconter une histoire. Parle-moi de Charles. Vous vous êtes vus à Québec… Est-ce qu'il va bien?

— Oui, il va bien. Quand il est arrivé à Québec, avec sa Joséphine, ils sont allés habiter chez ses parents à elle. Je peux te dire que la Joséphine était bien contente de revenir en ville! Grâce à son beau-père, qui est médecin lui aussi, Charles n'a eu aucune difficulté à trouver du travail. Le père de Joséphine avait justement envie de travailler moins, alors il a refilé ses patients à Charles. Ses beaux-parents l'ont aussi aidé financièrement. Quand je suis parti, ils habitaient encore tous ensemble et ils avaient l'air d'être bien heureux… Surtout que la Joséphine était grosse pour la première fois.

– C'est vrai, Joséphine est enceinte?

– Eh oui, il y aura bientôt un petit Boileau de plus dans la famille!

– Ah, je suis tellement contente pour elle… pour Charles aussi. Ça ne pouvait pas mieux finir, cette histoire-là!

– Tu as bien raison, surtout que Charles a failli la perdre, sa belle Joséphine…

– Justement… ce matin, tu m'as dit qu'en arrivant à Québec il était allé te voir et t'avait raconté toute notre histoire… Dis-moi donc comment ça s'est passé.

– Il est arrivé au début de la deuxième semaine de mars, si je me souviens bien. Il s'est installé puis est venu nous rendre visite à la maison. Mes parents étaient bien contents de voir leur neveu préféré, qu'ils n'avaient pas vu depuis son mariage en septembre. Après le souper, Charles a dit qu'il avait envie de jaser seul à seul avec moi. On a donc laissé Joséphine veiller avec ma famille et on est allés faire une marche. Comme il faisait froid, on s'est retrouvés dans une auberge devant un verre de fort. Charles m'a demandé ce qui s'était passé entre nous deux l'été dernier. Je lui ai tout raconté. Je lui ai dit comment tu m'avais rabroué après qu'on s'est fait surprendre dans l'église, et que j'étais parti sans te dire au revoir parce que… parce que tu avais blessé mon orgueil et que je n'allais pas marcher à genoux devant toi.

– Antoine, je suis désolée de t'avoir…

– Ne pense plus à ça, c'est du passé. Laisse-moi plutôt terminer mon récit. Après lui avoir expliqué comment on s'était laissés, je lui ai dit que je t'avais écrit une lettre dès le mois de septembre, puis une autre en décembre, et encore une autre en février, mais que je n'avais jamais reçu de réponse.

– Qu'est-ce que tu dis? Tu m'as écrit?

223

— Bien sûr! Je t'ai écrit trois lettres. Je les ai adressées au magasin général, en me disant qu'Émile te les donnerait lorsque tu irais faire tes courses. Tu ne les as pas reçues?

— Je n'ai jamais reçu de lettre. Je ne comprends pas... Ah oui! Je pense que je comprends! Il n'y a pas qu'Émile qui travaille au magasin général. Il y a Isidore aussi. Isidore qui n'a jamais accepté que je te préfère à lui.

— Tu penses qu'il aurait pu jeter mes lettres?

— C'est la seule explication que je vois. Mais, dis-moi donc, qu'est-ce que tu disais dans tes lettres?

— Dans la première, je m'excusais d'être parti sans dire au revoir; dans la deuxième, je te disais que je m'ennuyais de toi et que je me demandais pourquoi tu prenais tant de temps à m'écrire, et dans la troisième je te disais que j'allais revenir à la fin juin pour te demander en mariage, parce que je m'étais rendu compte que...

— Je n'en reviens pas qu'Isidore ait pu faire ça! dis-je en coupant Antoine pour ne pas entendre ce qu'il a à me dire.

J'ai passé tout l'hiver à me convaincre que ce n'était pas un garçon pour moi, qu'il était parti sans un mot parce que je ne l'intéressais pas, et voilà qu'il me revient en me disant qu'il m'a écrit pour s'excuser et me déclarer son amour. J'ai besoin de réfléchir à tout cela, à cet amour qui est revenu sans crier gare et dont je ne sais quoi faire.

— Oublie ça, Marie. Maintenant, je suis ici, et je n'ai pas besoin de t'écrire pour te dire ce dont j'ai envie.

— Continue ton histoire, alors.

— Je disais donc que j'ai dit à Charles que je t'avais écrit et que tu ne m'avais jamais répondu, mais que j'avais quand même l'intention de revenir te voir une fois que j'aurais terminé mes études. Charles avait la mine basse, comme un enfant qui a fait un bien mauvais coup. C'est là qu'il a commencé à me raconter votre histoire, en détail en plus de ça, comme si ça allait le libérer de tout raconter à quelqu'un. Moi, plus il parlait, plus je voyais rouge. Je t'imaginais dans ses bras... Je l'imaginais en train de te toucher, de te caresser... C'est là que j'ai perdu le contrôle et que je lui ai mis mon poing dans la face. En me rendant compte de ce que je venais de faire, je me suis tout de suite calmé. Je me sentais tellement mal à l'aise que je suis allé chercher un linge pour essuyer le sang qui coulait de son nez, et je me suis excusé. On a commandé deux autres verres, puis il a continué son histoire. Il m'a raconté comment Isidore vous avait surpris et pourquoi il avait quitté l'Anse. Il m'a dit aussi que tu ne l'avais jamais vraiment aimé et que si tu avais eu envie de lui, c'est parce qu'il te faisait penser à moi, et que c'est moi que tu aimais. Il a ajouté que, si je t'aimais moi aussi, il fallait que j'aille te chercher.

— Écoute, Antoine, tu viens de m'apprendre des choses que je ne savais pas. Le fait que tu m'aies écrit et que tu regrettes d'être parti sans un mot change bien des affaires, mais il faut que tu comprennes que j'avais fait une croix sur toi. Je ne peux pas retomber dans tes bras comme ça, même maintenant que je comprends ce qui s'est passé.

— Je comprends, ma belle Marie.

Nous gardons un moment le silence, admirant la voûte étoilée.

— Savais-tu, Antoine, que le soleil est maintenant couché pour nous, mais qu'il se lève pour les gens de l'autre côté de la terre, tout ragaillardi, pour les réveiller et leur faire passer une belle journée?

— C'est drôle de penser que même si, ici, c'est la nuit, il y a toujours un endroit sur la terre où c'est le jour. Ça veut dire que pour certaines personnes c'est déjà demain, alors que pour d'autres le soleil ne s'est pas encore couché.

— Si on pouvait voyager rapidement, on pourrait donc assister à plusieurs couchers de soleil.

— Ouais, mais ça nous prendrait plus qu'une charrette!

Je m'imagine voyageant dans les airs, vers les prairies de l'Ouest, et assistant à un coucher de soleil à chaque heure. Enfin, je m'endormirais au bord de l'océan Pacifique, avec au fond des yeux de douces nuances de rose et d'orangé.

— Marie… On va tous à la fête de la Saint-Jean-Baptiste demain. J'aimerais ça que tu viennes avec nous autres.

– J'aimerais bien ça aussi, mais je pense que M. et Mme Boileau n'ont pas vraiment envie de me voir.

– Voyons, tu te fais des idées! Ils m'ont dit que ça faisait longtemps qu'ils ne t'avaient pas vue et qu'ils seraient bien heureux de fêter avec toi.

– Mais ils pensent que c'est moi qui ai chassé Charles de l'Anse.

– Bien non! Je leur ai dit qu'Isidore avait tout inventé parce qu'il t'a toujours aimée mais que toi, tu n'as jamais voulu de lui.

– Mais ce n'est pas la vérité!

– Non, mais ils étaient tellement heureux d'entendre cette histoire-là qu'ils ont passé la journée à la raconter au village! Ils ont hâte de te revoir, Marie. Toute la famille a hâte de te revoir. Rosalie va être là aussi, avec son Émile.

– Merci, Antoine.

– On va passer te prendre vers onze heures, dit-il en se levant.

Je me lève aussi et le suis jusqu'au bas des marches de la galerie. Il se retourne vers moi et plonge son regard dans le mien. Je reste de glace, refoulant encore une fois la passion qui m'anime. Il replace lentement le châle sur mes épaules et prend mes mains dans les siennes.

– N'oublie pas d'apporter un dessert pour le buffet, dit-il tout bas.

– Je n'oublierai pas.

Il approche doucement son visage du mien. Mon cœur fait un bond, mais mon visage reste impassible. Antoine effleure ma joue du bout des lèvres, recule lentement, puis se retourne. Je n'ai pas le temps de me remettre de mes émotions que déjà il s'éloigne sur le chemin.

– À demain, crie-t-il en m'envoyant la main.

* * *

Lorsque les Boileau viennent me chercher en charrette, je suis un peu gênée. Je repense à tout ce que j'ai dit sur le perron de l'église à la mi-mai, et j'en rougis de honte.

Heureusement, ils me font tous sentir que je suis la bienvenue et que tout cela est du passé. Je suis si heureuse d'être de nouveau en compagnie de ceux que j'aime et qui m'ont tant manqué! Heureuse de me sentir de nouveau humaine!

Une fois que nous sommes arrivés sur le terrain de l'église, Mme Boileau me tire par la manche pour que j'aille porter mes galettes à la mélasse avec les autres victuailles. Le reste de la famille Boileau s'éloigne : Camille va rejoindre Arthur, le jeune frère d'Émile, Catherine va jaser avec les autres jeunes filles du village, Armand et Hector rejoignent leurs amis de jeu et Antoine et les aînés s'installent sur une couverture dans l'herbe.

— Tu sais, ma belle Marie, parfois les garçons font des choses qui nous brisent le cœur, mais il faut marcher sur notre orgueil et leur pardonner…

— Pourquoi me dites-vous ça, madame Boileau?

— Je pense qu'Antoine est revenu pour toi. Tu devrais peut-être lui donner une deuxième chance. Enfin… Je dis ça parce que tout ce que je veux, c'est de te voir heureuse. Et mon neveu Antoine, ce n'est pas un mauvais garçon.

— Il vous a dit qu'il voulait…

— Qu'il voulait t'épouser, oui.

— Quand je vais choisir un mari, ça va être pour la vie, c'est pour ça que j'attends de voir si c'est bien Antoine qu'il me faut.

— Prends ton temps, ma fille. L'amour, c'est vrai que ça ne se commande pas.

Tout en méditant sur cette phrase, je vais rejoindre Rosalie et Émile qui viennent d'arriver.

— Marie, je suis contente de te voir, dit Rosalie en me serrant dans ses bras. As-tu vu qui est revenu à l'Anse? Mon beau cousin Antoine!

— Oui, je l'ai vu, on a même passé la soirée d'hier ensemble. On a jasé sur la galerie.

— Je le savais! Il est revenu pour toi! C'est ce que je disais à Émile, mais il s'obstinait à dire que c'était pour pêcher la morue.

227

– Antoine a obtenu sa licence en droit; il n'a plus besoin de pêcher.

– Il a besoin d'une femme, maintenant!

– Rosalie! dis-je en lui faisant signe de parler moins fort.

Elle me prend par la taille et nous allons rejoindre les garçons assis sur la grande couverture. Nous restons là une bonne partie de l'après-midi, à discuter et à rire. Durant ces quelques heures, je me sens parfaitement heureuse, entourée des gens que j'aime, de ma meilleure amie et … d'Antoine, qui me sourit comme s'il voulait me faire oublier mon hiver passé dans le froid et la solitude. Assise par terre, mes orteils caressant les brins d'herbe naissant et mon corps encore frileux profitant de la chaleur du soleil, j'arrive à tout oublier.

Vers trois heures de l'après-midi, pour dégourdir nos jambes, nous allons tous danser au son de la musique du violoneux. Alors que je me laisse emporter par les notes du violon, mon regard croise pour un instant celui d'Antoine. Je vois dans ses yeux et dans son sourire qu'il pense à notre première danse, l'été dernier à pareille date, quand il avait fait battre mon cœur si fort. Je lui souris pour qu'il sache que je partage ses pensées. Après une demi-heure de danse, Antoine me fait signe de le suivre et nous nous éloignons. Nous allons nous asseoir dans les marches de l'église, sous le regard du Christ en croix, qui semble me dire d'écouter mon cœur. Antoine prend ma main dans la sienne.

– As-tu pensé à ce que je t'ai demandé, hier? dit-il les yeux fixés au loin.

– J'y ai pensé, mais je n'en suis pas encore venue à une décision.

– Je comprends… Tu as peut-être quelqu'un d'autre dans ta vie…

– Je n'ai personne d'autre. Je veux juste que tu me donnes du temps.

– Du temps, ça, je peux t'en donner! Et beaucoup d'autres choses aussi, ma belle Marie! Mais il faut que tu saches que, si tu deviens ma femme, il va falloir que tu me suives. On n'a pas besoin d'avocat à l'Anse, tu comprends? Je vais m'installer à Québec. Mes frères m'ont dit que si je revenais avec une femme ils allaient m'aider à bâtir ma maison à côté de celle du père, qui va me donner un bout de son terrain.

— Quitter l'Anse, c'est ça que tu me demandes? Quitter ma maison, et la mer?

— Quitter une maison où tu vis toute seule pour en remplir une autre avec moi... Et quitter la mer pour un fleuve presque aussi beau. Tu sais, Québec, c'est la plus belle ville du Canada, à ce qu'on dit.

Devant mon silence, Antoine poursuit en baissant le ton, comme s'il avait peur que la statue du Christ ne l'entende.

— Je sais que je peux faire ton bonheur et que tu peux faire le mien... Un jour, j'ai respiré le parfum d'une rose qui sentait tellement bon... que j'ai envie de sentir son odeur tous les jours de ma vie... même si elle a beaucoup d'épines!

Je ris d'entendre de telles paroles sortant de la bouche d'un garçon. Devant mes rires, Antoine rougit et baisse la tête.

— C'est moi, ta rose? dis-je pour lui montrer que je ne riais pas de lui.

— Bien oui...

— Et tu penses que si tu me cueilles tu ne te feras pas mal?

— Bien non, je vais y aller délicatement!

— Et tu penses que tu vas continuer à m'aimer, même quand je vais commencer à perdre quelques pétales? dis-je pour me moquer de la situation.

— C'est sûr! Je n'aurai qu'à les ramasser et à les faire sécher!

À cette remarque, nous nous esclaffons de rire. Je suis contente de voir qu'Antoine peut aussi rire de l'amour. Je regarde le Christ quelques instants. J'ai l'impression qu'il me tend les bras, qu'il me dit d'oublier mon orgueil blessé et mes peines, parce que, maintenant, j'ai la possibilité de changer ma vie. Avec Antoine, je vais quitter l'Anse et aller vivre dans la grande ville; je vais cesser de pêcher et de cultiver pour m'occuper de ma marmaille; je vais mettre ma solitude au placard et fermer la porte à double tour.

– Oui, Antoine! Je veux être ta femme. Depuis la première fois où tu m'as prise, c'est toi que j'attends...

– C'est vrai? Tu veux m'épouser? Tu vas me suivre jusqu'à Québec?

– Je vais te suivre aussi loin que tu voudras.

– Je suis certain que tu vas adorer Québec! C'est une grande ville où tout bouge plus vite qu'ici. Et le fleuve, c'est presque la mer... Si tu es prête, on se marie dimanche dans trois semaines! me dit-il avec les yeux d'un enfant à qui l'on donne une orange à Noël. Viens, on va aller annoncer la bonne nouvelle à toute la famille.

Antoine m'entraîne jusqu'aux charrettes des Boileau, où l'on nous attendait justement pour partir.

– Où est-ce que vous étiez, vous deux? On vous cherchait partout. On t'invite à souper à la maison, Marie, si tu veux...

– Oui, elle veut! On a justement quelque chose à fêter : Marie a accepté d'être ma femme, on va se marier dimanche dans trois semaines!

– Ah Marie! Je suis tellement heureuse pour toi! Je le savais que vous finiriez mariés, vous deux! dit Rosalie en me prenant dans ses bras, collant sa grosse bedaine contre moi. Peut-être que si tu te dépêches nos enfants vont pouvoir jouer ensemble, continue-t-elle à voix basse.

– J'ai hâte d'être grosse comme toi, lui dis-je dans l'oreille.

Toute la famille Boileau nous félicite et nous embrasse à tour de rôle. M. Boileau prend quelques minutes pour aller annoncer la bonne nouvelle au curé et réserver son église.

Durant le repas, on discute des arrangements du mariage et tout le monde se mêle à la discussion. Mme Boileau dit qu'il lui reste quelques mètres de la fine cotonnade blanche qui a servi à confectionner la robe de mariage de Rosalie, et m'offre de coudre la mienne. Pierre demande où l'on va se procurer les bagues et Antoine dit qu'il les a déjà achetées, à Québec. Tout le monde sourit. Camille propose qu'après la cérémonie les invités poursuivent la fête chez moi. Mme Boileau dit qu'elle et ses filles s'occuperont du festin. Enfin, M. Boileau spécifie qu'Antoine dormira dans leur maison jusqu'au mariage, pour ne pas tenter le diable. S'il savait…

Après le souper, nous commençons déjà à rédiger les invitations. De mon côté, ce n'est pas très long puisque ma seule famille est autour de la table, mais, du côté d'Antoine, la liste est longue. M. Boileau semble très heureux de ce mariage qui sera une bonne occasion de revoir ses frères et sœurs, ainsi que son fils Charles, exilé depuis déjà trois mois. En plus des Boileau, nous invitons quelques familles du village, de bons vivants qui savent apprécier les occasions de faire la fête.

Ce soir-là, en rentrant à la maison, j'ai l'impression de ne plus toucher terre. Je me sens comme lorsque je glissais à plat ventre sur la glace. Je glisse. Je glisse sur une mer scintillante telle une galaxie d'étoiles. Je tourbillonne et tourbillonne encore. Je vole, je plane, je me propulse à travers les étoiles. Je suis celle qui avance vers le futur, celle qui traverse les siècles, celle qui se jette dans l'avenir… Hier encore, je n'étais qu'une enfant, et demain déjà je serai la femme d'un homme. De celui qui m'a poursuivie dans les champs parce que j'étais celle qu'il voulait.

* * *

En ce 14 juillet de l'an de grâce 1900, je prends pour époux Antoine Boileau. Il est beau dans son costume noir, avec ses larges épaules et ses cuisses musclées de cultivateur. Alors qu'il glisse l'anneau qui nous unit à mon annulaire et qu'il pose doucement ses lèvres sur les miennes, je ressens en moi l'irrépressible désir de son corps nu contre le mien.

Le corps de mon homme, qui pourra me prendre aussi souvent qu'il en aura envie, sans se soucier des mauvaises langues du village. Elles sont toutes ici, ces mauvaises langues, et elles nous sourient, et elles nous félicitent. Je suis si heureuse de ce tour du destin que je leur pardonne. Je leur pardonne en cette église car Dieu est pardon. Je leur pardonne car elles ne savaient pas le mal qu'elles me faisaient.

Sur le chemin de la maison, je suis seule avec Antoine dans une charrette. J'essaie d'entendre le bruit des vagues contre la falaise, mais cela est impossible. Je demande à Antoine d'arrêter la charrette. Il se range sur le côté du chemin. Les autres charrettes nous rejoignent et je dis aux invités de ne pas nous attendre, de continuer jusqu'à la maison. Je prends Antoine par la main et lui demande de me suivre. Nous marchons quelques minutes, jusqu'au bord de la falaise.

– Salut, la mer! Je te présente Antoine Boileau, mon mari!

– Tu es folle! me dit-il en me prenant dans ses bras.

Il me soulève de terre et me fait tourner, avant de me reposer et de m'embrasser tendrement.

– Tu vois, la mer, comme il est beau, mon homme!

– C'est toi qui est belle, Marie! me dit-il.

Nous demeurons quelques instants dans le silence, savourant le moment présent, caressés par le vent du large, avant de retourner tranquillement jusqu'à la charrette, ma petite main dans la sienne.

Devant la maison, tout est prêt pour la fête. Plusieurs plats cuisinés par Mme Boileau et ses filles sont disposés sur une longue table, dont un énorme gâteau qui fait faire les yeux ronds aux enfants du village. À notre arrivée, le petit Fernand entame un *reel* à l'accordéon et tous se mettent à danser. On relève les manches et les jupons aussi.

Je danse dans les bras d'Antoine durant des heures, me désaltérant avec le vin apporté de la capitale par Charles et Joséphine. Vers cinq heures, nous allons nous étendre sur une couverture et observons les gens autour de nous. Émile caresse le gros ventre de Rosalie avec tendresse. Isidore prend la petite main d'Agnès dans la sienne et l'invite à faire une promenade. Même Camille, qui n'a que quinze ans, semble écouter son cœur. Elle discute dans l'herbe avec Arthur, son prétendant.

Loup vient se coucher à mes côtés et je repense à l'hiver, au verglas qui a brisé tous les arbres. Attirés par la lumière, ceux-ci poussent maintenant vers le soleil, se guérissant de leurs blessures. La nature est faite pour guérir, me dis-je. Chaque blessure, si profonde soit-elle, finit toujours par se cicatriser. Ensuite, on oublie ce qu'était la douleur et il ne nous reste que des cicatrices insensibles, seuls souvenirs de ce qui nous a jadis fait souffrir. Et, avec le temps, ces souffrances anciennes prennent même la forme de douces expériences qui nous auront, en fait, aidés à grandir.

Je pense au Carol et à la Madeleine qui doivent être bien fiers de leur Marie, celle que les pêcheurs ont trouvée sur le rivage et qu'ils ont ramenée à la maison. Leur Marie qui a épousé un avocat de la grande ville.

Les villageois repartent vers leurs demeures les uns après les autres, suivis des membres de la famille du marié qui nous saluent avant de rentrer passer la nuit soit chez Rosalie, soit chez son père. Nous restons seuls, étendus sur notre couverture, à admirer le soleil qui descend vers la mer. Le ciel est marbré de rose et de mauve, tel l'heureux présage de notre vie qui commence.

Antoine réveille Loup et l'emmène dans la maison. Quand il revient, je suis debout, les bras en croix, pour mieux sentir le grand vent qui se lève. Il marche sans bruit jusqu'à moi et je sursaute lorsqu'il m'entoure de ses bras, par derrière. Il commence par effleurer ma poitrine, tout doucement. Il pose ensuite ses mains sur mes cuisses et re-monte ma robe. Il fait courir ses doigts sur la peau de mes cuisses, à l'extérieur d'abord, puis à l'intérieur, où la peau est toute douce.

Je fixe l'horizon où le soleil et la mer se découvrent par de tendres effleurements d'abord, puis plus passionnément quand le soleil pénètre la mer, encore une fois...

Antoine remonte une de ses mains vers mon sexe, qu'il caresse plus ardemment, et agrippe ma poitrine de l'autre. Je le sens fébrile. Je me retourne face à lui et déboutonne délicatement sa chemise que je jette dans l'herbe. Je pose mes mains sur son torse. Je n'ai pas senti le contact de son corps depuis si longtemps... Je redécouvre la volupté de sentir la douceur de sa peau sous mes doigts. Je descends mes mains jusqu'à sa taille et déboutonne son pantalon, qui tombe au sol. Mon homme est flambant nu. J'admire ses larges épaules, son ventre, ses hanches, ses cuisses et son membre viril qui se dresse vers moi.

Cette vision me chavire et éveille mon désir. Je dérivais sur une mer d'huile et là, tu m'ébranles comme une barque abandonnée dans la tempête. J'étais une terre en friche et là tu creuses en moi des sillons pour planter tes semences. Prends-moi contre toi, Antoine! Je veux être l'oreiller où tu poses la tête. Je veux être la terre qui t'offre ses fruits. Je veux être la voile qui te ramène au port.

Il enlève ma robe et la dépose sur le sol. Il m'enlace et je tremble contre lui. Il me couche sur le sol. Ses mains courent sur tout mon corps. Il fait rouler sa langue sur le bout de mes seins et je peux déjà sentir mon sexe qui se contracte. Dans un élan de passion, je le saisis par les épaules et le renverse sur le dos. Il me regarde un peu surpris. J'enjambe son corps et fait pénétrer doucement son sexe dans mon ventre. Je tressaille à la sensation de son membre bien dur qui glisse en moi au rythme du mouvement de mes hanches. Je me redresse bien droite et pose mes mains sur son torse. Il agrippe mes seins et ferme les yeux. Je penche la tête en arrière.

Je suis la Marie de la mer et je suis fertile comme la terre. C'est le temps des semailles, Antoine! Pourvois-moi de ta semence! Je te donnerai du plaisir et d'abondantes récoltes! Ensemence-moi, Antoine! Fais de moi une femme!

Je suis Marie de la mer et je suis fertile comme la terre. J'ai un ventre lunaire pour porter tes enfants. J'ai de beaux seins biens ronds pour les rendre grands et forts. J'ai des bras infatigables pour les bercer et les consoler. Et j'ai un cœur qui n'attend que leurs petits sourires pour s'ouvrir tout grand.

J'accélère mes mouvements. Chaque fois que j'enfonce son sexe au fond de moi, je murmure «Viens!» en songeant au moment où il remplira mes entrailles de sa chaude semence. Le son de ma propre voix et l'anticipation de son plaisir m'excitent à un point tel que je suis soudainement secouée de spasmes extatiques qui parcourent tout mon corps. Dans un dernier soupir, je sens son membre qui se gonfle légèrement et sa semence qui se déverse en moi. Le soleil s'éteint en entrant dans la mer...

«Marie... Marie...» On m'appelle sur le rivage. Une douce voix d'enfant. «Marie... Marie la mer... reviens sur le rivage.» J'agrippe mes rames et les enfonce dans l'eau énergiquement. L'eau semble épaisse et mes bras sont vite fatigués par le mouvement. Je plonge alors dans l'onde bleue et commence à nager. Des courants me poussent dans tous les sens et je me sens attirée vers le fond. «Marie... Marie... tu ne seras plus jamais aussi solitaire... Marie la mer...» Soudain, une vague m'élève dans les airs. La mer me soulève et me porte doucement jusque sur le rivage. J'entends des voix calmes et rassurantes qui murmurent la berceuse que la Madeleine me chantait pour m'endormir quand j'avais la tête pleine de tempêtes. Je marche le long du rivage. La lune est pleine et semble même grossir à vue d'œil. «Danse, Marie... Danse... L'hiver est loin. Danse pour les arbres qui soignent leurs blessures. Danse pour le soleil qui bénit cette terre. Danse pour les hommes qui ont envie de toi. Danse pour les femmes qui ont le cœur meurtri. Danse pour l'aurore qui grandit dans ton ventre. Danse pour elle, Marie. Pour qu'elle sente les mouvements de la mer.» Les bras en croix et les pieds dans les vagues qui viennent mourir sur le rivage, je valse avec le vent. Je tournoie et tournoie et m'affaisse sur le

sol. Je suis sur le dos, les pieds vers la mer. Les vagues glissent le long de mon corps. Elles vont et viennent, me recouvrant jusqu'à la taille avant de repartir. «Marie… Marie la mer… ton ventre est bombé comme la lune.» Je scrute l'horizon. À l'endroit où le soleil se couche habituellement, la lune sort de la mer. Je regarde mon corps que je ne reconnais plus. Je touche mes seins gonflés et mon ventre bombé. «Marie… tu ne seras plus jamais aussi solitaire. Marie la mer…» Je me relève et marche jusqu'au village. J'avance dans la rue Principale et, au fur et à mesure, les maisons et les commerces s'effondrent, se désagrègent derrière moi. Je marche sans me retourner. J'arrive devant une charrette dans laquelle je grimpe. Je fouette les chevaux qui partent à vive allure. Je ne ressens aucune peine pour ce que je laisse derrière moi. Je sens son souffle dans mon cou. Je sursaute et me retourne brusquement. Il est là! Ce n'est plus une ombre. Antoine est assis à mes côtés dans la charrette et il me sourit. J'entends de nouveau les douces voix qui chantent la berceuse de la Madeleine. «Marie la mer… tu n'as plus besoin de moi…» Antoine m'enlève les rênes des mains et fouette les chevaux, qui repartent de plus belle. Le paysage change rapidement. L'horizon est noir et, soudain, j'aperçois des lumières au loin, comme si les étoiles du ciel étaient descendues sur la terre. Antoine me dit que c'est là où nous allons. «Tu ne seras plus jamais aussi solitaire, Marie…»

Marie la mer

Je suis Marie. Pas celle qui a enfanté le Messie, mais la petite Marie de la Gaspésie. Marie la mer. Celle qui va enfanter l'hiver prochain, quand la nature et les êtres seront pris en otages par le froid et la neige. Quand les champs ne seront plus que des terres gelées et sans vie et que les morues auront quitté la mer glacée. Mais l'hiver est encore loin...

C'est le premier été du siècle et j'ai le ventre plein de soleil. Un petit soleil que je prénommerai Aurore. Antoine me dit de trouver aussi un prénom de garçon car rien ne dit que ce sera une fille. Mais moi, je sais que j'attends une fille. J'attends une aurore. Aurore Boileau, qui sera la fille du Soleil tout comme celle de l'Eau...

Ceci est mon dernier été à Anse-aux-Rosiers. Je partirai en septembre pour Québec avec Antoine, qui songe à se lancer en politique. Je suis prête à le suivre, pour que notre histoire recommence...

En attendant l'automne, je pêche la morue avec Antoine et Paul, qui a enfin reçu la bénédiction de son père pour abandonner les champs et prendre la mer.

En attendant l'automne, nous profitons du soleil et de sa lumière qui réchauffe nos cœurs meurtris par le long hiver.

En attendant l'automne, nous apprenons à nous connaître. Chaque soir, nous nous assoyons sur la galerie et Antoine caresse mon ventre qui sera bientôt bombé comme la lune. Dans les chaises berçantes du Carol et de la

Madeleine, qui s'aiment à jamais dans le ciel, nous admirons l'horizon qui se vêt de ses plus ravissantes couleurs pour séduire la mer.

Et lorsque la nuit s'empare de l'Anse, comme des enfants nous tournons les yeux vers la voûte céleste où brillent avec éclat tous les soleils du monde.

IMPRESSION
IMPRIMERIE GAGNÉ

IMPRIMÉ AU CANADA